Viva Mallorca!
One Mallorcan Autumn

by Peter Kerr

马略卡之秋：
万岁！马略卡

［英国］彼得·凯尔——著
尹 珊 李 迎——译

译林出版社

图书在版编目（CIP）数据

马略卡之秋：万岁！马略卡 /（英）彼得·凯尔（Peter Kerr）著；尹珊，李迎译．—南京：译林出版社，2023.1
（马略卡的四季）
书名原文：Viva Mallorca!: One Mallorcan Autumn
ISBN 978-7-5447-8978-3

Ⅰ.①马… Ⅱ.①彼… ②尹… ③李… Ⅲ.①随笔－作品集－英国－现代 Ⅳ.①I561.65

中国版本图书馆 CIP 数据核字（2021）第 256991 号

著作权合同登记号 图字：10-2017-511 号

马略卡之秋：万岁！马略卡 ［英国］彼得·凯尔／著 尹 珊 李 迎／译

责任编辑 赵 奕
装帧设计 任凌云
校 对 王 敏 孙玉兰
责任印制 单 莉

原文出版 Summerdale, 2004
出版发行 译林出版社
地 址 南京市湖南路 1 号 A 楼
邮 箱 yilin@yilin.com
网 址 www.yilin.com
市场热线 025-86633278
排 版 南京展望文化发展有限公司
印 刷 江苏凤凰通达印刷有限公司
开 本 787 毫米 ×1092 毫米 1/32
印 张 10.25
版 次 2023 年 1 月第 1 版
印 次 2023 年 1 月第 1 次印刷
书 号 ISBN 978-7-5447-8978-3
定 价 49.00 元

彼得・凯尔致中国读者的信

“这一切恍如一场美梦：一家人放弃了在苏格兰恶劣的气候下牧牛，转而来到 1500 英里[1] 外阳光明媚的西班牙马略卡种起了橘子。”

这是英国原版《马略卡之冬：雪球橘》的介绍文字，千真万确——除了非常重要的一点：我们这么做不是为了“圆梦”，而是因为在 1984 年，我们家传承了好几代的小农场在“以大为美”的现代化农业环境中不再可行，那时，机械化农作方式已成为苏格兰农村的主流。因此，几乎可以说是极不情愿和恐惧万分地，我和妻子决定放弃这片珍藏于心的安全和熟悉的土地，冒险在遥远的异乡另谋出路。在那里，家庭作坊式的小农场仍占主流。

当您读到这些关于我们马略卡冒险的记述时，您会发现

1　1 英里约合 1.609 公里。

我们对赖以为生的新农作方式一无所知，看似闲散的田园生活给我们带来了巨大的考验。我们遭受了相当多的挫折——如果不算是彻底的灾难的话——同时需要学会用一门新语言交流，努力调整我们的生活节奏以适应截然不同的气候和文化，去融入这个亲密无间的乡间社区，这个依然保留着古老传统生活方式的社区可不太习惯我们这些外来者闯入。但是，若诸事不顺，便以笑为良药——这句老话成为我们的座右铭，我们也随之开始了令人兴奋的生活新篇章。

我们的小橘子农场坐落在雄伟的特拉蒙塔纳山褶中，在这里，我们的邻居只有马略卡老村民，他们依然保留着传统生活方式，对新技术的主要让步是用小型柴油拖拉机代替驴或骡子。除此之外，他们照料果园，耕种农田，像祖祖辈辈一样一成不变，过着简单、从容的生活。他们很难理解为什么我们要从那么远的地方搬来这里，还带着两个年幼的儿子，来迎接这样一个连本地人家的孩子都不肯接受的未来。山谷中的下一代更喜欢去西班牙热闹繁华的海滨度假胜地，找份酒保或服务员的轻松工作，然后投身于西班牙灯红酒绿的聚会之中。

毋庸置疑的是，这些精明的乡下人一开始对我们疑虑重重，也许还曾怀疑我们是不是把脑子都丢在了苏格兰——管它苏格兰究竟在哪儿。然而，当他们清楚地认识到我们不是那种人傻钱多的疯狂外国人，而是预算紧张、勤劳肯干、自力更生的普通人之后，他们便接纳了我们一家，慷慨地出主意，尽力帮忙。

大多数当地人终其一生也不会走到比山谷到首府帕尔马之间的这 20 英里更远的地方去，即使有人需要去更远的地方，这种情况也十分罕见。因此，毫无意外地，他们特别喜欢问我们这一代人为什么对旅行如此着迷。一位老者认为，就算旅行真的可以开阔眼界，显然它并不是对每个人都适用。“毕竟，”他说，“如果一头驴子去旅行，并不意味着它回来就能变成马了。”他直接拿自己的儿子举的例！

巧合的是，多年后在欧洲大陆的某个图书节上，我受邀参加了一场类似主题的讨论会，虽然现场并没有同样尖刻的幽默意味。该国长期以来禁止出国，这一禁令直到最近才放宽，因此对许多人来说这是第一次可以自由出国旅行的机会。现场听众们很热切地希望听我这个局外人对他们长期被剥夺的权利给出点评。

有人问我：“离家远行是找到自我的好方法吗？是唯一的方法吗？旅行能不能带来幸福？”回答时我小心翼翼地避免引用那位马略卡岛老邻居“驴 / 马比喻”的原话，尽管那个比喻无比精准。显然，这种场合下人们希望听到更积极的回应。因此，我向他们建议，如果你的旅行是搭乘飞机前往阳光明媚的地方，在海滩上懒洋洋地躺上几周，那回家时你会快乐而满足，但不会使你比离开时更聪明。但如果你们骑自行车探索异乡的风土人情，或是在城市中漫步，发现并汲取这个地方和居民的特质，而不仅仅是参观景点，那么你的这趟品尝异国精髓之旅会让你获益良多。

我总结说，一切都取决于你对幸福的定义。就这么简单。但最好也提醒一下各位，无论如何都不能忽视财务问题。最重要的是要铭记一句老话：对旅人而言，最沉重的行李就是一个空钱包，也就是说，不管怎样，大家都要记得给自己留够买返程机票的钱。毕竟前路难料。

看着有些人脸上不服气甚至迷茫的神情，我不禁想，如果你总是想找寻求快乐的最佳方式，你很可能会一直郁郁寡欢。因此，为了缓解紧张情绪，我最后总结，虽然这山看着那山高，但别忘记月是故乡圆。有一首多年前的流行歌，歌词非常在理：

> 你往东走，
> 你往西走，
> 但总有一天你会发现，
> 幸福就在你眼前，
> 就在你的后院里。

三十多年后回看我们的经历，我只能说，在异国他乡开始新生活是一次真正充实的经历，不仅让我们意识到不同国籍的人的相似之处，而且教会我们要记住自己是客居者：如果想受到主人的欢迎，就要先尊重他们。

虽然命运为我和家人提供了这个机会，让我们踏上了一段令人惊喜的旅程，但并不是每个人都能获得这样一个改变人生的机会。我猜，这也不是人人都想要的。同理，对那些总抱怨自己原生地的人来说，去别处旅行可能也不是他们寻找幸福的最好方式。以我们马略卡老邻居的子女为例，年轻一代已经放弃了他们祖先长居的乡村，转而投身于现代都市生活的“进步”喧嚣之中。尽管老人们早已过世，他们小小的土地也被新型农业合并成更大、更“高效”的合作社，但许多离开的人现在依然会在周末回到这片他们年轻时生活过的简陋家园，向他们的孩子介绍这里过去的生活。那些旧时光，伴随着时间的消逝，都变得熠熠生辉。

眼下，全世界都在努力从这场全球大流行病的悲痛影响中恢复过来，人们有更多机会前往他们喜欢的目的地，也许国与国之间会形成一种新的情势，合作、信任、谦虚和相互尊重都更加重要。这听起来像是遥不可及的美梦，也许吧，但肯定是一个值得拥有的梦想。如果命运如此决定，这个梦想显然值得追寻。

彼得·凯尔

2021 年 9 月

翻译：李宇华

2021 年 10 月

“我说呀，捺下性子，洗牌吧。”

——塞万提斯

目　录

— 1 —

同是天涯可怜鸟

晴空一碧如洗，而艾莉却愁云惨淡。我能体会她现在的感受，我们的马里奥·兰萨罗特刚刚过世。

马里奥的皮屑问题也不是一天两天了。或许你会说，不就是皮屑嘛，有什么好担心的。可问题是，它的皮屑不在头皮上，而是在脚趾缝里。

“看起来像是运动员的脚嘛。”我试着安慰艾莉。

“我可没听说过金丝雀有什么运动细胞。你看，它都开始掉毛了。”艾莉指着马里奥的脊背，“看这儿，已经掉秃了一小块！”

我还是觉得鸟掉几根毛不是什么了不得的大事儿，“没准它开始换毛了？要不就是它想换一个运动点的发型？”

艾莉既没被说服也没被逗笑，“我还是觉得你应该带它去看看医生。没准马里奥染上了禽流感，或者是禽掌炎之类的病。”

“禽掌炎？”我哼了一声嘲笑道，“别告诉我你又开始查什么兽医辞典了。”

“查兽医辞典有什么不对？兽医辞典里有对各类症候、症状的解释，很有用的。”

“这么说来，《家庭健康手册》也再有用不过了。艾莉，我太了解你了，每次你看这类手册啊辞典啊，一看到里面写的奇怪症状，我的天，你就开始对号入座了。别忘了几个月前你刚告诉我你上嘴唇长的疙瘩是黑死病的前兆。现在你又开始为这该死的鸟瞎操心了吗？我的老天哪！”

“可是……”

“别说了，艾莉。反正我是不会拎着这个装着‘马略卡版翠儿’的镀金小鸟笼去什么鬼诊所的。只有那些装模作样的老农民才会牵着他们耀武扬威的大猎犬傻坐在兽医诊所里呢。想让我拎着只秃毛鸟儿从他们面前走过去？别做梦了！”

“是寄生虫。”兽医拉米斯先生说道，我觉得他一边写处方，一边在背着我偷笑，“笼养鸟的常见病，尤其在咱们这种地中海气候的地区。拿这个药膏，每天两次涂在感染的地方，很快就没事了。”

和我预料的一样，当我从拉米斯先生的房间走出来时，四个让人捉摸不透的农民正坐在休息室里，从他们面前经过时，我尽量挺胸抬头，装得更有气势些，并用我浑厚的男中音对他们说了声："再见。"

"再见，先生。"四个家伙齐声答道。

一直到我开门的时候，整个诊所都是静悄悄的，然后一个老家伙怀里抱着的小猪崽咕噜哼了一声，颇有戏剧性地打破了沉默。另一个多事的老家伙冲我笑了笑，干巴巴地补了一句："老兄，别担心，你的小母鸡很快就又会下蛋了。"

我出门的时候他们谁都没笑。我确信，直到听到我发动汽车之前，他们会一直憋着不笑的。这是一种"尊重"——至少面对面会这样。为此，我和艾莉很欣赏这些住在马略卡西南部安德拉奇小镇的我们的邻里乡亲——几个月前我们全家刚刚搬到这里定居。

当我极不情愿地带着马里奥去兽医诊所的时候，艾莉在我们的家"市长府邸"等着，这个小小的橘子农场位于安德拉奇小镇北边的山区里，离镇子还有段距离。顺便提一句，我们给这只金丝雀起名叫马里奥·兰萨罗特是因为它能唱歌，而且唱得不错，这让我想起了已故的男高音马里奥·兰扎（萨）。而词尾硬加的后缀"罗特"是因为金丝雀的英文canary和加那利群岛同名，兰萨罗特正好是其中的一个岛。

"家里好多东西都还没收拾呢，而且你的西班牙语说得比我好多了。"艾莉对我说。我到家时，她正在全神贯注地看一部配了音的名叫《邻居》的无聊肥皂剧。

“是啊，对你来说，听听翻译成西班牙语的墨尔本郊区闲话，比用西班牙语说‘金丝雀’‘虚弱’这些复杂的词要容易多了，不是吗？”

“这么小心眼，不至于吧？”艾莉的眼睛还是没有离开电视机，“对了，医生怎么说？”

“真是丢人，”我一边把马里奥的笼子挂在厨房的墙上，一边嘀咕，“我想说，我真的会偶尔碰到那些老家伙的，比如去农需用品店买化肥的时候。他们本来已经快要接纳我了。”

“好好好……医生是怎么说的？”

“你知道我的意思。我好不容易快要有机会能和这些老家伙聊聊我过去在苏格兰是怎么给牛去角，怎么阉牛犊，怎么给母牛剪奶头的了，这些是他们能理解的东西，也是我们的共同话题。但是今天，我竟然被他们看到拎着一只装模作样的金丝雀去看兽医！”

“嗯，非常好。等一会儿，我看电视呢。”艾莉一边说，一边大笑起来，“太棒了，真是太棒了！”她转过身瞥了我一眼，“每个词翻译成西班牙语都和英语一样有味道。”

“但你根本就不知道他们说的是什么。”

“没有必要都懂的。嘘……”

我对这无意间说出来却无比贴切的评论说了声“阿门”，然后开始为马里奥准备那些抗寄生虫的药膏，与此同时，艾莉仍旧沉迷在那部她喜欢得不得了、在我看来却无聊透顶的电视连续剧里，尽管只剩下最后听不懂的几分钟。邦妮，我们可爱的小拳师犬，无比好奇地看着我试图把惊慌失措的马里奥从笼子里拽出来。

“住手！你把它吓坏了！”艾莉大叫一声，宝贝马里奥的惨叫声终于把她从《邻居》的片尾滚动字幕前拉回现实了，“还是让我来吧。”

毫无疑问，两三句甜蜜的“鸟语”之后，马里奥妥妥当当地歇在了艾莉手心里，它长了皮屑的爪子伸在外面，另一头探着它毛发尚存的小脑袋。

看到这儿，邦妮放心地舔了下嘴唇。

“医生怎么说的？”

“是寄生虫。要给它涂这个药膏直到情况好转，没什么大不了的。”

“好吧。我抓着马里奥，你来涂药。”

从此，每天两次的涂药提上了日程。没什么大不了的。

可是两周后，马里奥死了。它在夜里无限悲凉地死去了，它的小笼子挂在邦妮的床边，笼子上面盖了我的旧草帽——那本是为它挡风用的。对头顶上只剩下一小撮毛的鸟儿来说，晚上只有一顶旧草帽来保暖似乎是远远不够的——即便是在马略卡。在这之前的几天，马里奥看起来就像是一只随时可以丢进烤箱的、梳着莫西干头的迷你秃鸡，它这副可怜相激起了艾莉无尽的怜惜，她甚至开始为马里奥织毛衣——只不过它永远也没有机会穿了。

我把马里奥埋在了杏树下面。以前它在阳台墙上晒着太阳唱歌的时候，总是望向这片杏树。我把它装在它的笼子里一起下葬。

“我看见你把你最喜欢的那顶旧草帽和马里奥埋在了一起。”我进屋的时候，艾莉还在低声抽泣，她抽了抽鼻子，抹了把眼泪，“你这么做真的让我特别感动，这样，马里奥就能带着它最近唯一喜欢的东西一起走了，像个小法老一样，带着自己的陪葬，我可怜的小马里奥。”说着说着，她又开始呜咽起来。

我把艾莉搂过来，轻轻地把她的头靠在我肩膀上。没有勇气承认我埋掉草帽的真正原因是，我不想被传染上什么鸟类麻风病，或者任何一种包括禽掌炎在内的、兽医辞典里提到的恶心鸟病——在发觉马里奥走上了无可逆转的死亡之路后，我偷偷查过艾莉的那本兽医辞典。

住在我们对面的邻居，那个性格乖僻的老头佩普是对的。他第一次看见马里奥的时候就对我说：“老兄，用这样的笼子养鸟，有点儿太残忍了。当然，除非你们是打算把它吃了。”

我现在提这件事，不是想说佩普喜欢吃金丝雀，我是觉得他当初之所以那么说，是因为他家门前挂着的那个手工制作的木鸟笼里一连住了好几只短命的红腿松鸡。不管怎样，先暂且把佩普自相矛盾的资历放在一边，我把马里奥埋好了之后对自己发誓，以后再也不用笼子养鸟了。不过在这一点上，我们家似乎一贯没什么好运气……

许多年前，在我羽翼初丰离开家自食其力没多久，我妈就曾向我老爸抱怨过，她说我爸对家里那只长尾鹦鹉比对她还关心。那是在姐姐和我出生之后，我爸妈第一次有机会把全部精力放在不断找对方麻烦上。“你把这只鹦鹉宠坏了。”她这样对我爸说。

谁也没想到，十分钟之后，那只鹦鹉就死掉了。后来当我离家后第一次回苏格兰看望他们的时候，妈妈给我讲了那只鹦鹉离奇死亡的故事。在那之前的几个月，我搬到了伦敦，成为一名职业爵士乐手。那只叫“小快活”的鹦鹉那天晚上和平常一样在做运动，从笼子里飞出来在客厅转圈，以消化吃了满肚子的粟米种子。几分钟以后它飞累了，就落在爸爸的肩膀上休息——它总是习惯落在那儿。当时爸爸正在火炉边的躺椅上悠闲地看报，时不时漫不经心地给“小快活”挠挠嗉下面的毛，每隔一会儿“小快活”就会俯冲到爸爸手背上，从他的报纸边上叼下点儿纸片，或者啄啄爸爸的指甲去吸引他的注意。但是很快“小快活”就厌倦了这些缺乏新意的把戏，爸爸也觉察出了小家伙的心思，这个玩疯了的小东西利索地在爸爸的大拇指上拉了一坨鸟屎，吸引他注意。

“想玩飞高高了吗，小家伙？”爸爸放下报纸，把“小快活”整个儿握在手心里。

“小快活”知道游戏即将开始了，它几乎等不及了：“玩儿，玩儿，小家伙。”它用它沙哑的鹦鹉腔调学起了爸爸说话。

这是“小快活”版本的游戏开场白，而爸爸的版本是“今天表现不错嘛，小家伙。我们来玩一会儿吧。”“小快活”的模仿几乎让爸爸相信他的小鹦鹉是个语言天才——没准是第一位鹦鹉诗人也不一定。而且“小快活”之所以这样学爸爸说话则是希望爸爸早点陪它玩。于是，每晚的娱乐时间开始了——“小快活”被高高地抛了起来，它在半空中兴奋地大叫，继而敏捷地适时展开翅膀开始滑翔，然后落回爸爸的手掌上开始再一次的太空探险旅行。

没人知道那天究竟是爸爸兴奋过度，还是“小快活”一瞬间走了神，抑或只是运气不太好，在第四次飞高高的时候，“小快活”史无前例地撞上了天花板，而且撞得很惨。爸妈痛苦地眼看着它重重摔下，翅膀一动也不动，从墙上反弹一下，掉在了橱柜后面。他们无比绝望地推开橱柜，看见奄奄一息的“小快活”挂在踢脚板上，一动不动，好像死了一样。爸爸几乎崩溃地跪在地上，轻轻把它捧起来，“小快活”躺在爸爸的手心里虚弱地眨了眨眼睛。老天，它还活着！

“背摔断了。”爸爸的声音在抖，“它瘫痪了。”

那是“小快活”最后一次玩飞高高的游戏。也是爸爸的最后一次。

妈妈慌里慌张地凑了过去，毫无疑问，他们的小心肝再也飞不起来了。“它……它一定痛极了，我可怜的小家伙，”妈妈的声音带着哭腔，她想伸手摸摸这垂死的小鸟，却又猛地停住，并没有真的摸到它，“你打算怎么办？我的天哪！”

“去找兽医——我现在就……”

“别傻了！那只会延长它的痛苦而已。”

“那你说我该怎么办啊？”

客厅里弥漫着紧张的气氛。是啊，该怎么办呢？

“煤气，”妈妈脱口而出，“鹦鹉好像和金丝雀一样，只要吸上一小口煤气，很快就没命了。对，煤气，这是最好的解决方法。”她把爸爸推向厨房。“快点儿，快点儿，别让它再受苦了。”

“可是……”

“还犹豫什么啊？你要替它结束痛苦。马上！”

爸爸的心绪很乱，他一步一步地迈向煤气罐，妈妈则在背后不停地催他。他手捧着心爱的“小快活”，一边低声和它道别，一边轻轻地把它举到灶台上。他强忍着眼泪，颤抖着打开了煤气阀门，伴随着沉闷的嘶嘶声，刺鼻的煤气味开始在厨房蔓延开来。“小快活”在爸爸的掌心里轻微地抽搐着，它小小的心脏剧烈地跳动起来。

“没事儿的，小家伙，”爸爸的声音颤抖着，“很快就没事了，一切都会结束的。”

但事实并非如此。

可能是由于过于悲痛，爸爸忘记了厨房的煤气闸门连接着自动点火装置。

爸爸慌了手脚，他瞪大了眼睛盯着可怜的小“火鸟”，不知如何是好。“洗碗池！”妈妈尖叫着躲了起来，“快！把它放在水龙头下面冲冲，它要被烧死了！”

此时爸爸的头脑一片空白，他茫然地服从妈妈的命令。当最后一缕黑烟熄灭的时候，“小快活”终于死了。彻彻底底地死了。摔伤、煤气中毒、烫伤、溺水，很有可能最后还发作了心脏病。

我和爸爸站在后花园里“小快活”的坟前，他有些激动地对我说：“我当时真的是出于好意。”“小快活”的坟前立着一个爸爸亲手做的小小的木十字架。

我不知道如何恰当地回答他，就算是“小快活”，都会发现这很难说清，不管爸爸认为它有多高的语言天赋。

“都怪你和你那该死的飞高高！”妈妈埋怨道，她正要去拿洗好的衣服，路过我们身边的时候瞪了爸爸一眼，“我们以后再也不养什么鹦鹉了！”

的确如此。正如马里奥·兰萨罗特是我们养的最后一只金丝雀。

幸运的是，九月正好是采摘水果的时节。我相信只要忙起来，艾莉的“金丝雀抑郁症”会不治而愈的。所以当艾莉的心情刚有些好转，我便开始哄她和我一起去果园采摘。

“无花果！”我们的邻居老玛丽亚·包萨喊道，她站在作为我们两家分界线的石头墙的另一侧，干瘦的小身板如往常一样裹在黑衣服里，一双黑眼睛藏在草帽的阴影下亮闪闪地望着我，像是两颗黑橄榄，“看！地上落了那么多无花果！”

“是不少，这些东西是捡不完的，每天早上都会掉下来很多，像是……”

“我的先生！无花果就是这个样子。这就是为什么我们马略卡的农民家家户户都要养猪！”

又来了。我已经听了一箩筐玛丽亚关于在小果园养家猪之必要性的好心论述。我曾经买过一头，并不是因为我觉得她对，我只是想让她高兴点而已。但是，我很快就被羞辱了。和那头自信感爆棚的小猪相比，我是多么缺乏……猪一般的倔强。那头小肥猪在我把它圈起来之前，就逃进了周围的深山里。这可能是这整出戏最好的结局了。不，这是第二好的结局，就我而言，那头猪彻彻底底地消失掉才是对我最大的奖励，因为无论我和艾莉如何理性地控制感情，我们还是会给那头猪起个名字，很有可能到最后我们养的不是一头无花果回收机，而是一个家庭宠物。我太了解艾莉了，那头小猪也不会变成排骨、熏肉和香肠。那头猪一定会像“小快活”一样被宠坏，会乐颠颠地活到（不像“小快活”）老掉牙——暴饮暴食、超重、坏脾气、霸道。根本就会是一个彻头彻尾惹人讨厌的家伙！

但是今天我的担心是多余的。玛丽亚似乎没有什么兴趣和我继续讨论养猪，她把注意力转向了艾莉。老太太皱巴巴的小脸上挂着顽皮的笑，尽管她标志性的“上二下三”的牙这次被严严实实地捂了起来，但这笑容还是有些感染力的。我以前还从来没看见玛丽亚使用过这一招，可这是她今天第二次这么笑了。真是莫名其妙。

“看来你家的苏格兰先生没什么兴趣养猪啊。”她一边对艾莉说一边瞟了我一眼，“请问太太，你是否介意让我每天早晨到你家的院子里捡些无花果呢？我是想喂我家的猪。你知道的。”

我们当然不会介意，艾莉毫不犹豫地答应了她。让玛丽亚来好好利用这些果子总比浪费了好，更何况自从我们搬来这个村子，玛丽亚一家一直对我们很是慷慨，会时不时地送些小礼物过来，例如她家母鸡下的蛋啊，从那头她用无花果喂的猪身上割下来的新鲜猪肉啊（当然是去年的那头），让她来采些果子就当是我们小小的回馈吧。

农村的生活方式以及民风民俗总能在相当短的时间内发生变化，对于这一点，我常常觉得很是震惊。我现在还能清楚地记起当年我祖父是怎样告诉我，他为什么要在家里的养牛场喂上一两头猪的——当然是要送进厨房的啊——在一战结束后二战开始前，我祖父在奥克尼群岛有一个养牛场。即使在 1930 年代末，我们全家搬到苏格兰南部的农场之后，祖父也不会觉得适时杀头小牛或宰只羊给家人和邻居打打牙祭有多么稀奇。可是到了我们这一代，仅仅和祖父隔了一辈，几乎所有人都习惯了超级市场提供的便利。实话实说，或许是我们这代人的胆子变小了吧，都不敢养猪供宰杀，而这样的农业系统里，老玛丽亚坚称，是需要这么做的。我知道玛丽亚认为我不过是一个来马略卡岛混混日子的洋鬼子，一个对经营像“市长府邸”这样的小农场毫无经验的二流子。事实上她是对的。可问题是，等到玛丽亚这代人过世后，像每年一次的杀猪节这类老民俗，也会渐渐从马略卡岛上消失的。有了乐购、桑斯博里这些大型超市，以及食品卫生协会等组织，谁还会去屠宰什么家猪呢——尽管猪本身很可能觉察不到杀猪节的消亡。

“别客气，尽管来采吧！”艾莉开始试着卖弄自己拙劣的西班牙语，“我是说那些地上的‘肝果’，不用客气。”

玛丽亚似乎并不在乎艾莉把“肝脏”和“无花果”混为一谈。她明白艾莉想要说的是什么，但还是被苏格兰太太的西班牙语错误逗笑了——今天第三次的“遮齿一笑”。我个人认为这次“遮齿”的原因是，玛丽亚不想让艾莉觉察到她是被逗乐的。

我相信，如果艾莉的西班牙语再好些的话，她一定会邀请玛丽亚把树上的那些无花果也摘走。很显然，艾莉和无花果，确切地说是无花果叶子，一贯是相处不来的。几乎所有古希腊雕像身上都裹着几片无花果叶子，可事实上有些人对这种大叶子是过敏的——艾莉尤其如此。我倒是不怎么在乎，尽管这些带小毛刺的东西摸上去的确不太好受，每次不小心被扎到我都会想起那些古希腊神话人物，他们的“私密处”可真够皮实的啊。我敢担保无论多么勇敢耐劳的苏格兰人，都不会乐意穿无花果叶子做的短裙。

不过还好，我们的“市长府邸”没有多少无花果树，我们种的大多是橘子树。紧贴着特拉蒙塔纳山脚下有一圈围墙，围墙外圈是排列整齐的常青树防护林，而我们的橘子树就种在防护林的后边。除了橘子树，我们还在农场种了些柠檬树、杏树、柿子树、榅桲树、枇杷树、扁桃树和角豆树，另外还有些颇具异国情调的水果和坚果，那是我们从北方气候更冷些的苏格兰带过来的。在搬来马略卡之前，我们对耕种一窍不通。事实上，我一度无知地认为脐橙之所以得名，是因为古时航海家常常吃这种水果来预防坏血病[1]。直到我碰到赫罗尼莫先生，那位友好的来自马略卡海岸的水果商，他告诉我脐橙的得名原因是这种橙子底下长着像肚脐一样的蒂，我才意识到自己对柑橘类水果的了解程度和我的拼写能力一样可笑。

刚开始，我和艾莉并不太适应马略卡岛的农耕生活，毕竟这和我们之前在苏格兰所熟知的畜牧业是完全不同的两套体系。非常感谢玛丽亚和老佩普这些热心邻居的支持与建议，我们夫妻俩正在逐渐适应这里的生活。尽管他们从未提起过，但我猜在我们刚刚搬来的时候，这些邻居对我们一家或多或少是有些顾虑的。在玛丽亚他们眼里，我们只不过是当地人嘴里常说的“钱多得烧得慌”的老外，来马略卡买农场不过是为了度假而已。像我们这样的洋鬼子只会白白糟蹋土地和树木。天哪！马略卡的郊外会被祸害成什么样啊！

事实上，老一辈马略卡人的担心并不是多余的。随着玛丽亚那代人渐渐逝去，越来越多的小农场正如老一代所预言的那样被荒废掉了。大多数年轻人老早就抛下农事做起了旅游业相关的工作。才几十年的工夫，在那多少年来都未曾被污染过的绝美的马略卡海岸线上，大大小小的酒吧、餐馆和酒店如同雨后春笋般冒了出来。浮华生活的光影、容易到手

1 脐橙，navel orange，作者把 navel 误认成了 naval（意为“海军的”），所以把脐橙和航海联系起来。

的钞票以及所有由此衍生来的物质诱惑，又怎是马略卡岛上这些乡下青年能抗拒得了的？即便在其他地方，面对同样的诱惑，相信我们当中的任何一个人都会做出同样的决定。不然怎样？难道要选择像祖辈父辈那样辛苦生活吗？他们日复一日顶着大太阳在田间没完没了地埋头苦干，最后又得到些什么呢？一双长满老茧的手？再也直不起来的病腰？几头情绪多变的驴子？还是那用自家地里产的粮食做的农家饭？可是，从表面上来看，我和艾莉还是为自己以及我们的两个儿子选择了这被众人遗弃的乡村生活。

我们虽然是外国人（在马略卡岛上的很多实用主义者眼里是过分乐观的外国人），却更看重这种简朴的生活方式，而不是现实世界里赤裸裸的物质欲望。在这个小岛上，我们找到了向往已久的生活——在无限美好的大自然里悠闲劳作，岁月静好，现世安稳。更何况和苏格兰相比，这里的气候是如此宜人。我们并不想做什么厌世者或是“快乐至上”的嬉皮士，不管不顾地把现实世界抛到脑后，跑来这个地中海上的梦幻岛逍遥快活。即使我们想这么做，也承受不起那份逍遥背后的代价，更何况我们对那样的生活并没什么兴趣。我们是亲力亲为的小农户，只想靠踏实劳作让一家四口过上安定的生活，希望通过努力（可能有点雄心勃勃得不现实）把这个近乎破败的小农场慢慢变成我们理想的家园。在这个过程中，除非迫不得已，我们并不打算让时光倒流，回归原始生活。例如，一头驴，我可从来没想过把它列进我的消费清单里！

其实在那个时候，很多当地农民已不像玛丽亚和老佩普一样是“最美不过旧时光”的顽固坚持者了，即便是他们，也开始用拖拉机取代那些四条腿的朋友。这些人中的很多都早早向“进步”低头，有些甚至离开了乡下的老房子，搬到安德拉奇镇上，住进舒适的现代化公寓里了。小镇离村子不过一二英里，每天用电动自行车或者嘎吱作响的小篷车往返其间对他们来说很是方便。许多人对于这样的生活方式十分满意——既能享受现代化生活的便捷与舒适，又能随时回到乡下看看。更何况，等老一辈人过世了，他们的儿子还能在周末带着孩子到乡下的房子度度假。这种情况在很多马略卡的农民家庭里很是常见。和他们相比，我和艾莉的决定似乎是和潮流相悖的，或许正因如此，像玛丽亚这样的固执怀旧派才开始慢慢改变了对我们一家的看法，不再把我们当成疯狂的外国人。

“你的两个儿子长得蛮结实的嘛。”玛丽亚正弯腰捡地上的无花果，“这么棒的小伙子一定能很快给你生好些孙子孙女的。记得我的话哦！”

“我的老天，我可不希望这样！”我在心里对自己说，表面上还是礼貌地冲我们的老邻居笑了笑，我知道她是好意。可是老天爷，我的大儿子森迪刚满十八岁，他想要生孩子的欲望还不及我对养猪的兴趣！至于十二岁的查理，我甚至不敢想象他会弄大一个小女孩的肚子！

“那个，玛丽亚，”我回应道，“查理今天去上学了，在圣阿古斯蒂，离帕尔马不远。今天是新学期的第一天。至于森迪，他还在苏格兰呢。”

玛丽亚挑了挑眉毛。“森迪少爷可是离开好些日子了吧？离开父母亲的农场去度假整整两个星期，时间可够长的了。我的妈呀，他不应该在农场帮你们干干农活吗？不管怎么说，这个农场迟早得是他的，将来他还要靠这个农场来养活老婆孩子呢，他得学会……”

“呃，他不是去度假了，”我有些迫不及待地打断了玛丽亚，农场的活儿本来就够忙的了，我可没工夫去想她那些不着边际的瞎话，“他回苏格兰帮忙去了，现在不是秋收嘛，他忙着开大拖拉机呢，就和他原来在这里干的活儿一样。”

“什么？为什么啊？你们让他在这里开开小拖拉机就够不对了。那些臭机器！他应该学学怎么用一头马略卡的好驴子干活儿。你也该学学的。”

玛丽亚开始用她马略卡口音的西班牙语小声嘟囔起来，我倒也省了力气不用和她解释森迪回到苏格兰的真正原因。尽管刚开始森迪对全家搬来马略卡很是兴奋，但在岛上住了不到一年，他就开始怀疑这是不是他真正想要的生活。在一个相对陈旧的小农场上劳作——尤其是这个农场还处在如此偏远的地方，一个被那么多和他同辈的当地人遗弃了的地方——这样的生活在森迪眼里越发没有吸引力了。他开始想念那狂野的、开放的苏格兰南部乡下，那一望无边、波澜起伏的东洛锡安谷场，那繁盛的大草原，还有那些足以和他这样的热血小伙子的激情相匹配的各式现代化农机。他想“家”了，他回去一段时间，是想看看他之所以这么想回去，只是因为离开后产生了想回去的幻觉，还是说他真的觉得自己的未来在那里，而不是在这个他父母准备扎根的偏僻村子里。这是一个进退两难的抉择，我和艾莉都非常担心儿子将来的生活。因为害怕冒犯玛丽亚这些邻居，甚至可能会让他们觉得失望，我们决定暂时不告诉他们森迪的事情。马略卡需要输入些年轻的血液，可这刚刚输入的新鲜血液是否流失得太快了？我和艾莉不愿意回答这个问题，至少，现在不想。

“我的天哪！”玛丽亚喘着粗气，嘴张得大大的，露出了新装的四颗假门牙，这门牙白得实在不自然，和它们烟黄色的邻居很不搭，“快看！那个疯女人！”

我们勉强把视线从玛丽亚有趣的新门牙上移开，顺着她瞪大的眼睛望向远方：在我家田地的外圈，弗朗西斯卡·费雷尔正漫步走在她家的畦田上，像往常一样，她身后跟着一支由两条土狗和几只杂毛野猫组成的队伍。这个举止怪异的马略卡女人，就是出售“市长府邸”给我们的人。她的脚被田边的矮围墙挡了起来，我们只看见她戴了头饰的小脑袋稳稳当当地匀速前移，让人感觉她不是在走，而是漂在田里，或者是踩了电动滑板——小查理一直想买这东西来着。

这位娇小的、看起来还蛮端庄的弗朗西斯卡女士以及她多管闲事的丈夫托马斯先生，时不时会与我和艾莉发生口角，倒不至于动手，只是有一点让人不太舒服：这两口子似乎总是记不住“市长府邸”已经不是他们的了。自从把农场卖给我们之后，他们只留了一小块田产，把两家田产交界处的小磨坊改造成了一栋可供周末度假用的小房子。他们一家现在住在帕尔马的一所高档公寓里，听说托马斯在那里的政府机关工作，职位还挺高的。弗朗西斯卡女士是在“市长府邸”长大的，这个农场原先属于她父母，而托马斯在岛的另一头离费拉尼奇村不远的地方也有一个小农场，那是他的故乡。尽管多年前夫妻俩就搬到了大城市，并且现在的社会地位也不低，但在他们的身体里，还流淌着地地道道的马略卡农民的血液。两口子发自内心地愿意每个周末回到这里，耕耕田，照顾照顾花草树木。至少，托马斯是这样的，弗朗西斯卡似乎更乐意像个君主一样，趾高气扬地巡视一番自家的产业，身后还跟着那些猫猫狗狗做随从。但她是真心喜欢那些动物，而且动物也很乐意跟着她。除此之外，自从我和艾莉想明白托马斯夫妇和我们的不同后，我们开始觉得这对夫妻还算得上待人亲切（虽然有时候有些客气过头）、值得尊敬并且有时候也挺慷慨大方的周末邻居。尽管我们没什么兴趣和他们成为知己或是密友，但我们两家之间已经建立起了一种尽管有一点紧张却也和平共处的友好氛围，对此两家人都非常满意。所以，即便弗朗西斯卡和她杂乱的动物看起来的确有些古怪，我和艾莉也没必要指指点点。作为村里新搬来的住户，最好还是和所有邻居都保持友好关系，不是吗？

不过老玛丽亚可不这么看。她根本就看不上弗朗西斯卡·费雷尔，而且很明显弗朗西斯卡·费雷尔对玛丽亚也没什么好感。关于她俩矛盾的起因，我和艾莉听过不少版本。对她俩而言，似乎一切都要针锋相对：从用水权的问题，到十几年前因为某个浪漫的求婚者而引发的吃醋事件。用水权倒是可以理解的，毕竟对于农民来说，尤其在马略卡这样的气候条件下，水源就是命根子，所以在分配宝贵的水资源方面发生点口角也是难免的。但吃醋事件就有点匪夷所思了，更何况据我们所听说的，老佩普，那个坏脾气的老牧羊人，正是这桩风流韵事的男主角。这就更让人想不通了。首先，老佩普至少比弗朗西斯卡大十五岁；其次，已经九十多岁的玛丽亚比老佩普大上二十岁都不止吧。我倒不是认为年龄的差距有什么大不了的——如果刚巧这两个女人的口味一致的话。可是老佩普？那个瘦得皮包骨的老佩普？什么时候这种男人也会成为两个女人争风吃醋的抢手货啊？还有第三种说法，但在我看来几乎是不可能的，说原先这里曾经来过一个男人，与其说他是个戴着贝雷帽、穿着飞行员夹克的流里流气的唐璜，不如说是骑着骡子的堂吉诃德。唉，我觉得我们永远都猜不到玛丽亚讨厌弗朗西斯卡的真正原因，但是种种迹象却由不得我们不信，两个女人之间的战火从未熄灭过。

玛丽亚的反应有些幸灾乐祸，她傻笑着指向弗朗西斯卡太太："看看，埃及艳后也有跌落凡尘的一天哦！"

事实上，弗朗西斯卡太太的确看起来有点儿——怎么说呢——既像是一个文雅的怪人，又有点精神失常的感觉。她带领着那队小小随从走进空地，我们才更清楚地看见几分钟前玛丽亚尖叫时见到的壮观景象：紧紧跟在弗朗西斯卡高跟鞋后面带队的小跟班，不是以往的猫儿狗儿，而是一只鸟！不是宠物鸡，不是被驯服的鸭子，不是摇头晃脑的大鹅，不是任何一种常见的家禽，我的天哪，那个兴高采烈地踉跄跟在女主人屁股后面的小东西是……

"鹦鹉！"我喘着粗气喊了出来。

"绿色的鹦鹉！"艾莉目瞪口呆地补充道。

"这个疯婆子！"玛丽亚一边嘟囔一边用她粗糙的食指按压太阳穴，"完全疯了！我就知道这女人不是什么省油的灯！十里八乡也找不出来这么一个玩意儿！"她又一次捂住了嘴，粗粗地喘着气，一双干巴瘦的肩膀微微颤抖着。

"鹦鹉在巡逻？"我嘀咕着，还是不敢相信自己刚才看到的画面。

"可它为什么不飞走呢？"艾莉惊呆了。

“八成翅膀被剪了吧，可怜的小东西。”

“但是为什么那些猫和狗不咬它呢？”

“它们当然想一秒把它活吞了，如果弗朗西斯卡不在的话。谁知道她给这些动物施了什么魔法。”

“好吧，这女人和动物相处的确有一套。”艾莉挠了挠头。“想想看，”她叹了口气，“一只鹦鹉领着一群猫和狗在田里巡逻，说出去谁会信呢？”

“这个巫婆！”玛丽亚继续发着牢骚，“她就是个巫婆！我早就觉得她不对劲了，看，被我猜中了吧！”她在胸前画了个十字，仰望天空，开始用拉丁文嘀咕起来。

几个小时之后，那只鹦鹉死了。当然，我确定它不是被玛丽亚诅咒死的。简单地说，不管弗朗西斯卡对家养小动物的魔法有多神奇，但显然对野生动物没什么效力。她和她的新鹦鹉带领着这些被驯化了的小跟班巡视了大约三分之一的果园后，弗朗西斯卡决定带着“公主”——这只她最中意的小鹦鹉，去圣艾尔姆旁边的海滩散步。圣艾尔姆离安德拉奇小镇不远，本来只是个小渔村，这几年被开发成了旅游胜地。当然了，这个如同出巡的国王般傲气的中年妇女，还有那只跟在她脚跟后寸步不离的小鹦鹉很快成了海滩上的焦点，大家都无比惊讶地注视着这对奇异的组合。弗朗西斯卡很兴奋，“公主”也很兴奋，那些看热闹的更是兴奋。不过似乎海岛上的原住民——海鸥不太买账。眼看着一只绿毛怪物在它们的地盘上招摇横行，一小队空军勇士终于被激怒了，它们猛地俯冲下来，残忍地突袭了手无寸铁的“公主”。弗朗西斯卡简直快疯掉了，原本看热闹的人也都被吓坏了，而“公主”，这个小可怜当场就“报销”了——它去了鸟的天堂，和马里奥·兰萨罗特以及“小快活”做伴去了——至少艾莉是这么认为的。

那天晚上我们上床睡觉前，艾莉一直湿着眼睛，反复念叨着那只倒霉的鹦鹉：“你知道，我是相信有‘后生’的——不只是人，鸟和其他所有的东西都一样。”

“你说的是来生吧。”我打着哈欠。

“嗯，是的，我就是这个意思。”

“好了，艾莉。”我一边嘟囔一边把被子拽上来，盖住我的耳朵，“晚安。”

难得有几分钟的安静。

“我在想，你说马里奥的毛现在长回来了吗？”

“嗯……”

更多的沉默。

“它肯定又开始唱歌了。”艾莉的声音有些抖，“它肯定（抽鼻子！）又开始唱那些小曲儿了。”

“好了，差不多……”

“它肯定在给（哽咽！）‘小快活’和‘公主’唱歌呢。”

“是，‘小快活’和‘公主’还给马里奥朗诵诗歌呢。”

我已经忙了一整天了，现在就想好好睡上一觉，“‘小快活’朗诵的是罗伯特·彭斯的诗，”我猛地提高了嗓门，“那只西班牙鹦鹉嘛，应该来点儿该死的费德里科·洛尔卡。好了吧，现在给我好好睡觉！”

艾莉抽泣起来，她哽咽着，时不时重重地叹气，再然后，我听到她不停抽着鼻子。艾莉蜷缩起来，抱着自己，像婴儿那般蜷缩在我旁边。渐渐地，一切都安静了下来。窗外隐约飘进来几声犹如催眠曲一般的蟋蟀声，淡淡的柑橘味道弥漫在房间里。就在我几乎要睡着的时候，艾莉用膝盖顶了我一下，含含糊糊地说：“你知道吗？玛丽亚新装的假牙真是奇怪，它们……它们看起来实在太不正常了……”

是啊，我也是这么想的。还有，似乎没什么比偶尔允许女人小小恶毒一下更能治好“金丝雀抑郁症”了。

— 2 —

今日事今日毕

秋天愈发近了，果园里的橘子树结满了硕大闪亮的青果子，看上去今年的收成还算不错。自从我们一家搬到“市长府邸”的第一天起，打理这些荒置已久的果树便成了生活中的头等大事。年初的时候，当地的修树师傅佩佩·苏沃帮我们修剪过一次树，开始我和艾莉还有些担心他看起来野蛮的手术会吓着我们的宝贝果树，可最后的结果却很令人满意。佩佩临走时告诉我们，只要用心去照顾，农场上的树都会好起来的。几个月过去了，事实证明他是对的。但是，由于我们几乎把全部的时间和精力都放在了农场上，家里的房子却被忽视了，好些亟待解决的问题都被一拖再拖。对此，艾莉似乎早就做好了周密的计划，而且现在天气越发凉了，我知道再用“明天吧”这个借口是拖不过去了——整个闷热的夏天我都是用这个借口敷衍她的。对于我这个向来雷厉风行的北方汉子来说，从开始的偶尔偷懒演变到“明日复明日”的拖拖拉拉并不容易，可是我慢慢习惯了这一切，甚至开始享受这种慵懒的处世方法。

“你看，墙皮都裂开了。”艾莉指着仓库墙上那些细细的裂纹说道。我们的工作间兼小仓库占掉了一楼四分之三的面积。

“我看到了。他们说秋天墙开裂是很常见的。夏天气温高、冬天气温低，自然而然就会这样。热胀冷缩，你是知道的嘛。这种裂缝是永远也修不完的。”

“我不是让你彻底把墙修好，但是至少在冬天的新裂缝出现之前，把夏天的先补上吧。要是放任不管，过两天这墙还不得成了毕加索静物写生的草稿。你看窗户那边裂成什么样子啦，简直是一幅裸女写生。你看看，一只眼球正从自己的胳肢窝里往外看呢。”

“嗯，我知道。”我一边把头斜过去望着那片裂缝一边挑衅道，“严格来说裸体画也不是写生啊。而且我也不觉得她是在从自己的胳肢窝里往外看。”我走到墙边，指给艾莉看，“你看，那才是她的胳膊呢。你说的明明是大腿嘛。”

“你就知道吹毛求疵。这算什么本事吗？原本答应四月份就把墙抹好的，现在都九月份了。我告诉你，今天我们必须得把这事弄好！”

艾莉擅长在应该说“你”的时候用“我们”来代替，今天的这个“你”指的就是“我”，并且我知道她是认真的。

“好好好。等收完杏仁我马上去做。”

“门儿都没有！我们只有六棵杏树，把果子弄下来一天就够了。再说周末查理就回来了，等他回来我们一起采就好。”

慵懒的乡村生活的确改变了我。尽管刚开始我曾尝试去抵制这闲逸生活对我产生的影响，不过，现在看来那些努力似乎毫无成效。以前在苏格兰的时候，无论农场的事情多忙，我总是能第一时间处理好家里的闲杂琐事。但是现在，在马略卡生活了将近一年的我，早已领会了“明日复明日”的真谛，除去果园的工作之外，其他所有事情，只要是不关乎生死存亡的，我都可以毫不费力地敷衍过去，推到某个未知的“明天”再做。

艾莉把车钥匙递给了我。“抹墙需要的涂料叫聚四氟乙烯，安德拉奇镇的五金店里应该就有卖的。”

五金店（虽然名字是五金店，可事实上这是个塞满了小到塑料衣服挂钩，大到橡胶水桶以及整套花园灌溉系统的阿拉丁藏宝洞）位于老安德拉奇镇北部的贝尔纳特·列拉将军大街上。这条窄街一直通向圣艾尔姆，原本设计它的时候，只考虑到供驴子和马车通行，所以路面很窄。街道两边是古西班牙风格的建筑，独特的设计使房子为街道和居民最大限度地提供了避暑的阴影。自从按照政府的规划改成单行道之后，理论上来说，贝尔纳特·列拉将军大街是足以供普通汽车及货车通行的，但街边墙上的擦痕却默默地告诉人们，对于货车和公交车来说，想要通过这条街上又窄又曲折的路段是多么不容易。毫无疑问，这条大街是禁停的，这不仅是为了保证交通顺畅，更是为了行人的安全。

我把车开进这条街之后，映入眼帘的，是彻彻底底的一团混乱。和往常一样，今天早晨，五金店门口依旧停满了小货车，雪铁龙、西雅特、雷诺……每辆车都是两个轮子卡在人行道上，另两个落在街上，本来就不宽的街面被它们占了一半。一个建筑工人的破卡车笨重地卡在路中间，不停吐着黑烟，试图从小货车尾巴和对面楼之间的缝隙穿过去——在我看来这根本是不可能完成的任务——当然，我不是地道的能开马略卡建筑工地卡车的西班牙司机。

卡车司机胳膊肘和头从车窗里探出来看热闹。他嘴角叼着当地最为常见的雪茄，浓密的黑胡子随着吐出的烟雾时不时地抖动着。此时，一位年轻的妈妈正推着婴儿车耐心地等在卡车前面，看来这对母子的路被这些违规乱停的车彻底堵死了。卡车司机冲着她一个劲儿地抛媚眼，她低垂着眼害羞地笑了一下，长长的睫毛忽闪忽闪的。婴儿车里的宝宝有些不耐烦了，他开始手脚乱挥，号啕大哭起来。过了一会儿，三个身着黑衣、拎着菜篮子的乡下胖女人排到了年轻妈妈的后面。这几个女人看到举止轻浮的卡车司机时，眉头紧紧地皱了起来:“这个没心没肺的混蛋以为自己是谁啊?”其中一个老女人怒气冲冲地骂了一句，“臭不要脸的东西!”

“消消气，老奶奶!”卡车司机笑了，“别冲动嘛，老奶奶。大热天的怎么这么大火气?”

“你这个巴塞罗那婊子养的!”另一个老女人突然跳出来，声援她被冒犯了的伙伴，“巴塞罗那的鸡下的崽子!”(很显然，马略卡人似乎对隔海相望的加泰罗尼亚人没什么好感。这有点儿像英国人对法国人的态度。不过有所不同的是，马略卡人的厌恶似乎更为极端些，据说他们甚至把这种情感迁怒到近邻的红酒上，尽管在我看来那酒真是相当不错!)

卡车司机冲着发怒的老女人竖起中指，并戏剧性地用力按了按车喇叭。这时第三个老女人也慢悠悠地晃了出来，用手包狠狠地砸了一下卡车头，这一举动引起卡车司机更狂妄的大笑。正在这时，路两边的一楼住户几乎在同时拉开了百叶窗。

“能不能消停会儿?”一个女人从其中的一扇窗子探出头大喊了一句，她脑袋上缠满了卷发棒，一只夹着烟的手紧紧抓着睡衣的领口，另一只手握成拳头高高地举着，“我们在看电视呢!他妈的!”

“都别吵啦!”一个睡眼惺忪、裸着上半身的男人从对面窗子探出头来，“都他妈给我住嘴！还不到早上九点呢！大清早的还让不让人睡觉啦！”

清脆的玻璃破碎声回应了所有争吵——卡车司机试图强行把车开过去，没想到却撞碎了后视镜。他扭头瞟了一眼失去后视镜的车身，满不在乎地耸了耸一边的肩，然后猛地踩了脚油门，伴随着喇叭声，车屁股排出浓浓的一阵黑烟。

一声响亮的口哨通报了当地警察的到来。这些身穿蓝色制服的警察个个都是处理日常交通问题的老手，在马略卡小镇的街头巷尾常常可以见到他们的身影。只见今天这位警察先生气定神闲地踱步到卡车前面，迅速估计了一下形势，便开始坚定地用口哨以及教科书般标准的手势缓慢且自信地指挥司机朝他的方向开。又一个后视镜被撞碎了，咣当一声掉在了地上，然后车身后面某个房子里传出了一声抗议的尖叫——他家的阳台被卡车上装的钢筋条撞掉了一块石头。

“为什么警察不直接到五金店去让那些小货车的车主把车开走呢？”我问一直站在我身后看热闹的一个中年人。

“哥们儿，那还有什么意思啊？”他嘲笑道。这位老兄有两个兄弟和五个表兄弟都是当警察的，他对如何从交通堵塞事件里找乐子打发时间颇为了解。“等着看好戏吧，哥们儿！”

话音刚落，这位仁兄便蹒跚到卡车后面，用他的拐杖敲了敲车的金属挡板，让司机知道他的位置。

“兄弟，往后倒一点儿！”

卡车司机有些厌烦地听信了中年人的指挥。

“非常好！现在往你左边一点儿。对！继续！好，再往右一点儿，继续，好！非常好！”中年人得意地转过头来看着我傻笑，正在这时，我听到了金属刮擦的声音——卡车硕大的前轮刮坏了一辆小货车的车门。

堵在卡车后面的司机明显不耐烦了，此起彼伏的喇叭声使本就混乱不堪的场面更加失控。与此同时，站在卡车前面的警察已被那三个中年妇女和推着婴儿车的妈妈以及那两个被惊扰的居民团团围住了，他挥舞着手臂，重新吹起哨子开始了又一轮的表演。

五金店里面，那些小货车的主人——五六个农民和店主——正聚在一起，喋喋不休地讨论着什么。似乎这些人完全不在乎窗外小货车被刮坏的声音。或许他们觉得车上再多几道刮痕或是再缺个后视镜都无所谓吧。是啊，把车停在镇中心的五金店门口，多少是要付出些代价的。

这些人挤在店门和柜台之间的狭小空间里，高声谈论着巴塞罗那足球队的臭脚还有西班牙加入欧洲经济共同体——尽管只是作为临时成员——之后马略卡农业的发展前景。他们似乎一致认为西班牙的加入只是暂时的，一旦马德里的政客意识到这样做的危害后，一定会不遗余力地把西班牙从欧洲经济共同体中拉出来的。现在的政客到处宣传加入欧洲经济共同体会给西班牙带来多大的经济收益，完全是屁话！加入共同体只会毁了老百姓，只有那些躲在幕后的官员能捞到好处。“官员就像是馋猫，永远都喂不饱！”其中一个说道。另外一个人补充：“他们就像兔子一样，繁殖起来没完没了。这些不要脸的东西挣的是谁的钱？”“我们的！”在场的人一致答道。税！越来越高的税，越来越多的税种，价格飞涨的酒，越来越贵的烟，这些都是马略卡的农民将来不得不面对的。可怜的英国人现在不正过着这样的生活吗？

五金店里的这场讨论道出了西班牙人的心声，他们对抗赋税的热情似乎与生俱来，如果可能的话，他们连一分钱的税都不想付。这种近乎可爱的反叛态度的确起到了一定的效果，从已申报收入到官方认可的私有财产，政府对于这类硬性征税项目的态度已经不再强硬，默许抗税似乎成了这个国家的特色之一。有意思的是，过去，西班牙政府官员往往被认为是不好对付的狠角色，什么都管，事无巨细。近几年，政府对税收的温和态度吸引了不少想要洗钱的外国人，他们拎着一箱又一箱的钞票来到西班牙的海滩上潇洒挥霍，从不会遇到任何麻烦。毫无疑问，加入欧洲经济共同体对这些享受着西班牙宽松税务制度庇荫的人，是一个令人痛心疾首的坏消息——舒心的好日子将一去不复返了。

“共同市场？”一个五金店的客人嘲讽道，“根本是臭不可闻的狗屎！赶紧滚蛋！”

又是一次一呼百应。

我不得不承认，听到西班牙要加入那个自由贸易联盟时，我的心里充满了不安和悲痛。想当年，英国加入欧洲经济共同体后并没有给英国农民带来一丁点儿的好处。就我个人经验而言，一旦西班牙对地中海其他的水果出口国敞开大门，像“市长府邸”这样的小农场根本就无法营生了。现在，马略卡农民卖掉一公斤橘子赚的钱刚刚够在英国买一个橘子，利润已经非常低了，要是加入那个“弱肉强食、适者生存”的自由竞争市场，不知道会变成什么样子。联想起以前在苏格兰的遭遇，我的心不由得抽紧了一下，几乎是脱口而出，就用我能掌握的有限的“标准”卡斯蒂利亚西班牙语，对身边一个农民打扮的男人道出了我的看法。

那人看上去六十多岁，身材健硕，粗糙的皮肤只有那些一辈子曝晒在阳光下劳作的人才会有。他转过头来，轻轻地把帽子往后一推，略显迟疑地瞥了我一眼。

“英国人？”他试探道，“你是英国来的？”

“嗯，是的。具体说是苏格兰。我是苏格兰人。”

“啊……原来如此。”他笑了，热情地拍了拍我的肩膀，“斯堪的纳维亚人！好！非常好！”

接下来，他和同伴们开始神采飞扬地谈论起丹麦女人迷人的上围，还有瑞典那些宣扬自由性行为的姑娘。这些家伙个个谙熟此道，眉飞色舞地吹嘘看过的黄色电影——当然了，这可不能让老婆知道。男人们开始别有用心地大笑，比画着带有性暗示的手势，过了好一会儿，话题才又转回到加入欧洲经济共同体对马略卡农民的威胁。“我们并不是对英国有意见。”一个人强调道，对苏格兰的地理位置吃不大准。看来，对于这些追求独立自主的马略卡人来说，“斯堪的纳维亚的某个国家”拒绝加入欧洲经济共同体的故事要比英国加入后失败的经验更合胃口。

无论是否愿意，我现在也成了这场讨论中的一分子。但绝大部分时间，谈话是用我并不十分熟悉的马略卡方言进行的，不像我交流起来还不算太差的“大陆”西班牙语。因此我对这场谈论的唯一贡献就是，在别人用积极的语气问我话时，我答“对啊”；当说话人的语气带有挑衅的意味时，我答“不是”。尽管如此，在这场闹哄哄的公开辩论里，我那少到可以忽略不计的发言和其他人的长篇大论并没什么本质的区别。

很快，五分钟变成了十分钟，十分钟拖到了一刻钟——或者对习惯了“明天吧”的人来说，这不过是一眨眼的工夫——但是在那位等在“市长府邸”的女监工眼里，浪费十五分钟可是个大罪过。我开始不再“对啊，不是”地附和他们的谈话，转而望眼欲穿地盯着五金店的柜台，一个身上沾满泥点子的瓦匠正在那儿翻来覆去地检查两把看起来一模一样的泥铲子，我刚进店门的时候，他就已经在那儿了。终于，他站起身来，把一个铲子举到耳边，用指甲弹了弹刀刃，然后表情严肃地听那叮叮的声音，那副样子就像音乐家在试听调音叉。瓦匠不厌其烦地反复测试了几次，无奈地撇了撇嘴，冲着店员摇了摇头："我还是觉得我的老铲子比较好，不管怎样还是谢谢了。"一直耐心等待的店员也泰然自若地撇了下嘴，缓缓地耸耸肩对他表示随意，把两把铲子放回到身后的货架上。无所谓，总有别的泥瓦匠来买铲子的。

"下一个！"店员在柜台后面喊道，"下一个是谁？"

排在我前面的五个家伙还在热火朝天地讨论欧洲经济共同体，听到店员的喊话，他们浑不在意，依旧喋喋不休地说着什么，连眼皮都没有抬一下。

"下一个是谁？"店员又重复了一遍，"老兄，该轮到你了吧？"

依旧没有人回答。

既然如此，我心想，反正前面的人都不着急，那我还傻等着干吗？都已经在这儿耗了一个早上了。"两大包聚四氟乙烯！"我凑到了柜台前面。

"很抱歉。"店员回答道，面无表情，"我们的聚四氟乙烯都存在郊区的分店里。"

郊区的分店？这个岛上唯一一个大到可以拥有"郊区"的地方是帕尔马，天哪，那可要半个小时的车程啊！我的脸和情绪一道跌落谷底，店里也突然安静下来。店员是第一个开始大笑的人，接着我那五个辩友也跟着大笑起来。

"老兄，别担心。"其中一个家伙对我喊道，"他指的是在安德拉奇镇的另外一家店。”

“另一家店？”

“对啊，就是路对面的那家店，就在这条街对面。”

走出五金店的时候，我的新朋友们一个个热情地拍打我的肩膀。我作为马略卡式讽刺幽默受害者的桥段就此打住吧。看来我的观察能力也不过如此，自从搬到马略卡之后，来贝尔纳特·列拉将军大街也不是一两次了，可是我怎么从来没有注意到街上还有一家五金店的“郊区分店”呢？可事实上，那家店的确就在街对面，尽管它看起来和普通居民楼没什么分别，和大多数马略卡乡下的店铺一样，这家店很不起眼，门口没有任何一个招牌或者橱窗来说明这是怎样的一家店。在安德拉奇这样的小镇，除非你能摸熟所有大街小巷，否则很有可能在想要修表的时候走进了皮鞋匠的铺子，想要剪个头发，却等在了牙科诊所的走廊里。

清晨那场和卡车有关的闹剧已经落幕了（尽管路两边的墙被卡车蹭掉了好几块皮），街道上又恢复了往常该有的宁静，这里的生活节奏向来是不紧不慢的。在二号五金店里，我刚刚在另一家店目睹的一切都在这里重演了，只不过柜台旁的顾客不是瓦匠，而是一个农民，他正在反反复复地检查汽油机抽水泵、水管、几个滴灌喷嘴还有各种液态肥料。其余顾客聚在一起，热火朝天地讨论着西班牙和欧洲经济共同体。和第一家五金店一样，这里似乎也没有人急着买东西。

可是我不想再在“对啊”“不是”之间浪费时间了，转身出了门，向波乌广场——“水井广场”——走去，之前开车经过时，不知从哪里飘出的新鲜咖啡的香味实在太有诱惑力了。

看来买聚四氟乙烯涂料注定是要耗费些光景的，与其困在五金店里，还不如到环境更舒服的小酒吧里等一会儿呢。说不定过一会儿，五金店里就不那么忙了，到时我就能顺利完成艾莉交代的任务了。而现在，最好放松一下心情，让一切顺其自然，反正在马略卡农村，置办日用杂货这样的琐事总是需要时间的，而且似乎每个人都有大把的时间。即使你今天碰巧来不及了，马略卡人会告诉你当地人的座右铭——不是还有明天吗?

古巴酒吧坐落在老城区的中心、波乌广场的一侧，正好位于那条南北走向将镇子一分为二的胡安·卡洛斯一世大道顶头。酒吧的名字彰显了安德拉奇镇和古巴的历史渊源。以前，本地人曾经大批奔往古巴从事捕捞海绵的工作，期望从大海里淘到自己的第一桶金。那时，像安德拉奇镇这样的马略卡乡下，经济发展十分缓慢，人们得不到应有的就业机会，而那时的加勒比海岛比现在要繁荣得多。古巴酒吧以前是一副破破烂烂的样子，最近的一次装修让它改头换面，变得光鲜亮丽起来，店里的装饰时尚奢华，在条形照明灯的荧光下，塑料和合金打造的闪亮内饰若隐若现。店内风格有点儿像提供酒水的冰激凌店，不过这里却是纯男士酒吧（在西班牙这是这类酒吧的基本规矩)，当然了，这里既不卖冰激凌也没有海绵!

烟草和酒精混合在一起的辛辣味道和咖啡、茴芹的诱人香味杂糅在一起，弥漫在整间酒吧里，众人的笑闹声甚至盖过了老虎机里播放的单调音乐，我很快注意到引得众人发笑的是那张挂在酒吧对面墙上的彩色海报，并且认出了带头起哄的那个声音。

霍尔迪·贝尔特伦常去的据点是镇里最大的广场——西班牙广场上努埃沃酒吧的露天座位，今天他转战到了古巴酒吧。这家伙喜欢时不时地到各个酒吧（镇子上酒吧还真不少）去贡献钞票。他对自己慷慨社交习惯的说法是他这是在进行个人财富的二次分配，尽管事实上无论霍尔迪享有的财富是哪一种，但肯定不是物质层面的。霍尔迪是马略卡本地人，出生在小岛另一端的桑塔尼村，但是很早就来安德拉奇定居了。这家伙非常瘦，瘦得跟短毛犬似的，而且永远都是乐呵呵的，不管你提什么样的话题他都能滔滔不绝地说个不停，镇子里似乎每个人都认识他。霍尔迪以前是个木匠，在英格兰中部地区一家很大的汽车制造公司工作了十六年，那时还没有这么多游客来马略卡度假。接下来的几年，大量游客来到马略卡，可是霍尔迪却错过了赚钱的好机会。很多他的朋友，原先只是普通的建筑工人，现在却靠赚游客的钱轻轻松松过上了好日子。但是霍尔迪不愿意浪费时间去抱怨那些失去的机会，他对旅游的疯狂热情驱使他在别人赚钱的时候玩遍了欧洲。尽管霍尔迪错过了赚钱的大好机会，但他却乐呵呵地回到了他那位于通向佩格拉的大路旁边山口上的小房子。夏天，他会去为那些停靠在安德拉奇港的观光游艇做维修保养工作，总的来说，霍尔迪的生活是简单的，他是自己的时间和命运的主人。他许多经商的朋友都已经死于心脏病，大家知道霍尔迪早就机智地发现了这一点。

在穿着打扮方面，霍尔迪并不怎么讲究，他总共就没有几件衣服，按他自己的话说，够穿就行了，但是霍尔迪这个人极富个人魅力。即使穿着最脏最破的工作服，他看起来依然很迷人。他人瘦，饱经风霜的脸藏在一头浓密的灰白色乱发下面，总是笑嘻嘻的，总是引人注目，甚至可以称得上温文有礼了。至于他的行为举止，不管是骑着那台忠诚的摩比莱特牌机动脚踏车行驶在乡间小路上时，还是跷着二郎腿叼着烟坐在努埃沃酒吧外面他最喜欢的椅子上打发时间时，霍尔迪总让人觉得他似乎更适合当个贵族，而不是像现在这样当个小人物混日子。可是霍尔迪不这样觉得，他对老天赐予他的一切心满意足，并且从不嫉妒别人过得比他好。对于我们来说，自从在报刊亭第一次偶遇霍尔迪开始，这个十分讨人喜欢的家伙就成了我们的好朋友，那时我们才刚搬来马略卡不久，他给了我们许多建议，并且带我们认识了很多新朋友。

“嗨！哥们儿！”他冲我大喊，“快过来看看！政府他妈的是不是脑子进水了？快来看看这该死的海报，真他妈的莫名其妙！”

霍尔迪对自己的英文很是自信。他的英文夹杂着考文垂和卡拉奇两个地方的口音，是因为他在考文垂生活时住在亚洲人社区，也从工人之间粗俗的玩笑话中学到了各式各样骂人、逗闷子的脏话。遇到不会说的单词时，他对使用英文的兴致也会弥补这一点，即兴发挥的自信让他从来没有被不会说的词卡住。集市日的一天早晨，我们面对面地坐在努埃沃酒吧外面聊天，他告诉我刚刚到考文垂生活时，要适应他寄宿的那家亚洲人的生活习惯是多么困难。霍尔迪付的房费包括晚餐，但是习惯了马略卡简单食物的他，根本无法接受亚洲家庭对吃饭的种种规定。而且更糟糕的是，霍尔迪喜欢吃的东西恰好被那家人视作禁忌食品，就像霍尔迪自己说的那道“做得跟鸡屁股一个味儿的英式炖肉”，其实他说的是牛尾汤，但是对于霍尔迪来说，要他忍受的奇怪美食还不少呢。

“我告诉过你吧，”他说道，“这家人从来都不吃一整只鸡，真他妈的莫名其妙！”

“真的吗？”

“那当然啦！霍尔迪什么时候骗过你呢？”他凑到我耳边，巡视了一下周围，确定没有可能被冒犯的人听见我们的谈话，“我告诉你……”他凑得更近些，充满自信地一字一顿地说，“他们吃鸡的时候，从来都不吃鸡轮子[1]。”

轮到我傻眼了，我想了又想也没明白他指的是什么。“鸡轮子？”我试探道，“你刚才说什么？鸡轮子？”

霍尔迪坐回到他的椅子上，一脸惊异地看着我，“我的天哪！你没事吧？连英语都听不懂啦？我刚才说的是鸡轮子！”他喊了起来，突然不在乎这话会不会冒犯到周围某个听到我们对话的人了。他看我还是一脸茫然，于是伸出手臂，两只胳膊上上下下地来回扇动，一边扇还一边发着“咕！咕！咕！”的声音，试图用身体语言让我明白他在说什么，“就是鸡轮子嘛！你明白了吗？”

“哦！”我笑了出来，总算明白了，“原来你说的是鸡翅膀！”我马上意识到我的本能反应可能会惹得霍尔迪不高兴，但是我的担心显然是多余的，他对自己的英文可是自信得很。

“老兄！你没事儿吧？”他回击道，“我刚才就是那么说的啊！”他欠起身来，又一次越过桌子靠到我身边。“ring（铃铛）和 wing（翅膀）发音接近。”他一双眼睛直直地和我对视，大声喊：“听起来都差不多嘛！对吧？”

“对吧？”霍尔迪每次都喜欢用这句话来结束一段对话，我知道，今天早上在古巴酒吧里关于海报的讨论中，他也是声音最高的那个。霍尔迪打着手势招呼我过去，他的同伴们

---

1 霍尔迪把“翅膀”这个词的英文 wing 和“轮子”的英文 wheel 记混了。

则各自回到原来的桌子上继续高谈阔论。我很快注意到他们刚才嘲笑的海报是一张政府公函，写着不久的将来，为了符合欧洲经济共同体的要求，所有待售的橘子必须达到欧洲经济共同体的质量标准，并且必须要把橘子整齐排列在如图所示的浅盒子里，海报的下面附了一张彩色盒子样式的说明图。

“又是狗屁政府放的臭屁！”霍尔迪窃窃地笑着，手指着海报上政府公文的大标题，“你已经看过这张狗屁海报了吧？这种垃圾都贴到酒吧里来了！”

“我还真没看过。”我承认这是我今天进的第一个酒吧，霍尔迪的脸上满是难以置信的表情，要知道现在还没到早上九点半呢！我从来没有见过比霍尔迪更不胜酒力的人，尽管他会花上一整天的时间耗在马略卡大大小小的酒吧里，但是我相信他一天内喝的所有酒加在一起，也比不上一个英国白领每天晚上下班后在坐火车回家之前奔到小酒馆里喝上一杯的量。但是霍尔迪是马略卡饮酒习俗的忠实拥护者，这里的工人习惯在一天工作开始之前，停在去工厂或是农场路上的小酒吧里喝上一杯，他们管这个叫“雷本塔特”——其实就是一小杯加了点儿酒精的特浓咖啡。人们相信这个由来已久的西班牙“早餐”习俗可以促进新陈代谢，事实上“雷本塔特”对它的这些拥趸也的确没有什么坏处。更何况，男人可以借着喝酒来和朋友继续聊聊昨天晚上的话题，或者交换一下对早间新闻的看法。

同样的饮酒仪式还会在午餐前、午觉后以及晚餐前进行。当然了，反对者会说，那些酒精会一直留在这些酒鬼的血液里。我觉得他们说得没错，但是那又怎样呢？这些人的生理系统已经适应了酒精，更何况他们喝了酒之后也还是彬彬有礼、谈吐自如的，肚子里的烈酒并没有让他们变得和北欧那些狂欢文化下的人一样，做出在公共场所耍酒疯等令人头痛的无礼行为。可能有人会问，万一碰上交警测试酒精浓度怎么办？关于这一点，我只能告诉你，马略卡的交警每天早晨骑上摩托车出去巡逻之前，也会给自己促进一下新陈代谢。的确，西班牙人对于经常光顾酒吧的态度还有许多别的可说的——慵懒轻松，可以增进男性友谊，骨子里就爱好社交等等。话说回来，对于霍尔迪而言，在不太忙的日子（事实上几乎每天都不太忙），他会辗转在镇子里的各个酒吧混上一整天，他去酒吧的次数比大多数人要多得多。这就是他的生活方式——他为自己选择的生活方式——认识他的朋友没有一个不羡慕他的。

霍尔迪是在考文垂工作时认识他老婆的，他们也是在那儿结的婚。那个女人和霍尔迪一起回到马略卡生活了一年左右，然后就带着他们的两个孩子义无反顾地跑回了英国。她丢给霍尔迪的解释是，她没有办法适应马略卡夏天的高温，而且她得回老家照顾她刚刚成为鳏夫的老爸。霍尔迪表面看上去是一个大大咧咧的乐观派，其实骨子里是一个很感性的人，虽然他从来没有承认过，可事实上他的内心深处是很孤独的。他想念自己的老婆和孩子，他之所以频繁地出入各个酒吧，只不过是为了填补自己缺失了的家庭温暖。

霍尔迪指着那张政府公文开怀大笑起来，“我以前还从来没见过这么一大篇废话呢！”他笑着，不屑地用手指背不停敲打那张公文，“老兄，来看看这段！”他指给我看其中的一条，“‘所有橘子必须大小一致，整齐划一’，看看他们说的什么屁话！整齐划一？他们以为是玩多米诺骨牌哪？谁他妈见过方形的橘子？”

霍尔迪认为这次政府的玩笑开大了。他们以为马略卡的农民都是白痴吗？他们忘了马略卡的农民已经在岛上种了一千多年的橘子了吗？一千年前那些布鲁塞尔的官僚主义者可能连马略卡是什么都不知道呢。一千年前他们甚至连橘子是什么味道都没尝过吧？霍尔迪去过比利时，他自认为他对比利时的了解比谁都多。

“去他妈的欧洲共同体！”霍尔迪骂道，“都他妈的给我滚蛋！”

他一边骂，一边把海报从墙上扯了下来。在人们鼓励的欢呼声中，霍尔迪把海报团成一个球，一脚踢到门外。我相信这绝不是今天第一张，也不会是最后一张遭此厄运的海报。我还相信，这些撕下海报的“罪犯”必定有一大帮人为他们辩护。霍尔迪是对的，马略卡农民种橘子、卖橘子已经太多年了，如他所言，岛上的农民和商人对橘子生意的深厚了解是从祖上传下来的，相比之下，那些只知道坐在桌子前写写法律文书的政客对橘子可谓一无所知。邻桌的喝彩声让霍尔迪更加兴奋了，他高声问在场的所有人："你们说，那些世世代代从马略卡小小的索列尔港口一船一船进口橘子的马赛商人，他们什么时候抱怨过咱们的橘子不够大、级别不好或者包装太差？从来没有过！他们以后也不会抱怨的！"霍尔迪对此坚信不疑，原因很简单，因为他和他的果农兄弟还是会一如既往地按照祖上传来的规矩卖橘子。按照政府规定的那样一个一个手工挑选大小完全一样的橘子，然后把它们整齐划一地摆在什么规定的破盒子里完全是浪费时间！以后大家还是会像现在一样，把橘子堆在塑料篓子里，每个橘子上留下一两片叶子作为马略卡出产的新鲜橘子的象征，这样对果农和商人来说都是再好不过的了！什么狗屁条款，见鬼去吧！

事实上霍尔迪自己连一棵橘子树也没有，不过很显然，大家都不在乎这一点。霍尔迪说的话很在理，而且他铿锵有力的论述赢得了在场所有人的赞许。

"谢谢！谢谢！"霍尔迪有些夸张地挥舞手臂，对大家的赞许表示感谢，他讥讽地模仿了那些政客在竞选活动中常用的口号："马略卡万岁！"

在带我去吧台的路上，霍尔迪对我说："那些该死的政治强盗休想让马略卡陷进经济共同体的圈套里！”酒吧里那群哥们儿半带起哄色彩的欢呼声使他的社会责任感空前高涨，他兴奋地几乎飞到了天上。马略卡在历史上被外敌侵略过很多次，他告诉我，腓尼基人、希腊人、罗马人、摩尔人、巴巴里海盗，还有西班牙内陆的加泰罗尼亚人，他们都曾占领马略卡，但是精神上他们永远不会得逞。在自强自立的马略卡人面前，任何想要花招的侵略者最后只能自取其辱！看看马略卡的近代史，例如……

“外国佬游客！”他一边大笑，一边冲着我用手指敲打自己的鼻子，“不用再说了吧？”

我十分佩服霍尔迪对马略卡历史的了解，也十分赞赏他的一腔爱国热血。可是不可否认，和旧大陆的所有地方一样，马略卡在漫长的岁月里也经历了不同种族的大融合，这也是马略卡的特质之一，这种特质和马略卡的自强精神一样值得人尊敬。我开始怀疑，马略卡人的独立精神是否足以抵抗那即将入侵他们领土的教条做派的官僚主义魔爪？现在，我对那些和我们“市长府邸”一样的家庭农场的未来充满了担忧。

“一起喝点儿吧？”霍尔迪笑着问我。

“还是算了，一杯咖啡就够了。谢谢！黑咖啡！”

“一杯雷本塔特。”他对服务生说，完全没在意我要点的是黑咖啡，还是给了我一杯加了酒精的，“给我兄弟来一杯雷本塔特！”然后他转过来问我：“你想加点儿什么？白兰地、茴芹还是生姜水？要不来点儿威士忌？”还没等我回答，霍尔迪就兴高采烈地冲服务生喊道：“给我苏格兰来的哥们儿加点威士忌进去！”他用胳膊肘杵了杵我的肋骨，一边冲着我眨眼睛一边说道：“怎么样哥们儿？我给你点的酒不错吧？”然后他自顾自地笑了，笑得肩膀都晃了起来。霍尔迪今天特兴奋。

我从没想过会在一大清早喝上一杯加了威士忌的咖啡，正如我从来没有想象过在麦片里加咖喱粉一样。但是据我对霍尔迪的了解，拒绝这杯雷本塔特是不可能的。霍尔迪有些兴奋过头了，只有在点酒的时候才稍微冷静了一会儿。他从来不吝惜为朋友买单，尽管他显然手头很紧。有传言说霍尔迪其实是靠西班牙政府的工伤赔偿金过活的，所以他才不用辛苦工作来赚钱养活自己。不过大家都看得出霍尔迪健康得像屠夫的猎犬一样。显然，在英国生活的那段日子教会了霍尔迪如何在国家社会安全保障金制度下轻松过活。

和早先在五金店里的情况一样，很快，五分钟变成了十分钟，十分钟拖到了一刻钟。当霍尔迪为我点第三杯雷本塔特的时候，我已经变得和他一样，对时间的流逝毫不在乎了——或者说，我以为他毫不在乎。

“霍尔迪该走啦！”他突然对我说，接着一口气干掉了杯子里的酒，“今天该忙起来啦！农场里好多该死的土豆等着我去收呢。”

然后，他像往常一样在我的肩膀上拍了一下，就急匆匆地走掉了——天哪，我还从来没有见过他这么匆忙的样子。直到霍尔迪的电动自行车的小马达声渐渐消失不见了，我才意识到霍尔迪落荒而逃的真正原因是什么。酒吧的另外一端，今天早上指挥交通的那个警察正举着被霍尔迪撕下来的海报——虽然已经被重新抚平了，但还是被毁了——跟服务生问话呢，而此时，霍尔迪已经离开酒吧半个多小时了。当然，毫无疑问，警察的训话毫无收获，服务生除了无奈地耸耸肩膀之外没有供出任何有用的信息。过了一会儿，警察自己把那张海报又一次团成一团，狠狠地扔在地上，接着他为自己点了一杯咖啡，然后又不假思索地把咖啡换成了雷本塔特。“加点儿白兰地，谢谢！”天哪，在我眼前的哪里是个警察，分明是个再现实不过的普通人，如果参照他今天上午的表现的话，我一点都不觉得他有什么机会戴上肩膀上那代表权力与威望的警徽。

当我回到二号五金店时，早上的热闹景象已经不再了。店里空荡荡的，一个客人也没有，售货员无所事事地站在柜台后面，一边乐呵呵地看报纸，一边喝着咖啡、抽着烟。

“两大包聚四氟乙烯！”我一边不安地看着表，一边对售货员说。从我离开家到现在已经过去了太长时间，我担心这时间长得足以让艾莉在小仓库的墙上找到更多毕加索的素描画。

“先生，实在不好意思，”售货员充满歉意地摇了摇头，“五分钟前我刚刚卖掉了最后一包。您明天再来可以吗？”看到我绝望的脸，他想了想，突然灵机一动，冲我笑着说：“要不，您到我们对面的分店看看？”

当我终于回到“市长府邸”时，我发现艾莉正待在我们称为“中间地带”的小果园里，那是农场上距离我们家房子第二远的小果园，也是种植果树品种最多的一个园子。艾莉坐在一个立起来的柳条筐上，背靠一棵大杏树的树干，脸微微扬着，九月温暖的阳光洒在她的脸上。邦妮趴在她脚下甜甜地睡着。

“别告诉我，”她闭着眼睛嘀咕道，“你没买着聚四氟乙烯就回来了吧？”

“嗯……是的。说来话长……你看，首先……”

“闭上你的嘴巴。你一张嘴我就知道是怎么回事了。喝威士忌了吧？你碰到霍尔迪了对不对？”

“我明天再去。”我脱口而出，试图把话题从霍尔迪和威士忌转移到五金店上，“五金店的售货员告诉我碰巧今天所有的聚四氟乙烯都卖光了。明天他们会进货的。”

“又是明天、明天。”艾莉打了一个哈欠，眯着眼睛看着我，“就是这么巧。”

当艾莉认为她抓到了我的小辫子时，她常常会用一些简单的话来一语双关地嘲笑我——尤其是当她认定我的判断力和防范意识都被酒精麻痹了的时候，她更是会用冷嘲热讽来折磨我——但是，我不得不强调，这种情况发生的可能性少之又少！

“但你不是说今天就要把墙补好吗？”三杯小小的雷本塔特还不至于把我弄糊涂了，我决定向艾莉证明这一点，“没问题！我知道佩格拉那儿最近刚开了一家卡普里五金店，老板是当地人，一个不错的小伙子，叫加夫列尔。上次我去那儿送水果的时候在钢琴酒吧遇到过他。我本来想直接去那儿买的，但是又怕你等得太久会担心我，我考虑了一下还是决定——”

“哟！你还有时间考虑呢。”

我并不同意艾莉的说法，但是我冷静地意识到，与她继续争辩下去完全没有意义。更何况，在过去的一个半小时里，当我在安德拉奇镇上身陷种种麻烦的时候，艾莉却在杏树下面懒洋洋地晒太阳。我估计艾莉早就理解了我没有买到涂料的原因，她这样说只是在故意气我。于是，我坐了下来，靠在艾莉身旁，像她那样闭上眼睛，仰起头享受阳光。

天哪！这才是我们搬到马略卡来的真正原因——碧空如洗，阳光透过杏树叶子之间的缝隙轻轻爱抚你的脸，空气里弥漫着植物的清新香气，大山、果园，这一切醉人的景色麻痹着你的神经，让人忘记了尘世间所有的烦恼。这简直是天堂。

一颗熟透了的无花果从旁边的树上掉了下来，扑通一声温柔地落在地上，就像一滴圆润饱满、糖浆般的雨滴。听到声音，邦妮连头都没有抬一下，只是重重地哼了一声，抽了抽鼻子，懒洋洋地吧嗒了一下嘴，然后又心满意足地睡去了。

时间慢慢地流逝着，山谷里依旧是静谧幽幽，除了从加拉法山山顶，那个藏在常青橡木和好闻的松木深处的小农场隐隐传来的几声鸡叫之外，没有任何杂音来惊扰我们的耳朵。一阵微风徐徐掠过，温柔得如同天使翅膀一般，轻轻撩动我们头顶的树叶，像诗歌中描写的那样，唤醒了即将到来的秋的味道。

“我想起了一首我们那会儿在学校里学的诗，”大自然神奇的催眠魔力唤起了我胃里那三杯雷本塔特，丝丝醉意伴着对往日抒情诗的回忆，轻轻敲打着睡意蒙眬的我，“在这一刻之前，我从未理解过那首诗的真正含义。是济慈还是华兹华斯来着？反正就是他们两个中的一个写的。”

艾莉没有说话。

邦妮轻轻地放了一个屁。

我有些飘飘然。“对，是济慈的诗。要不然是丁尼生的？我明明记得的。嗯……好像是这么写的……雾气洋溢、果实圆熟的秋，你和成熟的太阳成为密友……这段写得太美了！你和成熟的太阳成为密友！”

“我看还不如说，你和成熟的霍尔迪成为酒友呢。”艾莉像魔术盒子里的小丑娃娃一样，猛地跳了起来。我还没有反应过来是怎么回事，艾莉就已经笑嘻嘻地用柳条筐砸了一下我的头，邦妮也猛地蹦起来朝我扑过来，这个小家伙还不明白艾莉在和我玩什么游戏，但是决定也参与进来。“今天你的诗人冥想就到此为止吧。”她用脚尖轻轻踢了我一下，“太阳之友，快起来，该干活啦！”

“艾莉你知道吗？你真是一点艺术细胞也没有！我真替你感到悲哀。”我有些愤愤地责怪起她扰了我的雅兴，并试图挡开想用大舌头帮我洗脸的邦妮。“真是见鬼了。多好的天气啊，干吗不多待一会儿啊？”

“我对济慈向来是没什么好感的，所有那些无所事事的艺术家我都喜欢不起来。这些只会耍耍嘴皮子的家伙连一单柿子都没接到过。说到柿子，你还有两打柿子没给客户送过去呢。”艾莉已经预料到我会有怎样的反应，她把食指放在嘴唇上，轻轻嘘了一声，示意让我闭嘴，“而且，宝贝，这些柿子必须今天送到！”

— 3 —

从果园到印加

柿子是另一种我在搬到马略卡之前闻所未闻的水果。直到我们参观弗朗西斯卡·费雷尔太太的果园时——那还是在我们买下“市长府邸”之前的事呢——我才见到了它的真面目，在那以前我一直以为 kaki 是有人拼错了卡其色那个单词。[1]说到军装那土里土气的卡其色，不知道为什么，我总是联想起新鲜的牛大粪。相比之下，柿子的颜色要好看太多了，没有成熟的柿子是金灿灿的黄色，成熟之后就变成了橘红色，看起来有点像大个的圆西红柿。但是和西红柿不同的是，柿子是长在树上的。这种原产自日本和中国的树非常伟岸挺拔。我们的园艺大师佩佩·苏沃告诉我，柿子树是一种典型的乌

1　作者把这个 kaki（意为“柿子”）误认成了 khaki（意为“卡其色”）。

木树，它的木材相对来说比较稀有，以前是制作传统高尔夫球杆把手的高档材料，后来有了廉价的人工合成木材，人们才很少用到柿子木。

在“市长府邸”上一共有四棵柿子树，它们零星分布在排成行的橘树、桃树、石榴树和榅桲树之间。现在正值秋季，柿子树光滑的大叶子在阳光照射下显得格外绿，很是引人注目。但是很快，所有叶子都会落光，只剩下红扑扑的柿子挂在细小光秃的枝干上，像是一串串复活节的南瓜。尽管柿子看上去很是漂亮，可是对于不了解它们的人来说，这可是一种会折磨人的淘气水果。对于甜食主义者而言，咬上一大口松软多汁的成熟柿子的感觉，就像是品尝到了仙液琼浆一般。但是，要是碰巧赶上个没长熟的，那滋味，相信没有人会愿意试第二次。这可是我的经验之谈。有一次，在果园摘柿子的时候，我一时心急，咬了一只看上去熟透了的柿子，那种嘴唇生疼、舌头苦涩的感觉，我这辈子都不想再体验了。绝对不夸张，就连现在回忆起来，我都能感觉到舌头上又涩又麻，好像是含了满嘴的劣质咖啡漱口水，连牙都酥酥的，像是补牙的填料马上就要融化了一样。我的老天，这辈子我再也不想碰没熟的柿子了！

关于吃柿子应该注意的事情，作为果农的我暂时也就能想起来这么多了。柿子成熟到可以吃的时候，会变得非常软，用老佩普的话说，软得像胖修女的胸脯一样。如果不小心翼翼地拿着，柿子的外皮可能会裂开，喷射出又黏又稠的果浆，这对采摘者和顾客来说，都是件脏兮兮的麻烦事。因此，一般情况下水果商没什么兴趣购买完全成熟的柿子，除非是接到了特殊订单，但是这样的订单通常订货量很小，去除可能产生的损失之后，果农几乎是赚不到钱的。另一种办法就是，要趁它们还硬挺的时候采摘，然后等待那些愿意冒险在柿子变得软到不能碰之前把柿子卖光的水果商。

到目前为止，我们的柿子销路并不是很好。照佩佩·苏沃所说，果园里这四棵柿子树现在虽然还处于康复阶段，但总产量加在一起也有一吨左右。这可不是个小数字。与其让果子从树上掉下来摔烂浪费掉，还不如把它们当成免费的小礼物赠送出去。所以，当我们从小商店买东西或者和零售商讨价还价的时候，柿子便成了额外的赠品。事实上，我并不认为这些甜蜜的小礼物帮我们省了多少钱，可作为节俭的苏格兰人，我们宁愿相信这个办法是有效的。不管怎么说，即使省不到钱，能换来慷慨大方的好名声也是件不错的事情，就目前我们对马略卡风俗的了解而言，今天给予他人的付出，总有一天是会收到回报的。

“印加？你接了送两打该死的柿子到印加的订单？”我从五金店买涂料未果回来的路上，艾莉接了一份电话订单，我开始还以为订货的是本地人，最远也不过到安德拉奇镇，或者更有可能是直接来果园采摘的客人。“你知道从果园到印加有多远吗？”我一边不满地抱怨，一边把那几盒精挑细选的熟柿子小心翼翼地放在仓库里的工作台上。

“不是很远吧。”艾莉淡淡地答道。

“不是很远？”我的嗓门提到了男童高音的级别，“太典型了！这就是你常犯的毛病！艾莉，你简直太没有距离的概念了。我的天哪！你还记不记得？我们搬家之前，我问你马略卡离苏格兰有多远，你还记得你怎么回答的吗？不记得了？好，我告诉你。你当时慢条斯理地告诉我：‘不是很远啊，从爱丁堡机场出发，一个小时左右就到了。’要知道，马略卡离苏格兰可是一千五百多英里啊！”

艾莉还是一副事不关己、让人抓狂的样子。“好啦。去拿点儿纸巾帮我把柿子包起来。要不然柿子会擦伤或者摔碎的。”

“擦伤？摔碎？艾莉，你现在还顾得上担心这个？难道你不知道吗？我们现在赚的钱已经不够花了，你还傻呵呵地接下这么一笔费力不讨好的订单，只有加油站能从中赚钱！”我被气得够呛，冲着艾莉咆哮道，“你竟然同意把这些一文不值的柿子送到三十五英里外的印加？然后告诉我你担心会伤到柿子！我们的银行余额呢？我的天哪！”

艾莉非常平静地微微一笑，轻轻拍了一下我的手：“我用四个字就能回答你。”

“让我猜猜！彻头彻尾的——精神失常！”

“不对。”她摇了摇头，有点儿恶作剧地坏笑着，“我要是告诉你……订货的是……赛尔荻牧？”

我上升的血压立刻变成愉悦的期待，刚才的满腔愁苦瞬间化为满腔热情，我咧着嘴笑道：“嗨！宝贝，我是说，咱们快点儿包柿子吧，把这些可爱的小家伙运上车，咱们这就上路啦！目标——印加！出发！”

印加小镇坐落在特拉蒙塔纳山东边的山脚下，位于帕尔马城和古罗马时期岛上首府阿尔库迪亚城之间，紧挨着马略卡最宽广、散布着无数风车的埃斯普拉中央平原。现在，新修的高速公路可以从马略卡的市中心直达印加，但是如果你希望享受一次轻松的旅程，欣赏沿途的美丽风光，那就和我们一样，选择老路吧。

帕尔马北部的市郊分布着大片工业区、超市和朴实无华的公寓式社区，处处呈现出一派城市化萌芽的景象。可是一旦开出市郊，你会发现自己回归到了一个远离熙熙攘攘都市的世外桃源。和其他通向印加的老路旁的城镇和村庄一样，公路修好之前，圣玛丽亚的主干道也曾充满噪声、黑烟和沙尘，那些往返在帕尔马和阿尔库迪亚、波连萨等北海岸重要港口之间的卡车及长途汽车带来了严重的污染。公路竣工后，圣玛丽亚的交通负担得到了缓解，嘈杂的汽车声渐渐远去，这个古老的农业小镇又恢复到百余年来惯有的安宁恬静，和大规模的旅游开发到来前一样。在这里，你可以随意漫步在古老的小镇广场，不必担心会被超速行驶的卡车堵住了去路；在这里，你可以坐在坎卡利特酒吧临街的位子上，喝上一杯提神的饮品享受胡椒树下的清凉，不必担心被柴油车的浓烟呛个半死；在这里，你可以把车随意停在路边，躲进镇中心阴凉的酒窖里，在那厚厚的石头围墙里，乡下自酿的甘醇美酒正在以你意想不到的低价出售。了解行情的人会建议你："带上自己的酒壶来尽情砍价吧！"需要注意的是，烈性酒的试尝品上通常会有标志提醒酒量不高的人不要误尝。通常情况下，老练的马略卡人才不会选择过于辛烈的酒，而且为了避免口感太过刺激，他们会在酒里加上柠檬苏打水。多看看，多学学，然后犒劳一下自己的胃吧。这里的喝酒习惯和苏格兰的比较接近。对于一向谨慎的苏格兰人来说，不管多么热爱国饮威士忌，但为了身体健康，即使是纯麦芽精酿的好酒，也会在里面调配一些稀释剂。要是碰上那些只喝纯威士忌的家伙，卖酒的老汉就会这样告诉他："别犹豫啦！快来尝尝，加点儿柠檬水才不会糟蹋了这么好的酒！快点儿把你的酒壶递过来！"

偶遇了圣玛丽亚的"老酒窖"之后，我们猜测继续往北可能会遇到更多惊喜，同时这也在间接地暗示，我们为何有兴致踏上这次无利润的柿子之旅。杏树果园、绵羊牧场逐渐变成大片葡萄园，越是接近孔塞利，越是如此，因为孔塞利是马略卡近年重新崛起的葡萄酒工业发源地。不久前，从一路的风尘及其他汽车尾气中开进这个偏远小镇之后，你基本上只能朦胧看见路两旁有一排排面目模糊的米白色小房子。看起来，无节制的公路两侧商业开发，以及现代化发展所造成的空气污染，对镇子造成的打击几乎是毁灭性的。现在政府已经对古镇采取了交通管制，在这里停留片刻还是值得的——不为别的，只为了寻找地道的农家菜馆——这里的农家菜馆做出来的经典马略卡农家菜是岛上其他任何地方的餐厅都比不上的。

正如其名，松木餐馆隐藏在水井广场旁边的松树后面。水井广场这个名字唤起了我从前的记忆——那时，用自来水管道将饮用水送到家家户户是乡镇居民做梦都不敢想的事。现在，孔塞利的地方水井依旧保存完好，就位于以此得名的水井广场正中心，现在依然可以使用，只不过原本靠骡子工作的水井转轮已经换成了电力驱动。

松木餐馆是我们在去年冬天的一个寒冷傍晚偶然发现的，当时我们刚从北部的海滨小镇坎皮卡福特买了辆二手车，正在开回家的路上。车是从我们的朋友“改造先生”乔克·彭斯一个“值得信任”的老关系手上买的。那辆小巧的白色“福特嘉年华”看上去不错，发动起来的声音也很好，实际开起来很顺手，价格也非常公道，唯一的缺点是车子没有任何合法文件。乔克告诉我那些文件不值一提，完全没有必要浪费时间去考虑它们。乔克也是苏格兰人，移民到马略卡多年，是二手车买卖的老手，他从来只问那些可能听到满意回答的问题。恩里克是他的搭档，也是我们买下的二手车原来的主人，他信誓旦旦地对我说，车子的文件会在“明天”办好，而且没有文件也是好事啊，可以暂时不用给那些市政厅的狗官交什么莫名其妙的汽车税了。我只需要像他一样，把心放在肚子里好好享受开车的乐趣就好。

“朋友！没有文件就不用缴税！”恩里克热情地拍了一下我的背，要我相信一切都没有问题。“哥们儿，放心吧，绝对没事！”

我就知道事情没那么简单。车子刚开出坎皮卡福特二十分钟，福特车表盘上的温度指示就提示我，恩里克太过专注于“享受开车的乐趣”，忘了给散热器加水了。于是，我们不得不改变计划，把车开到了水井广场。原本只是想跟松木餐馆的老板借些水的，可是在等待的过程中，餐厅里桌上食物散发出的香味引得我们口水直流。于是……

“秘炖香鸡，”乔克还没等我们开口就主动介绍道，“马略卡最好吃的菜之一，那味道啊……简直就是奇迹！”

“冻……什么？”艾莉使劲闻了闻。

“秘炖香鸡。鸡！炖鸡肉！”

艾莉总算明白了，但是还是有些好奇：“冻鸡肉？”她试探道，“你是说速冻的鸡肉吗？我一贯不大喜欢吃速冻食品，除非确定能把它们好好地解冻。”

“和速冻没有关系！是炖的！”乔克已经有些不耐烦了，除了二手车外，他对美食也很有研究，如果有美食奥林匹克大赛的话，他大可以轻松成为苏格兰代表队中的一员。“给我们一张桌子，三个人！”乔克连问都没问我们，就冲着服务生大喊，“一旦有空位置了，就叫我们！”

在酒吧里等位子的时候，我们参观了柜台下面玻璃架子上陈列的西班牙餐前小吃样品，这些令人垂涎三尺的西班牙传统美食，从麻辣土豆块到肉丸子，还有那切碎的牛脑，每一样都是那么吸引人。

“挑几样弗兰克斯吧。”乔克问我，在这些诱人的美食面前，他已经彻底丧失了抵抗力。

“弗兰克斯？”

“弗兰克·扎帕斯——塔帕斯。多押韵啊！[1]”他咂巴咂巴嘴，眼睛一刻也离不开柜台上的食物，“可以大吃特吃卡内基喽。真不错呀！”

“卡内基？乔克，你在说什么啊？我都被你弄糊涂了。”

“我说的是卡内基啊！天哪，动动脑子！”乔克以前当过代课教师，他现在瞪大了眼睛望着我的样子，让我觉得自己

---

1 Frank Zappas（弗兰克·扎帕斯）和 tapas（塔帕斯，即西班牙酒吧间的餐前小吃）是押韵的俗语，英文里可以用“弗兰克·扎帕斯”（缩略为“弗兰克斯”）来代替“塔帕斯”。

好像是被老师叫到墙角、背对同学罚站半小时的可怜虫。动动脑子？“啊！我知道了！你说的是卡内基音乐厅吧？”

“总算猜对了。你看，这个肉丸子不错吧？[1]”

“看着是挺诱人的。但还是算了吧，我还等着吃秘炖香鸡呢。”

“嗯。还是冻鸡更好些。我不想现在就吃太多。”艾莉说道。

“那好吧。”乔克虽然嘴里嘟嘟囔囔地放弃了，但脸上还是一副恋恋不舍的表情。没等我来得及提醒他别吃太多，乔克的手已经伸向了吧台上堆着的黑橄榄：“总得嚼一点儿什么吧？要不然菜没上呢，我就睡着了。”他边说，边抓了一大把橄榄。

乔克嘴里所说的“一点儿”——半公斤左右的盐津橄榄在五分钟内被消灭得一干二净，但是这并不妨碍他在我们刚刚找到桌子坐下之后便立刻点了一盘炭烤墨鱼仔。“总得在炖香鸡做好前随便吃点儿什么吧。”他漫不经心地这样告诉我们。服务生写菜单的时候，乔克拍了一下大腿，突然想起了什么：“加点橄榄，一份烤土司——当然是配蒜蓉蛋黄酱的，还有，最好在烤墨鱼上加点大虾和乌鱼，要你们这儿最大的虾！”服务生继续奋笔疾书。“对了，还要一盘肉丸子，就是柜台那儿摆着的那种大肉丸子。”听到这儿，我和艾莉的脸上

---

1 Carnegie Halls（卡内基音乐厅）和 meatballs（肉丸子）是押韵的俗语，英文里可说前者来代替后者。

写满了惊讶，乔克却误解了我们的表情，只见他的脸上闪过一丝略带歉意的微笑：“不好意思，我该让你们先点来着。你们两个想吃点什么开胃小吃呢？”

但是奇怪的是，那天晚上让我和艾莉记忆深刻的，并不是乔克和他永远也填不满的胃，而是他推荐的、让我们久等了的秘炖香鸡。每个人面前的盘子里都摆着一整块鸡腿和鸡胸，鸡肉是在用碎肉丁熬出的浓汤里慢火炖出来的，上面撒着杏仁、鸡蛋黄、藏红花、橄榄油、少量的蒜蓉和大量新鲜香草，鸡肉的配菜是单独装在当地特色小陶罐里面的烤土豆。这秘炖香鸡简直是马略卡看似简单的农家菜中最好吃的一道了！正如乔克所说的——奇迹般的味道！

当服务生来给我们送咖啡的时候，乔克一边用学校老师的方式微笑着，一边用拇指和食指冲着他打了一个响指，提醒服务生要遵守马略卡乡下的习俗，用餐结束后让店老板为客人——尤其是像我们这样大力称赞店里食物的客人——送上免费的利口酒。

“当然了，先生。”服务生答道。他有些僵硬但非常有礼貌地点了点头，强调已经了解了乔克略显多余的提醒。过了一会儿，他带着三瓶——不是一瓶！——利口酒重新回到我们这桌，邀请我们每个人选择一款喜欢的酒。

“这酒可不是看起来这么简单的。”乔克提醒我们，“尽管表面上很像法国橘子酒或者咖啡酒之类，但是注意仔细看标签，名字可是完全不同的哦。”

“味道和法国橘子酒差不多。”我试着尝了一点我挑的酒。

“我觉得这个就是咖啡酒啊。”艾莉像往常一样，用力地闻了闻酒的香气，却没有尝上一口。

“这可是好酒呢！”乔克边说边喝下了第二杯据说可以媲美玛丽莎利口酒的茴香酒，“是沿着路下去，在圣玛丽亚镇外面的小酒厂里酿制的，他们酿造的酒口味上专门模仿各种著名的利口酒，但是价格却比正品要便宜得多。这款叫作‘青草’的酒是用马略卡特有的茴芹，加上杜松子、迷迭香、香桃木等多种乡下野生药草调制而成的，是很有马略卡风味的绿色利口酒，非常受人欢迎。”

“这酒让我想起了……”乔克一边说一边又喝了一杯，“我好多年都没闻过的家乡青草香。”他又打了个响指，“服务员，再来一瓶‘青草’！”

尽管乔克仗着自己的放荡不羁喝掉了四瓶免费利口酒中的绝大部分，但是无论是店老板还是那个不知为何如此彬彬有礼的服务生都没有表现出一点点不满——我都要觉得连着要四瓶免费利口酒有些滥用店家的好意了。尽管店老板比我预想得要更早地给小酒厂打了电话，要他们再送些利口酒过来，可是我们临走时，他们唯一在乎的，却是询问我们是否喜欢店里的食物，尤其是他们的秘炖香鸡。

秘炖香鸡的确是太好吃了。事实上，我当时就跟店家保证，下次再有机会来到这里，一定会专程回到松木餐馆来吃炖鸡。但是，就如同那张至今都没拿到的汽车上牌材料一样，这个承诺也只有“明天”再兑现了。今天，我们急于抵达的目的地是印加，而且，我们知道，那里将有更珍贵的款待在等着我们。

我们到达的下一个小镇是比尼萨莱姆。越是接近比尼萨莱姆，我们便越是能感觉到自己正在走进一个葡萄酒的世界。放眼望去，一排排被精心照料的葡萄藤正处在从绿色到金色的过渡状态，黄褐色的大叶子下面藏着一串串圆润的紫色葡萄，这些甜蜜的果实被马略卡的太阳神亲吻了一整个夏天，现在已经成熟，随时可供人采摘。

比尼萨莱姆这个名字是古代北非摩尔人占领西班牙时期的遗物，彼时，阿拉伯人对大陆部分地区的统治曾长达六百年之久。“比尼”源自阿拉伯语的一个短语“……的儿子”，现在，马略卡岛及巴利阿里群岛里的梅诺卡岛上有很多地名的前缀都是“比尼”。比尼萨莱姆成为马略卡岛上重要葡萄酒生产地实在是一件令人匪夷所思的事情，因为根据摩尔人的法律规定，酒精饮品是明令禁止的。虽然如此，历史却告诉我们，从罗马传进来的酿酒工艺在马略卡岛非但没有消亡在摩尔人的严苛统治下，反在10世纪到13世纪得到了空前的繁荣和发展。(古罗马作家普林尼说过，马略卡的葡萄酒是地中海地区最好的葡萄酒。) 所以，尽管《古兰经》禁止人们饮酒，但在那个时代，人们对酒的需求还是存在的，否则为什么会有人冒险不断提高和发展酿酒技术呢？有趣的是，阿拉伯世界最富诗意的伟人欧玛尔·海亚姆曾经说过：

> 全世界的财富也不敌一杯美酒，
> 全世界的书籍以及人类的智慧都不敌美酒的香气，
> 全世界的爱情诗篇都不敌美酒流动的声响。

当然啦，这位伟人是不会承认自己喝过酒的，他不过是看了看、闻了闻、听了听而已。我才不信呢，欧玛尔。马略卡葡萄酒在摩尔人禁酒令的管制下还是流行起来，这可能算得上20世纪20年代美国禁酒令时期萌芽的葡萄酒产业先驱吧。当然了，马略卡出产的玛尔维萨甜酒在品质上也是上乘的，这种在班雅尔布法村（在阿拉伯语里，“班雅尔布法”的意思是“海边的小葡萄园”）那些由阿拉伯人开垦的令人生畏的山间梯田上酿制的葡萄酒，据说可以称得上是世界上最好的葡萄酒。从普林尼所描写的罗马时代起，马略卡人就掌握了酿造优质好酒的技术，1229年，加泰罗尼亚和阿拉贡的国王豪梅一世征服了西班牙，基督教再次成为岛上的统治力量，在这之后葡萄酒的酿制工业得到了进一步的繁荣和发展。最为著名的玛尔维萨甜酒一度流行到了英格兰。据说 1478 年克拉伦斯公爵就是淹死在这种酒里的。戏仿《圣经》里面的说法，人把自己的生命溺死在酒里，人间的爱没有比这更伟大的了。那个时代的玛尔维萨甜酒肯定配得起这样狂热的爱。

葡萄酒——不仅是甜葡萄酒——产业在接下来的几个世纪里以令人惊讶的速度发展壮大，酒的品质也不断提升。到了 19 世纪，生产葡萄酒的种类是现在的六倍。除此之外更值得注意的是，大量马略卡出产的葡萄酒被出口到了法国。不过，具有讽刺意味的是，19 世纪后半叶，恐怖的葡萄瘟疫葡萄根瘤蚜从法国传播到西班牙，岛上珍贵的葡萄园几乎毁于一旦。在这之后，葡萄酒工业的重振历经了漫长时间却没有太大起色。令人高兴的是，现在情况已经有了好转，马略卡出现了很多优秀的酿酒专家，如米格尔·奥利弗、弗朗西斯科·塞韦拉、豪梅·梅斯基达、马西亚·巴特家族以及来自比尼萨莱姆的何塞·费雷尔。在他们的努力下，现代化生产技术酿出的葡萄酒已经具备了完美的品质。事实上，除了酿造工艺之外，葡萄的采摘依旧沿用了罗马时代就有的方法，只不过有时人们不再使用骡子把葡萄从葡萄园运输到酒厂，而是改用拖拉机。我们开车路过比尼萨莱姆时，正赶上人们忙着采摘葡萄，眼前热闹的劳作场景和几百年前几乎一模一样。成群的工人弯着腰，顶着九月灼烈的太阳，把葡萄一串串摘下来放在小篮子里。由于葡萄只有处于一个特定的阶段才最适宜酿酒，采摘工作必须在相当紧迫的时间内完成，所以工人们每天的工作量十分庞大。

车窗外，热闹的葡萄园渐渐被单调的杏树林所取代，远处，北方的地平线被马略卡第三大城镇印加的房屋顶切割成了锯齿状。在我们的左边，雄伟的特拉蒙塔纳山从森林密布的丘陵地带拔地而起，陡峭的山顶上，几只秃鹫、红隼和鸢一起盘旋翱翔着。熟葡萄和干枯的葡萄叶子散发出的带着些许霉味的甜蜜香气已经被我们抛在身后，取而代之的，是氤氲在秋日温暖空气中无数不知名野花野草的香气，从打开的车窗一涌而进。停下车，臣服于让人想午睡一会儿的宁静，这个诱惑太大了。

在阳光照射下，印加的边界闪着微光，从地平线上渐渐升了起来。整个镇子的轮廓从这个距离看上去，与其说是肥沃的地中海小岛正中心的乡镇，倒不如说更像是突兀浮现在荒芜沙漠绿洲中的村庄。不过，这只是我的幻想而已，是飘浮在平坦路面上方的热气和人眼开的玩笑。印加镇的边缘布满了立方形的建筑，它们并不是古摩尔时代留下的遗物，而是现代化的公寓式小区。相对于农业贸易，皮革工业在镇上的经济贸易结构中所占的位置要更重要一些。按照惯例，印加小镇上加工生产的高质量皮鞋及皮革服装，基本上都出口到了北欧和美国。不过，节俭的本地人还是能从皮革加工厂以极其优惠的价格买到和陈列在法国巴黎、德国汉堡、美国纽约等地高档专卖店里一模一样的皮革制品。而且在这里，即使你不是百万富翁，也能轻松享受到定做符合自己审美的皮革制品的乐趣。

印加镇出名的还有马略卡最大的农贸集市。每周四早晨，这里都会举办大型的农贸集市，尤其在夏天，大批喜欢淘便宜货的人和凑热闹的看客会从马略卡的各个地方来到这里，把整个镇子挤得满满当当。每年十一月，印加还会举办岛上规模最大的农业展览会——迪珠斯堡[1]大会。展览会期间，数以千计的农业爱好者蜂拥而来，参观各种家禽及农用器材的展示。但是更多人来到这里，只是为了感受弥漫在整个镇子里的浓厚狂欢气氛。

不过，对于我和艾莉而言，印加最具有吸引力的部分不在它的街道上，而是在地下。印加曾经是葡萄酒酿造工业的中心，现在依旧保存着很多建于17世纪的老酒窖，其中有些据说可以追溯到摩尔时代。但一个多世纪前，周边城镇相继暴发的葡萄根瘤蚜疫病迫使印加和葡萄酒之间的联系骤然中断。当时，面对迫近的疫病，许多有胆识的主人把自己的酒窖改成了小餐馆，而这中间，最有特色也最为成功的一家，莫过于赛尔荻牧。它是我们从千里之外的安德拉奇镇出发，

---

1 Dijous Bo，“快乐星期四”之意。

一路小心翼翼运送赔钱柿子的终点站。

当地政府可能是觉得印加市中心无数狭窄扭曲的街道迷宫给不熟悉地形的来访者造成的麻烦还不够多，又制定了一条惨无人道（尽管确有必要）的交通法规，那就是镇子里的所有街道都设为单行道。因此，与其开车，还不如把车子停在古镇周边然后步行进去来得方便。在这之前，我只去过一次赛尔荻牧，只记得这家餐馆位于镇子中心，紧挨着一个室内食品交易市场的大门。不过还好，印加并不算大，即使你凭着自己的方向感走，迷路的可能性也比较小。不过，在最终到达市场所在的广场之前，我还是问了好几次路。我们到那儿时，整个食品交易市场里空无一人，只有烂菜叶子、碎西红柿和水果木箱的碎片零星散落在门外的台阶上——这些垃圾是早上繁忙交易留下的证据。过一会儿，会有专人来清理这些残骸，不过肯定不会是现在，因为现在正是午睡时间，即使是再有责任心的人也有权利享受片刻的休息。

水井大街（不明白这条街为什么以到处可以见到的水井为名）的起点就在食品交易市场所在的广场上，而马略卡最不寻常的特色餐厅赛尔荻牧最不起眼的入口正在这条大街上。虽然这么多年来，酒窖改餐馆的概念已经在马略卡多地纷纷为人效仿，但是只有赛尔荻牧一家可以称得上是最地道的。从你走进店门的一瞬间起，餐馆里独有的真实感就会深深地打动你。但是，如果在你的想象中，你即将踏进的是一个古老酒窖，你将颤颤巍巍地沿着楼梯下到黑暗、阴冷又潮湿的幽闭密室，密室四周长满青苔的拱状石头墙上挂着蜘蛛网，空气中充斥着老鼠屎和东西腐败的味道……那么恐怕赛尔荻牧要让你的期望落空了。在这里，优雅的旋转楼梯会带你来到一个宽敞明亮、空气流通的地下空间，因年代久远而颜色暗沉的木质房梁支撑着高大的天花板，挂在上面的传统树形装饰灯照亮了整个空间，地上，赤土色的瓷砖被打磨得光亮，漂亮的颜色映衬得整个房间更具古典情调。

入口处悬挂的“始建于1700年”的牌子骄傲地向世人宣布这家小店长达三百多年的历史。自然，店内原有的酿酒工具早就被搬走了，空出来的地方放上了具有乡村风格的深色木制家具，精心挑选的清爽黑白色棋盘图案的桌布把这些深色家具映衬得更有品位。总的来说，店里整体装饰风格都在感官上与那些从白色石灰墙上突出来的古老橡木酒桶协调一致。但是，如果烹调技术不过硬的话，这些也只不过是装饰而已。不过，赛尔荻牧餐馆的烹调技术完全配得上店内马略卡传统风格的装修，而且从某种意义上来说，两者相互映衬，形成了自己独有的格调。

“两位下午好！”优雅小巧且和蔼可亲的安东尼娅·坎特洛普太太在楼梯口微笑着欢迎我们到来。“您是来送柿子的吧！”她热情地伸出手来，充满赞许地轻轻在这些甜美的水果上轻轻掠过，小心翼翼地不去触碰它们。“真是太棒了！”

她马上招呼了两个身着挺括白围裙的服务生过来，从我们手里接下了装柿子的盒子。安东尼娅太太不仅是这家餐馆的老板娘，还是一位声名远扬的厨房天才。她浓黑的秀发永远像她身上穿的衣服（值得注意的是，她总是喜欢把袖子卷起来）一样完美无瑕，在她谦逊的举止下，掩藏着惊人的烹饪天赋。安东尼娅获得过很多国际大赛的奖牌，却从不张扬，正如她的餐馆一样，永远给人一种平和稳重的感觉。

她的丈夫何塞普是这家餐馆的老板，但是这个头衔在他看来多少有些虚张声势了。何塞普又瘦又高，衬衫的袖口和领口总是精心打理得恰到好处。他对客人友好，总是给人亲切随和的感觉，对你体贴，但不会让你觉得受到了打扰。这位天生的绅士深深地明白，太太在厨房里的创造才是餐馆成功的诀窍，也正是如此，他才能在前台充满自信地面对每一个客人，而不用靠华而不实的谎话来拉拢人。

“您可真是帮了我们的大忙了！”何塞普一边微笑着，一边像见到久别重逢的老朋友一般快步走到我们身边——其实这只是我们第二次见面，而我和艾莉也只不过是在过去六个月里来过这家餐馆的几百个客人中平平无奇的两个。“今天早上，印加本地的一个水果商太让我们失望了。”他告诉我，“本来他答应给我们送两打熟柿子过来的。今天晚上有个大家族包下了整个餐馆来举办庆典，订餐时客人特意要求安东尼娅用熟柿子做一道特殊的菜。正在我快要绝望了的时候，我想起来上次您在这儿吃饭时告诉我您的农场上种了柿子树。我又刚好记下了您的联系方式……”说到这儿，他的脸上浮现出既有“松了一口气”的轻松也有几分自信的笑容，“罗伯特是我的叔叔[1]，英语里是这么说的吧？来，坐下休息一会儿吧，你们开了那么久的车。回去之前必须得好好吃一顿才行。”

如果对一件事情抱有的希望太大，最后常常会导致更大的失望。不过，这一次我们刚刚看了一眼安东尼娅给我们的菜单，就立刻知道我们对这次柿子之旅的所有期待都会得到满足。安东尼娅一直坚持使用马略卡出产的最优质食材，她独到的烹饪才华使她能用表面看上去很简单的材料搭配出最令人意外的配方。今天，这位大厨精心准备的午餐有以下令人神往的选择：

熏肉裹猪肉片，佐葡萄酱、热葡萄汁、脆土豆条

*

野兔拌对虾（用浓汁沙司调配）

*

鹌鹑炖扁豆

*

鲜橘子汁加蜂蜜腌羊羔腿切片

---

1 俗语，“轻而易举”之意。

面对这样一份菜单，我和艾莉的脸上呈现出显而易见的无法抉择的表情。细心的何塞普先生及时把我们从痛苦的选择中解救出来，谨慎地告诉我们每份料理都可以适当地来一小份。半个多小时后，两个圆鼓鼓的肚子和桌子上四个空空如也的盘子，证明了（其实根本无须证明）安东尼娅的厨艺是多么惊人。即便如此，当何塞普建议我们再来点肉桂冰激凌和葡萄汁冰沙清清口时，我和艾莉的抵抗力再一次败给了美食的诱惑。

毫无疑问，这样吃是会出人命的。现在我唯一担心的是这顿午餐的账单，不知道拿到账单的时候，我会不会真的没命了。艾莉在跟何塞普夫妇赞美食物的美味时已经有点心猿意马，但我还是努力表现得镇定些——即使在何塞普建议用由他精心挑选的一瓶何塞·费雷尔特选珍藏来给这顿“粗茶淡饭”画上完美的句号时，我依然保持冷静。最后，艾莉只喝了一小杯，我一个人喝光了剩下的美酒——我觉得，身处经济危机的我们，绝对不能浪费。

“账单？”何塞普看到我对服务生招手时过来问道，“结什么账啊？是我邀请您二位就餐的呀。你们为了履行如此仓促的订单，大老远送货过来，我怎么能收您的钱呢？”

“可是两打柿子的钱连付您服务生的小费都不够啊。”我边解释着，边把手伸向了钱包。

但是何塞普先生把手放在我的肩膀上，微笑着制止了我。“能够为您服务，是小店所有职员的荣幸。我和太太都非常高兴能有您这样的客人。”

我知道继续坚持付账只会冒犯何塞普先生的好意，所以没再过多客气什么。我和艾莉体验到了充满马略卡热情的互惠互利。那两打相当无关紧要的柿子——都是成熟了的柿子，没有人吃的话，从树上掉下来摔烂了也是浪费——给我们带来了无比慷慨的回报。在暖暖的夕阳照射下，我悠闲地坐在车里为我幸免于难的钱包和那醇美的何塞·费雷尔特选珍藏高兴不已。此时，艾莉正开着车，行驶在回家的路上。

“我也觉得一切都太妙了。”艾莉说道，“但是我觉得你在道别时冲安东尼娅喊的话有点把事情搞砸了。什么‘下次要是急着要什么榅桲或是石榴，一定要给我们打电话啊’，简直就是胡言乱语嘛。”

我没有什么话好说，于是就没有和艾莉争辩，躺下来准备给自己补一个迟到的午睡。“慢点儿开。”我嘟囔着，“要知道你的车里可是坐着贵客呢。”

“别臭美啦！”艾莉猛踩了一脚油门，反击道，“你忘了我们已经把柿子留在印加了吗？”

4

查理畅游“好莱坞”

“你最想念苏格兰的什么呢？”这是最近那些趁着假期“顺路”来“市长府邸”拜访我们的苏格兰老乡常常问我的一个问题，一般来说，我都会诚实地回答“家人和朋友”。自从我们搬到马略卡之后，不少苏格兰的家人和朋友会时不时过来陪我们住上一两个礼拜，这多少帮我们缓解了对家乡的思念。尽管现在我们对马略卡的归属感越来越强了，可是每次看到从家乡来的亲人还是分外高兴。不过话说回来，这些“顺路”过来看我们的朋友，其中大多数人我们并不熟悉，有些人甚至是很多年都没见过的生面孔。现在，随着夏天进入尾声，这些“最熟悉”的陌生人来访频率越发高了。

“我就知道你想我们这些老熟人啦！”一般这些不请自来的客人会用这样的话开场，然后再加上一句：“刚好路过这儿，就顺便过来看看你们。”不过，他们往往避而不谈自己是如何“路过”这儿的——闷在旅馆里，从一张又一张地图里费心费力地找寻“市长府邸”这个小地方的一切线索，然后就着手头那点儿没什么用处的信息，在马略卡西南部蜿蜒崎岖的乡间小路上，没什么头绪地开始探险之旅——这“路过”似乎还是件挺费时费力的事情。不过，既然他们付出了那么多的努力找到了这儿，我和艾莉还是乐意好好招待这些老乡的。只是有时候，在花费了一整天时间好好款待这些“家乡来的老熟人”之后，我们连他们到底是谁都搞不明白。

“这儿的生活简直太适合我了！”又是一个“最熟悉”的陌生人。此时，这个家伙正懒洋洋地躺在房子门前的折叠椅上，激情洋溢地说：“简直和做梦一样。一年四季都阳光明媚，周围美景宛如仙境，邻居都是老实淳朴的农民，吃用又那么便宜，每天还有大把的时间可以浪费，这儿的生活简直太适合我了！人间天堂！”他微微摇了摇头，冲我晃了晃他的空酒杯，满是期待地露齿一笑：“酒喝光了，我的大地主！”

吃用都便宜？我真的很想告诉他，对于一个把辛辛苦苦赚来的西班牙银币都花在像他这样来占便宜、令人疲倦的陌生访客身上的老农来说，这酒可是一点儿都不便宜！我还很想告诉他，马略卡的真实生活是怎样的，对于他这样好吃懒做的人来说，这儿的日子可不是那么好过的。还有，我最应该告诉他的是，我和艾莉每天强迫自己装作他的“老熟人”

所花费的每一分钟，都是在浪费我们的生命。和其他农民一样，我们的家同时也是我们的工作场所，只不过“市长府邸”刚好在这个以旅游度假而闻名的地中海小岛上而已，但是归根结底，这里和任何一个苏格兰寒冷山坡上风吹雨淋的牧场在本质上都是一样的。唯一不同的是，在那种牧场上，你可遇不到这么多“刚好路过”的访客。最终我还是没有把这些话说出来，是啊，跟一个不请自来的客人说这些有什么用呢？他说他是我们家的老朋友，没准他没有撒谎呢！我似乎也隐隐约约记得自己在某年某月的某一个地方见过他呢。

“好吧，过两天我还会回来看你的。”他在好不容易决定离开之前这样跟我说，“现在我知道怎么找过来啦，所以哦，随时等着我过来看你吧！每年我都有好多机会来马略卡的。”艾莉和我不知道该说什么，只有步调一致地敷衍着。“下次我把老婆和孩子也带过来。”他笑着补上一句。听了这话，我和艾莉立刻惊慌地在心里飞快地想着该如何礼貌地阻止他的全家之旅。“一群捣乱的小鬼，破坏王啊！”他哧哧地笑着。我和艾莉心里更慌了。“我管我这几个小鬼叫‘捣蛋龙卷风’。哈哈！不过他们肯定会喜欢这个果园的。那么多树可以爬，还有那么多果子可以吃。这些孩子啊，永远那么精力旺盛！”他边说边拍了拍我的背。“精力旺盛的破坏王……”我思忖着他实在自来熟。接着他又冲着艾莉使了使眼色：“以前在苏格兰的时候，你家几位小少爷小时候也一样很淘气，不是吗？”“套什么近乎……”艾莉心想。

他这几句话倒是勾起了我的回忆。“小少爷……”我现在终于知道这个浪费了我们全家无数时间的不速之客究竟是谁了！他就是那个令人厌恶的推销员！十多年以前，这家伙总是时不时跑到我们苏格兰的农场上，推销一种廉价的用“净化过的”家禽粪便做成的牛饲料。他们委婉地管这东西叫鸡的创作。

“每年，一头小牛所需要的三分之二的蛋白质，都可以由这种高效的混合饲料来提供。”他一边说一边眨眼睛，派头就像那些共济会教徒一样，“我的大地主，每年一只鸡浪费掉的蛋白质简直是太多了，鸡吃下的蛋白质中，差不多有百分之十立刻又从屁眼里拉出去啦。这可是科学啊，咱们不得不相信。所以你明白了吧？我的工作伙伴从全国各地的农场收集鸡粪，然后用来自中东的先进技术净化和提纯。中东，那里可是植物蛋白严重短缺的沙漠啊，所以人家才发明了这项技术。你看，就这样鸡粪便成了无限的高蛋白牛饲料——再生利用！这就叫再生利用！我的大地主，你想想看，你是准备继续浪费下去，还是试试我们的饲料？”

他最后说的几句话听起来有点不正经，给我的感觉挺像劝我们买猪的老玛丽亚的腔调。不过，除此之外，他俩截然不同。玛丽亚主张我们买一头猪来回收利用无花果怎么说也是件卫生的事情。可要是告诉我新的科学技术能让牛羊这些食草动物改吃“处理过的”鸡粪，我怎么都觉得这是不符合自然规律的，也是不公平的，没准最终还会是致命的。没人听过吃一头用无花果喂大的猪身上的肉会对人体有害。总而言之，别让你们家的猪靠近什么死牛、鸡粪之类的东西，因为猪是什么都吃的。这才叫本性不是？

以前，每次这个该死的推销员离开我的农场时，我看着他远去的背影都很高兴。现在，我更是无比兴奋地期待他快点离开。我曾经以为——现在被证明是错误的——我们已经把这些厚颜无耻的推销员都留在苏格兰了，因为自从我们搬到马略卡之后，还从来没有遇到过这样的人。唯一一个有点接近的，是帕尔马的房地产经济人。我们搬进来之后，他打电话告诉我，他应该从我付给弗朗西斯卡·费雷尔的购房款中抽一份提成。我用我半生不熟的西班牙语严肃地警告他，我们一家和弗朗西斯卡·费雷尔一家是私下达成交易的，没有任何一家房地产经纪公司经手，他关于抽成的提议我是绝对不会接受的。他用一种算不得友好的腔调提醒我，我现在可是在西班牙。为了我自己好，还是学学西班牙人的处世方式。费雷尔夫妇曾把这片农场在他公司登记过，他强调，不管我们是通过何种途径买到的，不管我们用没用到他的服务，都是要分给他那份佣金的。

“如果是费雷尔夫妇在你那里登记的，”我告诉他，“那就去找他们拿佣金，而不是找我！”

“先生，可能在你们的国家是这样。但是在西班牙，我们不是这样处理的。你欠了我的佣金，我早晚会要回来的——不管用什么方式！”

这类恐吓电话又打来过几次，但我都用同样的方式回绝了。那个房地产公司最终还是放弃了，尽管在放弃之前，他们慷慨地教会了我如何用英文及西班牙语骂人——我希望除了我之外，再没有人碰到如此粗鲁的人。事实上，如果再有人遇到这个房地产经纪人，那只可能是费雷尔夫妇。不过根据我对这一对吝啬夫妻的了解，房地产公司从他们那里拿到佣金的可能性，比老玛丽亚家那头吃无花果的猪长出翅膀的概率都要小。房地产公司可能也想到了这一点，所以才会认为或许打几个电话吓吓我们，我们就会把那份他认为是该得的佣金付给他。照他所说，他把费雷尔夫妇的农场印成广告也花了不少成本，而且在过去的半年里，他从帕尔马出发，在“市长府邸”周边寻找可能的买主也花费了很多精力和时间，难道我以为他们这是为了锻炼身体吗？

我们无意中卷入的这场佣金风波，后来经过了解，竟然是当地一种典型现象。售房者把房子信息交给一家或者几家房地产经纪公司，当房子卖出之后，购房者所付房款的一部分会作为佣金付给经纪公司。自然而然，依照最基本的道德准则，这样的事情售房方是需要提前告知买主的。就我们而言，得知“市长府邸”的出售信息完全是个意外，当时我们在附近度假，开车不小心迷了路，于是就看到了费雷尔夫妇写的“出售”牌子。从起意到最终决定把它买下来，我们从来都不知道这里面还有房地产经纪公司什么事情，所以当然认为没有义务去付任何一份别人认为该由我们来出的佣金。我打了电话给我的西班牙律师，让他把这一切详细告知那位房地产经济人。他被我的律师激怒了，但是最后，还是放弃了给我们打骚扰电话。尽管这位代理商略带侵略性的态度对于刚刚移居这里的我们来说，多少有些令人不安，但是这也让我们对房地产经纪公司多了一些了解。至少这些直接要钱的公司要比那些阴险地用一些狡猾方式来骗钱的公司好多了。

几个月之后，我家的房子被人偷了个精光，值钱的东西都不见了。当时我第一个想到的人，就是那个说不管用什么方式都会把钱要回去的房地产经纪人。所有东西都找不回来了，但是我们却没有告诉警察，即便说了，或许也不会有人真的相信吧。这是一个再好不过的例子，就像古罗马人在座右铭里说的那样：“货物出门概不负责，买主还需自行当心。”不管你买的是一片昂贵的农场，还是一小包一文不值的牛饲料。

正好接着说那个不请自来的提纯鸡粪推销员。他走了之后，我发誓从今以后对他以及任何一个和他一样“路过”的访客不再随和热情了。艾莉却贤明地告诉我，时间才是考验这类自发的决心的最好方式。她说得没错。虽然我们很快又恢复到有规律的生活，可以和那些可爱的马略卡邻居谈天说地，但我发现偶尔能有机会和别人用英文聊聊天也是件不错的事情。除非你能把所居住的新国家的外语说得流利顺畅(我们现在还处于努力学习西班牙语的状态)，否则，有时即使是和当地人随便聊上几句，你也会倍感压力，而当你不得不用新语言和本地人做生意时，那滋味就更不好受了。例如，一笔生意能带给你的是刚好合适的利润还是血本无归，可能完全取决于你对“五十”和“五百”这两个在西班牙语里发音近似的词汇的辨识程度。对于初学者而言，这种紧张无处不在。

尽管如此，我和艾莉对加入英语国家移民的某些社团却没什么兴趣。这类社团往往聚集着一群喜欢西班牙的英国移民——不是退休了就是来这儿做些面向自己国人的生意。在西班牙沿海的旅游胜地，这类孤立起来的岛上“外国圈地”已经存在许多年了，最受英国游客喜欢，或者公平一些地说，德国人、荷兰人和北欧人也有自己的偏好。这些小圈子里的外国人虽然生活在西班牙，但本质上却从来没有离开过自己的家。例如，在新帕尔马这类流行场所，“圈地”里甚至有他们自己的英国大夫、牙科医生、化妆师、屠户，有英式风格的咖啡馆、酒吧和书籍音像店，甚至还有英式快餐店。在这种地方，完全没有必要学习西班牙语，如果你也刚好不愿意学的话。在我看来，这一切都是为了增强安全感，而这种安全感被很多移民视为生活在外国的先决条件。对于大多数移民来说，尤其是那些容易在外国领土上感觉孤独的人，这类社团群体以及与之相关的所有场所，意味着可以逃避孤独，并拥有来自国人的可靠友谊。很多人梦想中的西班牙生活就是无穷无尽的阳光，但实际到了这里，才发现原来的美好梦想都变成了噩梦。这些人往往是在本国遇到了诸如合作关系破裂、配偶过世、罹患重病、因盲目消费或投资失败而花光了存款或是做生意（例如开酒吧，这是最典型的一种）血本无归等困难，然后跑到马略卡这样的地方开始新生活。一旦发现梦想和现实的差距之后，他们便躲进了本国人组成的社团里。

艾莉和我对上述困难和灾难并不是免疫的，但是我们决定来到这里的初衷是生活在一个真实的马略卡，而不是英国人在西班牙圈出的某块“特权地”。而且，我们也希望自己尽可能融入当地人的生活。但是，这并不意味着成为西班牙人口中的“旅居者”（这个词在西班牙语里带有贬义色彩）——那些生活在西班牙一段时间就自认为成了西班牙人的老外。我们永远是外国人，不管我们多么努力吸收西班牙的文化和传统，我们也不会忘记自己是外国人。简单地说，事实就是事实，谁也改变不了，即使我们选择在这里当果农，也改变不了我们不是西班牙人的事实。到目前为止，除了我们的大儿子森迪可能会留在苏格兰不再回来，还有我们可能没有办法靠果树栽培维持生计这两件事之外，一切都进展得几乎和当初设想的一样。久被荒弃的果树在近期治疗下呈现出复苏态势，但距离彻底康复并大量产果还有很长的路要走，更何况西班牙加入欧洲经济共同体后对水果市场的影响也是未知的，总的来说，我们必须时刻清醒地认识到，我们几乎把一切都投资到了果园上。是的，有时和说母语的人聊聊是挺好的，哪怕只是作为一种疗愈方式。这就是查理去英文学校上学的缘故。

周五那天下午，我们从印加的赛尔莰牧餐馆离开后，并没有按照原路直接回家，而是把车开上了新修的高速公路去了帕尔马。安东尼娅太太的美食让我们流连忘返，差点耽误了去学校接小查理。我并不担心查理会因为我们的迟到而生气。在这个氛围宽松的新学校里，他对学习的态度从以前在苏格兰时的不冷不淡转而变得热心起来。倒不是马略卡这所学校对学习的管理没有苏格兰的学校严，恰恰相反，作为一所英式学校，这里的课程为了迎合英国孩子，是完全按照英国本土的教学标准来设立的。除此之外，为了照顾那些可能会到美国或者德国继续求学的孩子，学校还设立了相关必修课。除此之外，这所学校的教学成就以及每年的大学入学率简直可以称得上惊人。

查理喜欢他的新学校可不是因为以上这些因素，他对学习的一贯看法是，喜欢的科目就用心学，觉得没有意思的科目连读完的兴趣都没有，这一点到了马略卡似乎也没什么变化。真正吸引查理的是马略卡这里的校园生活。首先是校服。这里的学校对校服的唯一要求就是随意——不必穿无聊的上衣、灰色休闲裤、白衬衫和勒脖子的领带——在英国这些可是必备的标准制服。在这里，你可以穿自己喜欢的任何衣服，圆领休闲T恤、牛仔裤和运动鞋都没问题。马略卡是地中海气候，穿这类休闲服装自然要舒服得多。对于家长来说，这似乎也是一件好事，不必每年开学给孩子置办正式的套装可以省去一笔不小的支出。但是你要是这样想就错了，同辈人之间的竞争对查理这些未成年孩子来说是很大的压力，以十二岁的查理为例，他会为了加入那些谜一般强调自我的兄弟社团而改变自己。

以前，我总以为运动鞋都长得差不多，粗布牛仔裤是西部牛仔时代的产物，而圆领T恤则是最为简单随意的衣服了，唯一值得挑挑的不过是胸前的字母和图案而已。以前在苏格兰的时候，每年到了这个季节，我们对查理校服唯一关心的就是去衣柜里看看他的长筒靴今年还能不能穿了。但是现在情况有所改变，我们搬到了马略卡，而且查理已经成了这所国际学校里大多数学生组成的时尚圈子里的新成员。于是，耐克和锐步之间的差别——在我们这些不开化的家长眼里不过是表面上微小的不同而已——对于这些“时尚专家”来说就变得至关重要了，因为若是你一不小心弄错了流行，那么就会被其他人排挤和孤立。

“一分钱一分货。”我们在帕尔马一家精品百货公司给查理挑选衣服时，艾莉这样回答我对学生休闲服装价格的质疑。

“但是这件有鳄鱼牌商标的圆领衫和刚才那件没有商标的有什么差别啊？为什么价格差这么多？”

“品牌是定价的原因，而价格也是品牌价值的体现。”

“你再说一遍？”

“鳄鱼，是这个牌子衣服的商标。好的品牌可以保证衣服的质量。”

“你们女人就是这样。一个纯毛的标志都能成为你们乱花钱的理由！艾莉，我告诉你，我才不会花这么多钱买一件贴了鳄鱼还是鲨鱼标签的小孩T恤衫！就此打住。”

“可是爸爸，你有好几件鳄鱼牌的衬衫呢。”查理接了话茬，“鳄鱼牌的衣服质量特别好，你买那些衬衫的时候也是这么说的，你还说这个牌子的衣服能穿一辈子呢！我不骗你，你当时就是这么说的。”

“闭嘴，查理。那些衣服是你妈妈买的。如果我知道那些破衬衫这么贵的话，我会立刻把她撵回商店去把衣服退掉！完全是浪费钱嘛！”

“可是爸爸……”

“不许讨价还价！查理，我有什么衣服是一回事，今天给你买什么衣服是另一回事。”

“可是这一点儿也不公平，彼得！”艾莉开始抗议了。

“有什么不公平的？我觉得很公平！我的鳄鱼衬衫可以穿一辈子，但是查理的呢？即使他不把这些衣服穿坏磨破，过不了几个月，衣服也就小了不合适了。你知道这些十一二岁的孩子，每天爬树上房的，穿再好的衣服也是白搭。”

“可是爸爸，学校里其他男孩这学期都穿这个牌子的衣服。是真的，爸爸，每个人的胸前都有这个小鳄鱼。”

“那是另一回事。查理，你们学校的确有几个美国孩子，但是你也不用学得说起话来都和他们一个样。天哪，咱们刚在这儿住了不到一年，你说起话来已经和凯瑟琳·泽塔·琼斯一个味儿了！”

“彼得，拜托你别那么无聊好不好？”艾莉说，“所有国际学校的学生都会和他们的美国同学学上一点儿美式英语的。连你的朋友乔克·彭斯不也时不时来上几句美式英语应应景吗？美式英语的确很有感染力，默片时代过去后，几乎每个人都或多或少染上了一点美式腔调，不是吗？拜托你别那么落伍好不好？”

“好，好。关于那个大西洋中间的国家是怎么说话的问题就暂且打住吧。不管怎么样，我们也不能跟那些有钱小孩的家长一样随便乱花钱！”我的眼睛盯在一双锐步跑鞋的价签上："我的天哪！这得卖多少吨橘子才能买这么一双鞋啊？"

"没关系的，爸爸！"查理狡黠地笑着，这正是这些向"无所不知"青春期过渡的孩子的典型笑法，"这个牌子已经过时啦！老爸，你该去看看彪马的运动鞋。就在那个架子上面。那才是现在的流行呢。"

"你现在穿的这双黑色沙滩鞋怎么就不好了？"我嘟囔着，"勇士鞋，我上学的时候大家都这么叫它。还有，慢跑鞋、帆布鞋都很便宜，但是穿起来也非常舒服是不是？你看看这鞋上，什么花里胡哨的商标、弹跳缓冲器、透气孔、全脚掌气垫、加厚鞋舌，这些都是什么啊？厂家把这些廉价装饰品安在鞋上不过是为了提价而已。"

"那叫风格。"艾莉和查理两个人相互眨了眨眼，好像在说我是从火星上来的怪物，"来，咱们去楼上看看牛仔裤。"她一边搂着查理往楼上走，一边提高嗓门故意说给我听，"刚才楼下的橱窗上写啦，店里刚到了新款的CK。"

我不知道CK是个什么东西，但是我知道它肯定便宜不了。

"我的天哪！艾莉！"我在她身后大喊，"你到底是怎么回事啊？我正在教育孩子勤俭节约，你就带着他这样大手大脚地买奢侈品？你究竟在干吗啊？"

我完全忽略了身边打扮入流的西班牙女士对我发出的嘘声以及她们的惊讶神情，反正我也不在乎这些人的看法。艾莉手里有张信用卡，这可不是开玩笑的。如果是在英国，可能我不会做出后来的举动，但是有时候就是这么奇怪，当你认为周围人都不理解你的时候，礼数尽失地做一些疯狂举动就变得很容易。

“我告诉你艾莉！”我一边推开挡在我前面的小姐太太，一边在女士内衣专区里大喊，“艾莉，咱们商量一下！听着，艾莉，等一会儿，你能等一下吗？我得和你谈谈！”

突然，我的脚指头绊到了什么东西——可能是无辜的衣服架子支出来的挂钩，也可能是某个太太恶作剧伸出了的脚——货架哗啦一声倒了，我摔在地上，在由各式各样的高档胸罩、蕾丝睡衣和女士内裤堆成的小山里挣扎。

“他妈的！”我本能地大喊了一声，“我的脚指头啊！”

“安静！”

周围的西班牙女人喋喋不休地议论开来，可是我却没有听懂几句。一个身材魁梧的楼层经理突然在那群女人中间走出来，他弓着腰，絮絮叨叨地不知道在说什么，就像一个即将发出致命一击的斗牛士。不过，这个人棉絮般的咬舌音和省略掉的咝咝音告诉我——正如他黝黑的外表一样——他出生在斗牛运动的摇篮、西班牙南部城市安达卢西亚。尽管这家伙的口音让我有些犯糊涂，但是“出去”两个字我还是能听得明白的，尤其再加上他那指向出口的手势。不过，用西班牙语道歉我还是很在行的，我一边努力站起来，一边尽可能用所知道的表达向这位西班牙斗牛士道歉，然后像一头斗牛场上可怜巴巴的小母牛一样，颤颤巍巍地从他面前逃出去。其实，我从女士内衣区往外走的时候，还有些怀疑这位斗牛士经理嘴里嘀咕的到底是不是“出去”这个词，但是，那些西班牙女人嘻嘻哈哈的笑声却伴着背景音乐清清楚楚地传到了我的耳朵里。毫无疑问，看到一个外国疯子摔得四脚朝天当然是再好笑不过的事情了！

“下礼拜三早上安德拉奇有集市。”我好不容易追上了艾莉和查理，“我们可以去看看嘛。那儿也有卖这些名牌货的，而且价格要便宜得多。咱们去那儿买衣服不是很好吗？”

“全是水货。”查理立即鄙视地嘲笑道，“假商标，仿版鞋，劣制布料。”

“那又怎么样？反正它们看起来和这里的高价货都一样嘛。”

查理摇了摇头，充满同情地看着我：“怎么可能呢？老爸，我在一米开外就能看出差别来。”

“孩子是对的。”艾莉接着说，“一分钱一分货。刚进商店的时候我不就告诉你了吗？”

“可是人们常说的‘量入为出’呢？”我的语气里几乎带着恳求的腔调了。此时，艾莉带着查理走上电动扶梯。

“老爸！”当我傻站着望电梯上不断上升的母子俩时，查理转过头冲我喊道，“又不是非得要你给我买的。别激动了，老爸！”

艾莉耸了耸肩，用手摸了摸查理的头，然后扭头给了我一个“瞧，不愧是我儿子”的微笑。

这么多年来，我无数次被购物狂艾莉强拉着出现在这种百货公司，经验告诉我，这一次我又被她打败了。但是幸运的是，西班牙的购物中心有着非常人性化的设计，他们为了安慰那些被蹂躏的男人而设置了避难所——酒吧。艾莉和查理兴高采烈地奔向 CK 之后，我毫不犹豫地走进了酒吧。我估计，几杯生力冰啤酒下肚之后，这个月的信用卡账单或许就没那么难接受了吧?

幸运的是，某种程度上来讲艾莉只不过让我白紧张了一场。她的确喜欢昂贵的衣服，而且很明显查理继承了这一嗜好。但是另一方面，艾莉还是个购物方面的实用主义者。因为没有多余的钱去浪费，所以对于想买的东西，她已经升级到艺术品鉴赏家的级别了——就像乡下集市上淹没在无数廉价衣服中的女人常做的那样，艾莉会吹毛求疵地挑毛病，然后毫不留情地讨价还价。当艾莉拖着身后满不情愿的小查理得意扬扬地出现在酒吧的时候，我知道她又一次满意地完成了“鉴赏”工作。不管怎样，艾莉在昂贵的衣服和勤俭节约之间找到了自己的平衡。我没有必要去问她是怎么做到的。查理的衣服账单对于我不甚饱满的钱包而言还是有些奢侈，但是当艾莉告诉我，若是她没有努力控制的话，这个数字还会大很多时，我只是淡淡地勉强表示赞同，然后又给自己点了一杯啤酒。

查理有些不高兴，他抱怨艾莉买给他的阿迪达斯现在已经不太流行了，还有那条艾莉逼他穿上的李维斯，和风头正劲的 CK 相比也逊色了好多。不过这些抱怨我和艾莉充耳不闻。对于一个从小就干惯了脏兮兮农活的孩子而言，穿着适合干农活的衣服在泥泞的田地里把剁碎了的甘蓝菜铲进牛水槽是再正常不过的事，查理越发挑剔的服装品位的确让我有些担心。在马略卡这样的热门度假胜地，充斥着数不清的追逐潮流的年轻人，他们是快乐至上的崇拜者，这些人对小查理这样第一次面对"疯狂生活"、面对"金羊毛"[1]诱惑的乡下孩子而言，产生的潜在影响是巨大的。今后，这个岛屿还将在小查理敏感易变的成长轨迹上施加更多影响，而这正是我们做家长的需要不断发掘和探索的。

查理的学校在帕尔马市郊一个叫作圣阿古斯蒂的安静小镇上，整个校区隐藏在镇上布满松木林的高耸悬崖的半山腰。镇名是马略卡语，当时马略卡政府决定把岛上许多地名从内陆制定的西班牙语名改回古马略卡语名，因此，很多城镇名、街道名，甚至是高速公路的路标都做了修改，这对那些习惯

1　希腊神话中，英雄伊阿宋费尽心力所找寻的宝贝。

了原来西班牙语地名的来访者来说，的确是个可能存在的麻烦。虽然如此，在那些重视马略卡传统并且为保留古马略卡语奋斗多年的专家学者看来，一切麻烦都是值得的。我只能祝这些专家好运了，当然，更要祝那些靠最新版地图来找路的人好运——只有在一些改革触角尚未伸及的偏远地区，旧地图还能派上用场。即使你有时候的确非常绝望地迷路了，但还是得麻烦忍耐一下，这里是马略卡，它所有奇怪的小改变都是值得人们包容并接纳的。更何况，无论是城里的后街小巷，还是乡下的狭窄小路，路边总少不了小旅馆，你可以去那里问问路，或者干脆坐下来把心里的委屈和那不靠谱的地图一起撕碎，再不然就直接给撒马利亚慈善咨询中心[1]打电话吧。

即使我想破脑袋，也记不起查理学校北边的那条街到底叫什么名字。但是要找到那儿很容易，要么从帕尔马到安德拉奇的那条Z字形高速公路上一路开下来——我们今天就是这么走的——要么从海边一直往北，开一会儿就到了。绕着海的那条老路以前是连接市中心和从市中心辐射出去、分布在马略卡西南海岸线上的各个旅游胜地的主干线。没有经过任何规划，现代化的小城市就一个紧挨着一个地建设起来了，它们连在一起就像一串宝石项链环绕着布满常绿植被的纳布

1 该慈善组织专为不幸者或想自杀的人提供电话咨询服务。

尔格萨山脉。这样的都市化“发展”是不可避免的，但在旁观者眼里，一切都还是那么美。

“嗨！彼德罗！什么风把你给吹来了啊？哈！哈！哈！你这家伙最近怎么样啊？”

说这话的是乔克·彭斯。此时这个家伙正伪装在老师的外壳下，从学校台阶上飞奔下来，给了我一个颇具戏剧性的美式欢迎。这所学校原本是个小旅馆，质朴的白色教学大楼给人一种与众不同的亲切感，似乎不太像学校。我不禁回想起以前我在苏格兰时的学校，那维多利亚式的繁复建筑对于一个孩子而言，如同捕狗人的货车之于自由自在的野狗，相比之下，查理的学校简直就是乌托邦。入口处的拱形大门爬满了暗红的紫藤，大门两边种满了散发甜美气息的刺柏灌木。通向学校主楼的台阶一旁种着一棵柠檬树，绿油油的叶子和随着微风摇晃的柠檬果为石墙那边漫过来的一地利文斯顿雏菊投下了斑驳的阴影。给这个精致小巧的院子更添了一分颜色的是喇叭花，一朵朵艳红色的花儿活像小喇叭，正吹奏着欢快的乐曲。与之形成鲜明对比的，是没那么漂亮的画满了涂鸦的入口，那些地方的景色显得压抑了许多。乔克·彭斯在爱丁堡时，曾在一个穷苦社区教过书，不过这所学校和他以前供职的学校相比，除了名字都是“国际学校”之外，简直毫无共同点。

查理非常幸运能够成为圣阿古斯蒂的学生。尽管他在这里学习的时间不久，但他的改变却是非常明显的。去年冬天，他还是个连入学登记都别别扭扭、不谙世事的苏格兰乡下孩子。起初，他对生活在偏僻的马略卡果园的态度并不十分积极，而到一所与他之前的所有学校都完全不同的新学校学习，就更没什么吸引力了。但是，正如我前面所说的一样，没过多久，查理就改变了对新学校的看法。这里轻松的校园氛围，没有正装校服的着装要求，机会无穷的户外教学活动带来的自由感，以及更重要的是，和来自不同国家、不同种族的年轻人的互动沟通，这些对查理来说，都非常有吸引力。

看着这么多活泼的孩子在校园里跑来跑去的确是件令人愉快的事。这里的学生年龄差距很大，最小的有几个月大的婴儿，大的则有十七八岁的少年，他们每个人都有一张健康阳光的笑脸。这些孩子的行为举止，尽管和其他同年龄的学生一样非常调皮好动，却能给人一种清新的亲切感。偶尔有极个别的几个孩子看起来有些闷闷不乐，可能是漫长的暑假刚刚结束，回到学校没几天，还不大适应吧。

“看到这么多年轻人感觉真好！”我在台阶下对迎接我的乔克·彭斯说道。

“是啊。这些小家伙是挺可爱的！”这家伙一边用“标准的”苏格兰口音回答我，一边偷偷摸摸地四下打量有没有人在偷听我们的谈话。很明显，他慢条斯理的美式说话方式，是故意做给学生看的种种姿态之一。据我对乔克的了解，这家伙肯定打算靠装出来的国际风度来提升自己在学校的受欢迎程度。几个准备回家的孩子正开心地对他挥手告别，由此可见，这家伙还挺受孩子们欢迎的。

“不过，偶尔也能碰上几个惹人讨厌的小混蛋。主要是那些被惯得不像样子的有钱人家的小孩。学校里有不少呢。这些小混蛋有时候真是欠揍。但是你又不能真的动手打，这些孩子的家长可是付了好多钱的。你也知道，这里的学费不便宜。”

乔克在无意间触到了我的痛处，最近我被这件事压得几乎心脏病都要发作了。在我们全家搬到马略卡之前，艾莉和我对在这儿生活可能需要的一切花销都做了预算，查理的学费排在了预算单的第一位。一开始，我们是用英镑来计算所有开支的。后来，我们习惯了使用当地货币，计算改成了用西班牙比塞塔。再后来，随着对果园生意了解程度加深，我本能地开始用需要卖多少箱橘子来换算查理的学费。计算的结果让人很是郁闷。现在，接下来几个月橘子的收成如何，成了我所担心的几个大问题能否顺利解决的关键。

讽刺的是，从某个角度来说，查理的学费也是可以轻松从资产负债表上画去的一项，如果我和艾莉愿意的话，这能给我们省下很大一笔钱呢。唯一要做的就是把查理送到安德拉奇镇上的地方公立学校。那所学校的名声也不错，最关键的是，它是一所完全免费的学校。此外，查理和森迪——正如以前的我和艾莉一样——在苏格兰只知道公立学校是什么样，我们念的公立学校都很不错。另外，据我们所知，不少在马略卡生活的英国家庭都把孩子送到了当地的西班牙学校，这些孩子和独自学习的同龄人相比，有更多机会深入了解当地人的生活。也正因如此，他们很快就能把西班牙语和马略卡语说得很地道——课堂教学都是使用正式的西班牙语，而孩子们之间会使用西班牙语或是马略卡语来交流，这样的环境对孩子学习新语言非常有利。我们遇到过一对同样来自苏格兰的夫妻，他们住在大山另一边的乡下，五岁大的小女儿就在当地的小学校里上学。才几个月的时间，小姑娘的西班牙语已经相当好了。至少比我这个盯着语法书和实用短语集看了好几年的老家伙要好得多。

可是为什么我们没有把查理送到公立学校而宁愿花大价钱送他到圣阿古斯蒂呢？怎么说呢？我和艾莉对这件事的看法是，从苏格兰搬到马略卡，查理经历了一场人生剧变，他离开了从小就熟悉的一切来到一个完全陌生的环境，这已经很不容易了。再说，他刚刚熟悉了圣阿古斯蒂这里的学校，而且很喜欢。要是现在把他送到新学校去，对孩子而言有些太不负责任了。作为家长，我们不忍心这样做。尽管查理是个身体上、心智上都很坚强的孩子，可是他正处在敏感的青春期，接二连三地经历大变革没准会导致不好的后果。我和艾莉可不愿意冒这个险。所以，还是继续让他在圣阿古斯蒂读书比较好。即便以后经济状况出了问题，我们也会再想别的办法来负担学费。

“那你是怎么对付那些坏孩子的呢？”我问乔克，“就是那些你刚刚说的不听话的小混蛋？”

“大多数情况下，我才不会去管他们呢。这里讨厌的孩子总的来说没多少，其他孩子会排斥他们的，慢慢地，这些小东西就自己改过来了。我们一般来说用不着多管闲事，不像你们英国人，玩什么纪律处分之类的。”

“不错嘛。听起来在这儿当老师还是挺轻松的。”

“可以这么说吧。和我以前工作过的地方比，的确是好太多了。好啦，我不跟你多说了。赶时间！约了一个人谈生意，他准备卖一些移动电话。”乔克轻轻捏了下鼻子，“老兄，这可是高科技啊，物美价廉。呵呵，我不多说了啊。”

我清了清嗓子，鬼鬼祟祟地回头看有没有人能听见我们说话。“要是这样的话，我倒是挺想给自己弄一部的。”

乔克摇了摇头：“别别别！太冒险啦！我可不会卖这东西给你。”他把嘴巴凑到我耳边，压低了声音说：“这玩意儿要想在这儿用，得——用你们的话说——调试一下。明白了吧？”现在轮到乔克狡猾地回头看有没有人了。“我是透过胡安那小子搞到的。就是在帕尔马码头混事儿的那个胡安。直接从朝鲜的货船上拿来的。没人查，但是也没啥保修卡。”他有些骄傲地告诉了我事情的真相，“当然啦，像以前一样，看货买卖！”

“货物出门概不退换，买主需自行当心。对吧？”

乔克有点无赖地咯咯笑了起来：“哈哈！这次是货物出船概不退还，水手需自行当心！我会卖给几个有钱人家的少爷小姐，这些人马上就要去巴哈马群岛兜风了。这可是个赚钱的好机会啊。希望这些傻瓜在开到加那利群岛之前别反应过来被我骗了，哈哈！”

话音刚落，乔克已经大步穿过操场，向他的车走去了。一路上，他轻轻松松地和几个学生家长打招呼，大声跟孩子们告别，当然了，用的还是他那装出来的美国口音。

此时艾莉还躲在一棵金松下，和几个她认识的孩子家长聊天呢。

“这家伙最近还好吗？”艾莉望着乔克费力地把肉滚滚的身体塞进一辆崭新的宝马 Z3 跑车里，“我是说，看看其他老师开的破车，估计加在一起也买不起这辆宝马跑车的一个轮子吧。”

“多劳多得呗。乔克可是个相当努力的人，从不停下赚钱的脚步。现在，他正要去码头弄点走私货，过会儿再去找几个‘识货的’财主卖掉，到了晚上就在海边和几个船夫弟兄闹腾闹腾。明天一大清早，这家伙就会开着小跑车奔回学校啦。”

“那他哪有时间吃饭呢？”艾莉挑了挑眉毛。

正应了她的话，乔克把遮在宽边帽子下面的大胖脸从车窗里探出来，冲我们大喊：“再见啊，朋友！”然后啃了一口不知道从哪儿变出来的鸡腿。

艾莉无可奈何地耸耸肩，什么也没有说。她能说什么呢？乔克这样的人还会把自己饿死吗？不管他有多忙，都不会。

午后的太阳高高挂在地中海上空，在阳光的照射下，呈现出宝石般耀眼光泽的海水正反复亲吻着形如弹弓的巴利阿里群岛。透过松树林，我们望见远处两艘游艇的风帆正优雅从容地缓缓移动着。更远处，每天出航的巴伦西亚渡船正拖着雪白的浪花，划破深蓝色的平静海面，直奔远方藏在西海岸线另一边、拥有无限魅力的西班牙内陆。学校前面有一个空院子，我和艾莉把车停在了院子边上高大的白色石灰墙底下。刺眼的阳光晒得车里越发地热，我想起艾莉早些时候唠唠叨叨要我修房子的事。要是这样的大热天继续下去，我就可以用“明天吧”轻轻松松地把这事再往后拖段时间。这样的天气最适合去航海啦，就像刚才望见的那两艘游艇上的幸运儿们，迎着凉爽的海风欣赏岸边美景，我暗自盘算着。相比之下，像给果树浇水这样相对轻松的家务都有些让人难以忍受——直到秋天的雨季到来之前，每天我都不得不给果园里的树浇两次水。唉……不想那么多了。现在，我只想闭上眼睛，靠在这水泥墙上，安静地晒一会儿太阳，享受九月温暖的阳光。

“我没看见查理啊。”艾莉等了一会儿，叹了口气，“我还是进学校里面找找看吧，也不知道又是什么把他勾住了。电脑游戏之类的。典型的男人——一点时间观念都没有。”

她走了之后，我肯定是打了个盹，因为等我睁开眼睛的时候，院里其他家长的车都开走了。整个院子空空的，只有几个不知道什么时候跑来的寄宿生，正围坐在那棵大金松树下，嘻嘻哈哈地写着作业。远处，艾莉正从学校大门口的台阶上走下来。

“哪儿都找不到查理。”她边走边说，“班主任说他和一个好朋友下课铃一响就走了。两个人顺着路往南去了。”

“知道啦。”我打着哈欠，“没准他去迎我们了呢。别担心，可能这孩子现在正舒舒服服地坐在路边小酒吧的露台上喝可乐呢。往南走，在去海边的那条路拐角上不是有个什么吐咿呦酒吧嘛！没准他就在那儿等咱们呢。”

“有其父必有其子。”艾莉有点儿不高兴了，她一边低声埋怨一边进了车，“这孩子，还不到十三岁呢，就学会泡酒吧了。”

“瞎操什么心啊。等他学会给自己买生力啤酒喝的时候你再担心也来得及。”我回了艾莉一句，想到儿子正在马略卡这样轻松随意的气氛下往成年人的方向发展，我不禁笑了起来。艾莉这么瞎紧张干吗呢？让孩子多和朋友们在路边高雅的小咖啡吧里坐坐、聊聊天有什么不好的？反正他们已经长大了嘛。再说了，吐咿呦那种地方，怎么会有喝酒闹事的年轻人呢？顶多是一些喝下午茶的老妇人罢了。这种地方作为西班牙中学生放学后聚会的地方也未尝不可啊，尽管不可否认，常去那儿的孩子一般来说要比查理大上一两岁。可这有什么好担心的，只要他们卖给查理的是没啥害处的可乐而不是啤酒就好。这个年龄段的西班牙少年（至少媒体上总这么说）常常聚在咖啡吧聊天，我很高兴查理提早加入了他们的行列。在我看来，家长应该让孩子自由发展。我估计有人会说，早晚我会后悔现在这么放任查理的。说得有理，我承认也有可能，不过很快我们就能知道查理现在在做什么了，这至少能稍微确认一下我的想法是不是真的有问题。

一辆金色的劳斯莱斯悄无声息地从校门口的马路上朝我们开了过来，等我反应过来的时候，两辆车差点儿撞在一起。劳斯莱斯厚重的喇叭声提醒我，它不是故意要来撞我们的。车窗摇了下来，一个中年女人冲着我们露齿一笑。

“你好啊！宝贝们，是我啊！”她一边用带着浓厚爱尔兰口音的英语跟我们打招呼，一边把胳膊从开着的车窗里伸出来冲我们挥手，就像是遇见了久未谋面的好友一样。她把车停在了院子另一边。除了女王巡游的车之外，我还从来没有见过这么大的劳斯莱斯，更谈不上认识车主了。

“那他妈又是谁？”我脱口而出。

艾莉没有回我的话，只是冲那个女人招了招手，有些羞怯地笑了笑。

一眼看过去，这位女车主最为明显的外貌特征有晒成古铜色的皮肤、镶着钻石的猫女牌太阳镜、金闪闪的大耳环——大得几乎可以让体操运动员上去施展一下拳脚了——高耸的金发，类似达斯蒂·斯普林菲尔德早期的鸡窝头和最近流行的蜂窝式发型的综合体。这副模样真是相当惊人，但是和她走出车门后我们的眼睛受到的刺激相比，还算不得什么。以前，我总说乔克那喜欢浓妆艳抹的老婆是“一个人的狂欢节”，但是眼前的这位和她相比简直是有过之而无不及！她上半身穿着一件荧光粉上嵌满绿色大圆点的裹胸，下半身塞进了一条豹纹紧身脚蹬裤，更有个性的是，腰上还缠着一条暗红色皇家格子图案的薄纱头巾，看上去简直像是从两辆相撞的马戏团大篷车里逃出来的小丑。她晃晃悠悠地朝我们走了过来，脚下踩着一双紫红色宛如为侏儒量身定做的高跷般的马诺洛·伯拉尼克牌高跟鞋——据说，这个牌子的一双女鞋比我们这二手的福特嘉年华还要值钱。

“总算有机会见到二位啦！”她大声打着招呼，“你们就是彼得和艾莉吧？哦，亲爱的，希望你们别以为我把你们的宝贝儿子拐跑了才是！哦，你们那可爱的宝贝儿子！真是个好孩子呢！”

直到这时，我才注意到查理正像个小王子一般趾高气扬地坐在劳斯莱斯后座上，脸上堆满了偷吃奶酪的猫一样狡猾的笑。他旁边坐着的男孩子叫德卡，是查理在学校里面的好朋友，我见过几次，这孩子挺有礼貌，性格也不错，查理周末去他们家住过几个晚上（查理也在别的同学家住过），每次都是德卡的哥哥米克开着那辆咯吱乱响的破沙滩汽车把他送过来的。我从未多问过什么，也没担心过——典型的随和且充满信任的马略卡人处事方式。

“奥布赖恩。”“劳斯莱斯女士”先是伸出她那戴满金饰的手跟我和艾莉握了握，然后依照西班牙传统，乐呵呵地在我们两个的脸颊上各亲了两下。“科琳·奥布赖恩，我的朋友都直接叫我科尔。”她发出一连串沙哑的笑声，“西班牙语里科尔是卷心菜的意思，你们不知道吗？哈！哈！本来这是个不错的爱尔兰少女的名字。你们觉得呢？”她用胳膊肘顶了一下我的肋骨，眨巴眨巴眼睛接着嘟囔：“要是我老公姓坎农就更好玩啦！”说着又推了我一下，“那我的名字就变成科尔坎农——马铃薯卷心菜泥啦！哈！哈！哈！可是爱尔兰的名菜呢！”“劳斯莱斯女士”拍了拍我的肩膀，仰头大笑起来，拉锯一般很是豪放的笑声开始在院子里回荡起来。

还没等我和艾莉说什么呢，这位“卷心菜太太”又自顾自地滔滔不绝起来：什么他们刚刚搬到新房住啦；什么下午她又和老公一起把好久没用过的快艇拉了出来，准备让风把船上的蜘蛛网吹一吹啦；什么她下午给教学秘书发了短信，让她儿子一下课就去学校附近的超市买修船工具之类啦……

“我告诉教学秘书，让德卡和查理一起去吧。查理可是个好孩子呢！我的小心肝宝贝！”“卷心菜”冲着艾莉笑道，“你们家查理简直是个百里挑一的好孩子啊。我太喜欢他啦！今天晚上就让他住在我们家吧！”

“我们当然不会反对。您能邀请查理真是太好了。”我说道，“可是，明天是周六，我们还指望查理帮忙收杏仁呢。”

“收什么杏仁啊？我的老天爷，你们的杏树又不会被人偷走，它们会一直杵在那儿，哪怕你们都死光光了，杏树还在呢！有什么好担心的。就让孩子们好好地玩个痛快吧。这可是周末啊。想想你们年轻的时候，还不是玩过来的吗？看看我，一把年纪了不还跟孩子们一块儿玩吗？”

“卷心菜”冲着我的左肩膀又是一记直拳，然后自己哈哈大笑起来。这人一看就是社交场上的老手，尽管我以前从没碰到过这样的角色。她有一种能让第一次见面的人就喜欢上她的魅力。我很是欣赏“卷心菜”的人生哲学，非常了不起，但是这可不是一般人负担得起的生活。不过，从她开的车以及身上挂着的那些亮闪闪的珠宝就能看出，这位科琳·奥布赖恩太太的确是有这个实力的。

“别磨蹭啦！”她一边上车一边冲我们摆手，“来，你们两个也一起过来吧！一起到我们的新家开个暖房派对！喝点儿小酒！你们觉得这主意怎么样？”

还没等我和艾莉答应呢，虽然我们也的确找不到拒绝的理由，“卷心菜太太”就开着那辆金光闪闪的劳斯莱斯直奔山下了。查理扭过头，隔着后车窗冲我们招了招手，脸上依旧挂着狡猾的笑容。我和艾莉对视了一下，无可奈何地耸了耸肩，然后开车跟在了后面。

两扇雄伟的镀金铸铁大门在那辆劳斯莱斯开近的时候自动打开了，我跟在后面开始幻想即将看到的会是怎样一幅场景。可是，当我真正把车开进“卷心菜”家院子的那一刻，我才意识到自己的想象力有多么匮乏。如果把我们驶进的这条路叫作“车道”的话，简直和把珠穆朗玛峰当成鼹鼠挖的土堆一样可笑。这是一条真正开阔的大路，每一寸都奢侈地铺上了白色大理石（天哪，我真希望自己的表达能力可以再好一些！），说它是皇家阅兵大道都不算夸张。“卷心菜太太”把劳斯莱斯停在了一辆闪闪发光的白色奔驰轿车旁边，这车在我看来简直就是总统级别的。奔驰的另一边停着一辆火红的法拉利房车，若是车里再坐上一位半遮半掩的好莱坞小明星那就完美无缺了。我被这三辆价值连城的豪华汽车震住了，要知道，这三辆车加起来估计能买好几个“市长府邸”了！

“这全是他们家的。”查理一边帮他妈妈打开车门，一边热心地给我们介绍，“这些车，我是说，这些车全都是他们家的。他们家后院的车库里还有呢。”

我几乎不敢相信查理说的话。可是，当我抬头瞟了一眼车后面那高耸的宫殿时，我马上意识到孩子所说的是真的。相比之下，这三辆车简直就是几颗不足挂齿的芝麻粒。高耸在我们面前的这幢房子连同房前的巨型喷水池就像好莱坞梦工厂的拍摄地一样。我和艾莉傻傻地张大了嘴，彻底呆住了。

科琳·奥布赖恩摇摇晃晃地从劳斯莱斯旁边走到我们跟前。“嗨！你们这两口子怎么了？”她伸出胳膊，把我和艾莉一左一右地搂着，“别像吞了只苍蝇一样张着大嘴。呵呵，我带你们去转转吧，看看你们家小查理今天晚上睡觉的地方。”

直到现在我才知道为什么她要戴那副猫女眼镜。在阳光照射下，周围的白色装饰物到处都反射着耀眼光芒，我的眼睛在毫无保护的情况下被刺得生疼。白色，几乎所有东西都是白色的，纯粹的、光芒四射的白色，只有某些微小的细节被处理成了金色。整栋建筑立在三层台阶之上，但是台阶渐递起伏的设计以及宽广的正面轮廓给人一种豁然开朗的愉悦感，并不显得高不可攀。楼上是规模宏大的栏杆式阳台，正面部分的列拱由雪白的圆形大理石柱支撑。尽管是刚建好不久的新房，入口两边已经种上了由微型棕榈树和流星焰火一般的细小柏树组成的装饰林。实话说，这些树看上去多少有些矫揉造作，很明显经过了工匠的细心修剪，以达到一种和周围景致和谐平衡的效果。在我看来，这简直就是一栋直接从好莱坞电影场景中截出来的宫殿，即使此时弗雷德·阿斯泰尔和金杰·罗杰斯这类人物忽然从大理石台阶上信步走来，我也不会感到惊讶。这里唯一缺少的是闪光灯、摄像机、扩音器以及一个举着场记牌的工作人员。

科琳·奥布赖恩一定是看出了我的心思。她一边带我和艾莉穿过那豪华的正门一边笑着说："你刚才是不是在想，像我这样一个普普通通毫不起眼的爱尔兰农民怎么会这么有钱呢？肯定是中彩票了吧。我敢打赌，你刚才肯定是这么想的。"

我和艾莉没有说话，谁都不想打扰她接下来的陈述。这个家庭之所以有今天，靠的并不是幸运，而是辛苦的劳作以及一个普普通通的爱尔兰老人的智慧。她继续说，她的公公是家族事业的创始人。

"老奥布赖恩，"她哧哧地笑了两声，祖母绿色的眼睛闪着光，"这个老头看起来可能像个破破烂烂的流浪汉，却跟爱因斯坦一样，聪明得要命。对他来说，抓住你们这些生意人的狐狸尾巴简直就是易如反掌。"她用胳膊肘捅了捅我，哈哈大笑起来。"战争之后，军需用品严重过剩。倒卖旧军靴之类的利润大得很——当然你得够胆量才行，一次搞个几车子皮靴都算少的。我家老爷子当年就是靠倒卖这些废品起的家。我说的可不是废自行车架子或者生锈的排水管这类垃圾，他可从来只做大买卖。战舰、潜水艇，这些才是他感兴趣的。把这种大家伙卖到英国、德国、美国或是法国，老头子眼睛都不眨一下。”

接下来她向我们透露，老人家精明的投资计划以及在两个儿子帮助下建立起来的零售帝国为全家人带来了无尽财富。“但是不可避免啊，”她意味深长地耸了耸肩，“有工作的时候，就有玩儿的时候。老奥布赖恩终于干不动啦，他带着他的废品收购站升天了。那之后我和我老公分到了一部分财产，然后就搬到了马略卡，享受人生！”

他们也真会享受人生！房子的内部装修比外面看起来更令人眼花缭乱。白色和金色依然是贯穿始终的主题，淡粉色的窗帘和简约风格的室内家具隐隐透着贵气。一根根细长的柱子直达穹顶，装饰在舞池般大小的会客厅里。悠扬的苏格兰风笛轻音乐让人仿佛置身于豪华酒店大厅。我想到了拉斯维加斯。衔接会客厅和餐厅的是一个室内花园，古典主义雕像和按比例缩小的罗马许愿池陈列在花园里，凸显出尊贵典雅的气质。穿过一个古摩尔式拱门后，我们来到了宴会厅，之后是供客人娱乐的休闲活动区域，那里布置着一张大号的台球桌。整个区域最引人注目也最为奢侈的部分是一个椭圆形吧台，整个吧台看上去似乎只缺懒洋洋的迪恩·马丁坐在白色的皮质高脚椅上了。不过，现在坐在那里的并不是马丁，而是科尔的丈夫肖恩。他身材瘦长，一头浓密的黑发不受约束地乱蓬蓬地散着，见到我们露齿一笑，嘴角张开的弧度像都柏林海湾一样宽广。

他先是和我开了几句玩笑，然后用一种极为谦逊的方式告诉我："都是华伦天奴设计的，全部都是。"他指引我们看一架放置在一个刻满花纹的巨大手掌心里的白色钢琴。"够经典吧？这就是意大利人的设计。"话音刚落，他砰的一声开了一瓶香槟，给我们每个人都倒了一杯。"我们所有的设计师都是意大利人。质量和品位都无可挑剔。绝对是物有所值。"肖恩一边小指微微翘起优雅地喝酒，一边指着他的太太："看看我老婆这身衣服吧。"他谨慎地打了一个饱嗝，"范思哲的。"他把范思哲的名字念错了。

艾莉转过头打量了一下"卷心菜"的奇装异服，脸上写着清清楚楚的难以置信。

"多漂亮啊！"肖恩温柔地回应着艾莉的质疑，"可能你觉得这简直就是破烂一堆，但是亲爱的，你要知道这可是相当值钱的破烂啊！"

说完，肖恩夫妇眼巴巴地盯着我和艾莉面无表情的脸，艾莉结结巴巴地试图委婉回应一下，却没说出个所以然来。然后肖恩和科尔突然放声大笑，简直就是下午科尔那拉锯般沙哑笑声的双人版，颇具感染力。

“这家伙真没劲，是吧？”科尔笑着说，“来，我还是带你们去看看其他房间吧。”

在参观了几间厨房、早餐室、清晨休息厅、用人们的房间、桑拿浴房、爵士按摩浴缸之后，科尔带我们走上了另一个弗雷德·阿斯泰尔这类人物随时可能出现的旋转楼梯。楼梯中心的顶棚上悬挂着一盏巨大的树型水晶吊灯，我想即便是路易十四见了这盏灯也会吓一跳吧。我已经数不清楚科尔带我们参观了多少间卫生间了——五间非常豪华的，还有好多间给仆人和客人用的。每间卫生间的墙体和地面瓷砖都贯穿着白色和金色的主题，而镀金的坐便器则被安置在一个张开的巨型陶瓷贝壳里。华伦天奴先生用他奇幻的想象力把这种贝类动物造型同样布置在了主人卧室。在这里，张开大嘴打着哈欠的大贝壳里装的可不是坐便器，而是一张巨大的水床。我看到这张令人目瞪口呆的大水床时，如同被施了魔法一般浮想联翩。不过，在我的幻想里，从床上慵懒站起来的可不是骨瘦如柴的科尔，而是波提切利画笔下那曲线柔美的妩媚维纳斯。

“我的天哪！”我的赞美不假思索地脱口而出。

艾莉仿佛窒息了，科尔上前帮她拍了拍背。

“哈哈！我就知道你们会这么惊讶。”科尔笑道，“但是可别怪我哦。就像我老公说的，没有什么能比得上这些意大利设计的质量和品位啦。”

“这质量简直是太惊人了！”艾莉喘息着，眼睛有些湿润，巧妙地回避了关于“品位”的话题。

“要是你们以为这就是我们这张大床唯一特别的地方，”科尔迫不及待地说道，“那可就大错特错了。来，欣赏一下藏在里面的小发明吧。可是我设计的！”

她按下床边的一个按钮，麻花辫图案的金色羽绒被面上立刻翻涌起阵阵波动。接下来，科尔像个孩子一样瞪大了眼睛，充满期待地按下贝壳下半部分中心位置的一个按钮。伴随着温和的呼呼声，两边的床头柜上各升起一个装满了香槟及其他多种酒精饮料的小酒橱。接着一声清脆的铃声提示主人操作成功。

“别急，还有更好玩的呢。”科尔充满期待地望了我和艾莉一眼，好像等着我俩的鼓励。她又按下了一个按钮，其中一个小酒橱开始转动起来，让赖床的主人方便伸手够到里面任何一瓶中意的酒。

“我的老天！”我又一次脱口而出。

科尔点了点头，“我就知道你们会喜欢的！”她冲我眨了眨眼睛，“别急，还没完呢！”

她又选择了一个按钮，这次，一个贝壳状的盘子从床边一个升起来的信号发射器上转了出来，径直停在了主人枕头上方。音乐盒开始演奏《啤酒桶波尔卡》，证实所有展示均已完成。科尔伸手从盘子里拿出一把藏在里面的镀金夹子，然后从盘子里夹起一块冰块。

“我告诉你什么来着？”她笑着说，“够惊喜吧？够天才吧？这个小酒吧是带有冷冻设备的。这可是我的设计呢！”

华伦天奴先生终于败下阵来。最后的赞美还是要送给大自然，或者更准确地说，是献给大自然为这座房子提供的得天独厚的位置的。从主人卧室出来，站在回廊式的窗台上朝远处望去，地中海的壮丽景色就这样一览无余地铺展在眼前。我站在地面的时候并没有察觉到，直到现在站在这个高度才得以看清，整栋房子是盖在一座小小的山岬上的，甚至还设有能直达海边的独立通道。这种位置是那些房地产商争相抢购用来建造高档五星级酒店的黄金位置，现在却只盖了科尔一家的新房子。看来，老奥布赖恩和他的旧军靴真让这个有钱人家享了不少福。从这个角度往下看那座游泳池，我才发现池子被设计成了军靴的样子，还真是一份献给老人的事业及其远见再合适不过的滑稽礼物。在我看来，和那些被科尔和肖恩视为时尚大师的意大利人设计出来的奢华宫殿相比，这个造型独特的游泳池更能体现这个家族与众不同的独特气质。当我们下楼回到吧台时，查理正和德卡及德卡的两个哥哥一起，忙着把几箱鸡尾酒、碳酸饮料、啤酒和香槟从仓库里搬出来。科尔这三个儿子给我的第一印象（通常也是最准确的）是，这是几个脚踏实地、平凡普通的孩子，只不过他们住在一所不平凡的房子里而已。他们的行为举止中看不到一丝有钱人家孩子常有的傲慢。看来，他们是在头脑冷静、普通平常的爱尔兰父母影响下长大的。此时，他们的爸爸肖恩正坐在迪恩·马丁的白色高脚椅上监督着孩子们的行动，他的食指和拇指之间优雅地夹着另一杯香槟。

“嗨！你们回来啦！”他招呼着我和艾莉，“快过来坐会儿，现在还有时间再干一杯，过一会儿咱们就要扬帆出海啦！”

我还以为，他所说的“扬帆出海”指的是晚上即将举办的暖房派对。可是，当我和艾莉帮他们把修船工具从那辆金色的劳斯莱斯里拖出来运到一个私人小码头的时候，我才意识到，肖恩所说的不是比喻而就是字面上的意思。一艘丽娃摩托游艇停靠在小码头边上，这汽艇也是意大利人的杰作，肖恩告诉我。我对船这类东西几乎没有什么了解，但是我看过一个讲述英国女王乘坐大不列颠号皇家快艇出巡英属主权国的新闻短片，眼前这艘丽娃快艇的奢华纯木质船身设计和片子里的皇家快艇简直如出一辙。就连快艇里面的奶油色纯皮座椅也是大不列颠号皇家快艇座椅的翻版。

肖恩第一个跳上去，他很快就戴上了船长专属的帽子。“来，亲爱的，上来吧！”他友善地向艾莉伸出手，“我们先沿海岸线开一会儿，和我大女儿还有她男朋友碰头，他们正在沙滩上晒太阳呢。晚上船上有个舞会，别担心，你们今晚就住在船上吧。全都住得下！”

丽娃只不过是艘小汽艇，尽管是最贵最奢华的那种，我也没看到艇上有什么房间。不过，这并不是我们拒绝肖恩邀请的原因。我们已经把邦妮留在家里一整天了，必须回去给它喂食。天黑以前，我还要去给院里的果树浇水。这样不管不顾地去参加海上舞会在我和艾莉看来并不可行。我们向肖恩一家的邀请表示感谢，并为我们的缺席道歉，然后挥手送他们"扬帆出海"。没过一会儿，关于船上房间的问题就得到了解决。肖恩开着丽娃直接奔向了一艘停靠在离岸不过五十米左右的豪华远航游船。这是一艘双桅水上宾馆。查理第一个爬到甲板上，紧接着的是背着修船工具的德卡兄弟们。目瞪口呆的艾莉和我再一次张大了嘴。此时，船上传来了开香槟的声音，接着是一连串沙哑的、如同拉锯一般的笑声，听起来他们正在庆祝起航呢。从这个距离望过去，我和艾莉能看到小查理的脸上挂满了笑，他正和德卡三兄弟一起，跟在肖恩船长身后，学着他给船员们下达指令。

"我想起了那首老歌。"我说道。

"《落日红帆》？"艾莉梦呓一般低声问道。

"不是。"我一边向查理挥手一边嘟囔着，"《他去过巴黎，你怎能再留他在农庄？》。"

— 5 —

采坚果去[1]

最近几个礼拜，山谷里总是回荡着藤条抽打树干的啪啪声，对于我们这样的新手来说，这声音意味着坚果采摘季的到来。尽管和一些邻居相比，我们院子里的杏树不算很多，但是必要的准备工作还是不能掉以轻心。“市长府邸”只有一口水井，刚好能满足这片土地所能容纳的果树的需求，这里的农场也正因此而发展起来。很长时间以来，和其他果树相比，人们更倾向于种植汲水能力强的橘子树。另一方面，水资源短缺的农场主，则不得不开始钻研如何种植耐旱植物，橄榄树和杏树就非常适合在马略卡这样的环境中生长，它们

1 原文为 here we go gathering nuts，nuts 这个词在口语中还有“乐事、开心事”之意，一语双关。

的根扎得很深，汲水能力强，只靠冬季那几个月的降水就能维持一年的需要。很早以前，马略卡平原以及漫布在各个山腰上的大片梯田上，就有人开始大面积地种植杏树了。每年二月，到处可见杏树盛开的粉白色花朵，无数花朵连在一起，如同一张巨大的雪毯一般，洋洋洒洒地铺展开来——这景致在来岛观光的游客眼中，简直就是人间仙境。

具有讽刺意味的是，正是马略卡美丽的自然风光，成了威胁杏树生存的元凶。每年，数百万游客蜂拥而至，他们在欣赏美景的同时，也剥夺了杏树赖以生存的水源。造成的严重后果是，原本刚好能维持生态系统平衡的地下水资源几乎被耗尽了，人们不得不用船只从外地运来淡水，以满足生活用水的需求。但是，这样劳师动众的运水方案，只是照顾到了旅游业的利益，而对于保护那些数百年来为马略卡经济做出了不可磨灭之贡献的杏树，以及遏制水资源短缺对它们造成的潜在威胁根本起不到任何作用。马略卡据称是全球最大的杏仁产地，每年这里出产的杏仁占全西班牙总产量的百分之六十，即使现在面临来自采用高新技术采摘杏仁的加利福尼亚等地的竞争压力，马略卡杏仁的优良品质依旧不可取代。不过，令人担心的是，由于岛上的淡水资源被人为破坏的程度愈发严重，咸海水开始渗入干涸的地下蓄水层，曾经有位地质专家形象地描述马略卡岛说，这是一个覆盖着蜂巢般地下湖和咸水湖网络的巨大龟壳。在马略卡部分沿海地带，这种盐碱化的破坏已经比较严重了。许多已经死去或者将死的杏树正是一个个无声的证据，证明大自然赐予它们用来汲水的根部逐渐被咸海水浸透，进而导致整棵树死亡。更令人担忧的是，有科学理论证明，岛上一旦出现这样的盐碱化现象，它向土地深处的破坏就是不可逆转的，只有迅速针对成因做出应对措施，才有可能避免更严重的破坏发生。可是，要让马略卡对能带来无尽财富的数百万游客关闭大门，是绝对不可能的事。

老佩普的农场就是受害的“干涸”农场之一，幸运的是，他的农场距离大海这个污染源尚有一段距离。和这里的众多农民一样，佩普在杏树林里还穿插种植了只需季节性降水就能正常生长的其他作物，那就是燕麦。燕麦可以作为谷物饲料来喂养他家的羊，麦秆可以做成草垫子来给牲口们垫窝，还可以进一步加工成复合肥料重新回归土地来改善土质，以便下一年作物的自然生长。这是一种简单的农业理论：只有你给予大自然，大自然才会回报你，这是千百年来农民信奉的不变真理。尽管“无机农业”这个概念现在被炒得很热，但是真正采用这套据说和传统方法一样“无化学无污染”的现代化技术的人却没有多少。对于老佩普而言，“自给自足”并不是那些怀揣大把钞票来乡下圆“落叶归根”梦的人嘴里的俏皮话，而是日常生活中必须做的事情，是他生命的一部分，他能娴熟地驯服大自然，让“自给自足”变成可能。

有一次他对我说："哥们儿，只有一个我想要的东西这个农场不能产，那就是电。可是，在那些狗屁电力公司把电线杆子插得满世界都是之前，我还不是过得好好的！这些混蛋东西！"

不过，他说的可不全是实话。我亲眼见过他骑着那辆破破烂烂的两冲程内燃机动脚踏车去村上的商店买东西，他还有一台原始的石蜡驱动的拖拉机，每年他都会把这个老家伙推出来一次，用来牵引脱粒机。他的农场里自然没有油井，更别提精炼厂了。不过话说回来，老家伙一年为这两台机器买的汽油，也就够我们把车开到查理学校那么远，几乎可以忽略不计。在这个时代，老佩普在他这把年纪算是尽可能做到了自给自足，就连他不情愿用掉的那些电，加在一起都算不上什么。我从来没有进过他那间摇摇欲坠的小房子，不过从他平时穿的工作服以及农场几近荒废的状态来看，似乎老佩普只钟情于使用那些最为简单的家用电器。我是说，他家门口的确有一盏四十瓦的壁灯，黄昏时，他会把灯打开，即便如此，一旦他结束工作回到家里休息，这盏灯就会被立刻关上。

其实老佩普不是一个吝啬的人，完全不是。只不过他认为好钢要用在刀刃上，再加上他的脾气看起来不算太好，所以容易让人觉得他是个吝啬鬼——当然，这是在你不了解他的情况下。老佩普是个勤俭节约的人没错，可是一旦你遇到什么难处而他刚好有能力帮你的话，他会主动伸出援手。例如，我永远都不会忘记，我们刚搬来第一年的那个多灾多难的圣诞节。由于“市长府邸”的房子是老式结构，保暖效果本来就不好，又刚好赶上那年冬天气候变化无常，毫无准备的我们被冻得够呛，多亏了老佩普雪中送炭，给我们一家很多扁桃木来取暖，要不然我们真的不知道该怎么度过那个凄惨的圣诞节。其实老佩普的日子过得也不富裕，但是只要你需要，他是非常乐意力所能及地和你分享他有的东西的。更重要的是，他这样做不求回报，更不会到处宣扬自己做了好事。

那个让我们全家记忆深刻的圣诞节已经过去快十个月了，我对老佩普这个人以及他淳朴善良的品质越来越发自内心地钦佩。这个有些固执的老头子熟知马略卡的一切农事。他知道山谷里气温的变化，并且比镇上任何一个人都能更敏锐地预测到天气的急剧变化——当然了，除了老玛丽亚之外。因此，我非常尊重他给我的意见，并且渐渐习惯了他那表面尖酸刻薄、实际热情善良的说话方式。

我去老佩普家的时候已经是傍晚了，面对一连几天的高温天气，我决定把给橘树外围的灌溉系统蓄水的事暂时搁一搁。来到马略卡之后，我很快就学会了节约用水，在这个地方，水实在太金贵了，让它白白在大太阳下蒸发掉，谁家也浪费不起。我一直等到老佩普他们抽杏树的啪啪声渐渐停了才出门，这是他们暂时休工的信号。最近几天老佩普和村里其他一些人组成了杏仁采摘小队，他们用长长的藤条把成熟的杏仁从枝干上抽打下来，果子掉下来直接落进地上铺好的大网里，然后统一收集起来，装在一个个大麻袋里，运上老佩普的四轮小车。

远远地，我望见佩普出现在他家农场的另一头。其实农场这个词用在这里可能有些夸张，这不过是一片用围栏圈起来的盖着几间小破木屋的乱草场。科琳·奥布赖恩曾经半开玩笑地把她家房子叫作小破木屋，但是那个我一个多小时前刚刚拜访过的地方却是个好莱坞一般奢华的大宅子！在这么短的时间里，我见识了差别如此悬殊的两个世界，而且他们彼此之间只隔了几英里而已。但是又有谁能保证，奥布赖恩一家就一定比老佩普生活得更幸福呢？至少我并不这么觉得。

“喂——噗！”佩普老头用古马略卡语跟我打招呼，“喂——噗”这个词和岛上人们常用的“嗨呀”一样都是招呼用语，没有实际意义。

他肩膀倚在四轮车的木辐车轮上，两只脚交叉站着，黑色的贝雷帽压得很低，半遮着眼睛——平时休息的时候，他总是喜欢摆这个姿势。他从破旧的短皮夹克兜里掏出一根手卷烟，用火柴在车轮子的铁皮边上划了几下，微弱的小火花点燃了烟，发出噼噼啪啪的声响。

“凑合着过呗。”正吞云吐雾的老佩普突然冒出来这么一句，“你呢？最近过得怎么样？”

我刚要开口答话，他家的大笨狗佩罗就从旁边的工棚转角处晃悠过来了。佩罗这个名字的西班牙语意思就是“狗”，佩普以前养过的几条狗也叫佩罗。我第一次知道他这个古怪行为的时候非常不能理解，但他却是一副理所应当的样子：“这有什么的？比方说，除了‘哥们儿’之外，你还能管一个男人叫什么别的名字吗？”

同往常一样，还是佩普赢。

佩罗是一条大黑狗，佩普老头总是很得意它是一条纯种的马略卡本地牧羊犬。虽说名字叫牧羊犬，实际上这却是一种多用途的动物，可以用来打猎、放牧（据老佩普说佩罗对这个很擅长）、看家护院，它会像一个无畏的战士一样，本能地攻击所有威胁到它或它主人领土的任何人或物。我以前在岛上的农业集市上也见过几次马略卡牧羊犬，参照起来看，佩罗的血统的确是一流的。但是不幸的是——尽管老佩普从来都不愿意承认——佩罗与生俱来的智力和进攻能力似乎慢慢退化了，它变得有些笨头笨脑，而且对谁都没有戒心。除去佩罗的毛色以及类似拉布拉多犬一样瘦长的体格，它的样子还真有点儿返祖的意思，和迪士尼的卡通形象高飞非常像。我第一次斗胆拜访老佩普的农场时，佩罗倒真是攻击了我，只不过它用的不是牙齿，而是舌头。除此之外，它还热情过度地把我扑倒在地，并且尿了我一身。公平一点说，当时它还算是处在从幼犬过渡到成犬的阶段，现在几个月过去了，它那冲动的性格似乎也随着时间流逝渐渐成熟了。尽管非常缓慢！

尽管老佩普老早就把牧羊犬这顶大帽子扣在了佩罗的脑袋上，可是它的工作能力真是不敢恭维。老佩普除了要给家里的羊喂他自己生产的谷类饲料之外，还要把它们带到山谷里的农场上吃草，当然了，这些农场主人都是不养牛羊这类牲口的，因此那些长在果树间的野草就成了佩普家羊群的美餐。把羊赶到目的地要走过各式各样的乡间小路，这项工作需要牧羊人和牧羊犬相互配合，用上一定的技巧才能完成。尽管整段路程不过几公里而已，可毫无差错地到达目的地却并不简单。佩罗的任务和苏格兰山冈上常见的边境牧羊犬一样，需要做跑在前头探查路况等杂七杂八的工作，还得跑来跑去把从大部队走散的羊赶回队伍里。当遇到岔路口的时候，它还应该听从主人命令，把羊群指引到正确的方向。这需要佩罗跑到羊群前面，提早堵住错的路口，迫使羊走正确的路。可是佩罗一向无法成功完成这项任务，而老佩普愤怒的咒骂和恐吓更是让事情演变成不可收拾的闹剧——羊儿朝各个方向四散乱跑，佩罗拼命到处追赶每一只羊，它越追，羊越跑，场面就更加混乱，要收拾这个烂摊子还是颇费工夫的。其实，那些年长的母羊——尽管人们总认为它们是没脑子的蠢货——比佩罗还要聪明些，它们走惯了这条吃草的路，本能地记住了该怎么走。如果没有佩罗捣乱，年纪大些的母羊大可以平安无事地把其他羊带上正轨。事实上，羊儿晃晃悠悠，一边时不时地停下来啃啃路边青草，一边保持整齐的队形缓慢移动，这幅景致再配上羊脖子上叮叮当当的铃声，显然是让人愉快的马略卡乡下美景。可是这一切，都被佩罗搅成一场引人发笑的闹剧了。

不过，至少现在它对来访者的欢迎方式和我们第一次见面时相比已经冷静一些了。这一次，它没有把我扑倒在地，而是自己躺下来开始打滚，把肚皮露给我看。这既是一种信任和服从的表现，也是在邀请我给它挠痒痒。有一件事还是没有变化，那就是佩罗在兴奋时，依然不能控制自己排泄的欲望。我眼看一股尿水从它下面以优美的弧线喷了出来，不知为何竟然想起了奥布赖恩家那个仿制的许愿池喷泉。

“真是多亏了我还在这儿呢。”佩普老头一边充满溺爱地看着地上他最好的伙伴和宠儿，一边对我说，“要不然它早就把你扑在地上了。”

可是，真实情况是，佩罗对撕咬我的脚脖子然后把我扑在地上并没有什么兴趣，反而对坐在我的腿上更感兴趣，完全不顾自己是个庞大笨重的家伙。我用脚指头在它的胸脯上友好地挠了挠，然后灵巧地抬起腿，以免防不胜防的尿水突然溅到我的脚上。从它傻笑的表情来看，佩罗似乎对我的爱抚很是满意。老佩普对我的来访有些漫不经心，但是据我对他的了解，我知道他早就猜出我来找他的原因了，只不过他现在还不想说出来而已，或者他是想把事情留到最后再提。这是他一贯的做事方法，尽管有些古怪，可是我早就习惯了，所以并不觉得别扭。老佩普身上的很多特质让我感觉很亲切，我总会不经意地联想到自己的祖父。他也一辈子生活在岛上，是个地地道道的农民，从来都忍受不了别人干傻事。这不是因为他脾气古怪，而是由于他很精明，反应非常敏锐，因此看不得别人犯傻。尽管马略卡和奥克尼群岛之间有两千多公里的距离，但两位老人的脾气秉性却实在很像。两个人都不太在意外表，却总是能吸引别人的目光。两个人都有非凡的感染力，可能他们自己都没有意识到，不过，我认为他们只是知道自己的独特魅力却不声张。我祖父总是穿一双大两号的沾满了稻草的长筒胶靴，还习惯把靴口卷下来；佩普的标志性打扮则是那顶扬扬得意的黑色贝雷帽，以及脖子上缠着的潇洒领巾。尽管两位老人的外在穿着都有一点儿怪，也挺引人注意的，但是真正让他们卓尔不群的是内在品质。还有一点，两个人都和动物很有缘分，他们俩都有一套和家里牲口交流的法子，只要三言两语，有时甚至只是转转眼珠，动物就能懂他们的意思。我个人认为这是一种心灵感应，绝大多数情况下这种心灵感应都很有效，除了佩罗之外。

老佩普的烟突然砰的一声爆了一下，无数火花喷了出来，零星的烟尘好似无数个小火飞镖一样打在他的脸上，我觉得一定会很疼，可老家伙却连眼睛都没有眨一下，若无其事地又掏出一根火柴，重新把烟点着。

“他妈的！这些个臭婊子！”他愤愤地咒骂道，“加多了硝酸钠！”

他指的当然是那些他自己种的烟草了，这些对身体有百害而无一利的混合物在点燃之后会散发出垃圾或肥料燃烧的异味，我估计抽起来也没什么好味道。但是佩普却坚称他种的是正宗哈瓦那烟叶，他自创的配方也万无一失。更重要的是，他认为那些商店里卖的烟草没有一样能比得上他制作的这种，而且他也只喜欢抽这口。尽管味道闻起来有点儿恶心，但这自创的烟草也是他自给自足的例子之一。他从来没有发誓过要戒酒，所以我怀疑老家伙可能还在小棚子里自己酿酒来着，用一口大铁锅熬些“强身健体”的烈酒来对付寒冬，这种事佩普可是绝对干得出来的。不过也有人说佩普老早就把酒给戒了，他现在唯一的不良嗜好就剩下抽烟了。

“性生活简直就是一件被吹捧过高的奢侈运动！”他不知从哪儿冒出来这么一句。

“什么？”我被吓了一跳。

“我是说，性生活不值得被人们吹捧得那么高嘛。看看你们家邻居，那个老玛丽亚。”

“性生活？玛丽亚！她都九十多岁了，还能过什么性生活啊？她就是有那个心也……”

“你难道没看到她新安的假牙吗？”佩普老头打断了我的话，把头向后倾了倾，以便能更清楚地从贝雷帽下面看见我的反应。

“我……我知道她是安了假牙。”我结结巴巴地说，心想可别让邻居觉得我在别人背后说闲话，尤其是玛丽亚老太太的闲话。“我是说，我和艾莉的确看见玛丽亚有些变化，但是……”

佩普老头举起食指在嘴边嘘了一下，示意我声音小点儿。“大叔，别觉得有啥不好意思的。”（在西班牙口语里，这样叫一个人大叔只是为了表示亲切，和年龄无关。）他平静地继续说下去，口气像一个老大夫给病人下诊断书一样。“老玛丽亚已经粉碎掉她石膏一般坚硬的伪装啦。”看到我一脸困惑，佩普点了点头，然后有些无可奈何地撇了一下嘴。“是啊，用你们年轻人的话说，”他特意用严肃的语气很认真地告诉我，“这个老女人是完全疯掉了！彻彻底底不正常了。完全都是因为性！”

我开始哧哧地笑起来。实在忍不住。

可是老佩普还是一本正经，完全没被逗乐。他突然问道：“难道你怀疑性的魔力能对一个女人产生的影响吗？”

的确，性的魔力！我开始放声大笑，连原本在我脚底下打瞌睡的佩罗也被惊醒了，竖起耳朵冲我摇尾巴。可是佩普依旧一脸严肃。我知道我必须要克制一点，要不然会被他骂的。

“不好意思，佩普。”我一边拂去眼角的泪一边说道，“我不是在笑话你。只不过……”我又忍不住哧哧笑了起来，这一次，鼻子里喷出了俩鼻涕泡。佩罗充满好奇地歪着头，想知道我是怎么表演这么精彩的魔术的。可是老佩普却没有被我的鼻涕泡逗笑。

“笑吧笑吧！”他嘟囔着，“你就知道笑。笑个够吧。”然后他耸了耸肩，用一种不常见的冷淡态度对我说，“随便你。反正我也不在乎。”

我觉得老佩普是在等我向他刨根问底地打听老玛丽亚的风流韵事，而我的态度显然让他失望了。虽然表面态度冷淡，但明显他是本打算一吐为快的。于是，我决定学老佩普的样子继续聊一会儿。

一阵阵敲打杏树的噼里啪啦声又一次从农场后面传了过来。老佩普挑了挑眉毛，表情依然是冷的。他咳嗽了两下，喷出来的烟气在傍晚温热的空气中慢慢升腾，在他头顶上氤氲成一摊，好像一朵小小的云彩，又好像天使头上的光圈，我的脑海里立刻浮现出“大烟囱佩普天使”这个名字。不过，既然佩普对异性的吸引力或是异性对他的好感已经被承认了，他能成为圣人似乎是件不大可能的事情。不管怎样，我还是不大相信玛丽亚老太婆会为了佩普这样的大老粗发疯。可是话又说回来，我倒真是听人说起过这两人之间暧昧不清的关系，正是因为一段老佩普做男主角的风流韵事——还是三角关系的风流韵事——老玛丽亚才和弗朗西斯卡·费雷尔结下了梁子，直到现在两人还是势不两立。空穴来风，未必无因，谁知道到底是怎么一回事儿呢。我的好奇心慢慢战胜了理智。

当我正准备就老玛丽亚的新假牙这个话题继续聊下去的时候，佩罗无心地加了一段小插曲进来。它睡意蒙眬地打了个哈欠，伸伸懒腰坐了起来，又打了一个哈欠，开始四脚朝天地在院子地上蹭后背，后腿伸得直直的，两只后爪悬在空中，耳朵像迎风奔跑的惠比特犬一样紧贴后脑勺，嘴巴扭曲，显得有些狂躁。我们以前在苏格兰的时候养过一条老牧羊犬，它有时候就这样在草地上蹭背。可是佩罗是在满是砾石的土地上蹭，我觉得这要不是感染了寄生虫，就是屁股上的褶子太痒了。佩罗的情况看起来是两者都有，不过有句老话说，缺心眼的不知道疼，佩罗就是个典型例子。

“狗在心满意足的时候都会这样。”佩普一边充满怜爱地看着佩罗在地上一圈圈地打滚，一边说道，“看，这表示它对周围的环境感到安全和信任。”

“不会是寄生虫吧？”我小心地试探。

“我养过这么多条狗，还没见过哪条生了寄生虫呢！”佩普老头自信满满地宣布，并且提醒我他已经为狗做了“纯天然的”免疫措施。“以前不就告诉过你嘛。大蒜，用这个来对付寄生虫可比你们那些人工合成的药片管用得多。我昨天刚给这个小家伙喂饱了大蒜。”他一本正经地告诉我，说完之后，皮革一般粗糙的脸上浮现出傻兮兮的坏笑，谁知道他又在打什么歪主意。佩普把嘴里叼着的烟头在裤子的兜盖上掐灭。“我可告诉你，多吃点儿大蒜，连男人都会被烧得心急火燎的。”他冲着我眨巴眨巴眼睛，意味深长地说，“哥们儿，我从来不骗人。”

他试图用这样的方法把话题笨拙地转回到玛丽亚和她那漫长冬季之后的第二春上，我刚想接下话茬一探究竟，院子里的骡子就开始捣乱了。原来，佩罗蹭到了四轮车后面，原本站在栏杆中间睡得好好的骡子被它嗖嗖的怪异滑行声惊着了，猛地拉了一下车。这一拉可坏了，靠在小车上的佩普突然失去了平衡，他两手抱着右腿的大腿骨，大叫着摇摇晃晃向一侧倒下去。我赶忙跳过去，想要扶一下，以免他受伤。可还没等我靠前呢，他自己就支住了身子，也恢复了镇定。是啊，这点儿小事就靠别人搀来扶去可不符合老佩普的脾气。我突然想起一个最近传得很盛的谣言。这个夏天最热的那段时间，有好几个礼拜，我们谁都没有见过佩普。一开始，大家都以为是白天太热了，佩普肯定躺在小木屋里乘凉呢，等到黄昏日落，天气凉快些，他才会出门，像往常一样赶着羊群去山谷里吃草。这没有什么好奇怪的。那段时间，天气实在是异乎寻常的潮湿闷热，连弗朗西斯卡·费雷尔这样土生土长的马略卡人都在抱怨这是百年不遇的魔鬼蒸笼天。我们几乎每个人都会在正午天气最热的时候躲在家里睡午觉。也是弗朗西斯卡·费雷尔告诉艾莉的，佩普在梯田上放牧时，被一头发疯的小公牛从后背上顶了一下，头朝下从山上摔了下去，伤着了腿，现在正一动也不能动地躺在家里养伤呢。自然而然，这样丢脸的事情佩普是不会愿意让大家都知道的。这种突如其来的灾难，与其说是肉体上的折磨，不如说是件会被人当作笑柄的难堪事，尤其是老佩普，这对他的牧羊人形象可是有很大损害的。

“是榴霰弹伤的。”他一边揉着大腿骨一边对我说，“内战时候的事儿了。”

我什么也没说。我怀疑老佩普连军装都没有穿过。可是这个老家伙一本正经的样子，让人看不出一丝撒谎的迹象。

“老伤时不时给我找麻烦。”他继续说道，“平时一点儿都看不出来迹象，可是说犯就犯。老弟，这玩意儿跟龙卷风一样，完全说不好什么时候来。犯起病来真是要了我的老命了！”

“是天气一有变化就犯病吗？”我试探地问，想看看他会不会上钩。“一要下雨就腿疼之类的？”

佩普一口咬住我的诱饵，挂在了鱼线上。“不，不。和下雨没什么关系。”他不假思索地说，“跟你说实话吧，有时候天太热了反而疼得更厉害。”老家伙有些迫不及待地顺着我的话脱口而出，“今年八月份最热的那会儿，我连家门都出不去。可真是疼死我了。”他透过香烟的薄雾斜着眼看我，脸上写满了“你还想知道更多吗？”的表情。

我顺势热心地接着问道：“那老玛丽亚的假牙和这事儿有什么关系吗？”

佩普马上接了我的话：“这老太太虽然有些怪癖，而且小毛病也不少，但是的确是一个难得的好邻居。”他有点儿勉强地承认，“我告诉你吧，她一听说我摔——不，不，老伤复发了，就立刻赶来看我啦。”此时，佩普的语气里多了几分故弄玄虚。“她是来帮忙的。你知道，女人都很擅长干家务活，捡捡鸡蛋、给山羊挤奶、喂喂鹌鹑之类的。”他一边点头，一边把烟头在地上掐灭，然后揉了揉鼻子，接着说道，“可谁承想呢，没过多久这老太婆就性欲大发啦。”

还没等我接话呢，佩普自己就继续说下去了。“有一天，天气特别热，我正躺在床上歇着呢，玛丽亚就不请自来了。我当时腿疼得厉害，躺在床上根本动不了。她说想把这里简单收拾一下。可是我一看就知道，这不过是女人狡猾的借口罢了，她就是想找个戒口进我卧室的门！”

“我可是见过世面的人。她那副样子，就跟我养的母羊发情时一模一样。她一进屋就使劲儿闻啊闻的，跟那些母羊一样！”佩普的表情非常严肃，“简直太色了。很明显这老太婆当时已经欲火焚身了！她那鼻子一个劲儿地嗅，还撇着嘴，太典型的发情症状了。要知道我可是养了这么多年牲畜，对这方面还是很了解的。”我已经忍不住要放声大笑了，只好用手捂住嘴，以免破坏了老家伙讲故事的兴致。还好，佩普全神贯注地回忆着，没有注意到我的反应。

“那是我第一次看见她的假牙。白得都不正常，直发光，就像一对亮闪闪的萤火虫，热血沸腾准备大干一场！”我装着咳嗽，又一次把手挡在了嘴上。佩普完全没注意，他马上就要讲到故事的重点了，情绪高昂得很。“那天真是太热了，我就没穿外衣，只穿着羊毛内衣躺在床上，那可是内衣啊！”我知道他那套羊毛内衣，是夏天穿的薄款，每年从五月初到十月份下雪，佩普一直只穿这一套内衣。

“‘把衣服给我脱了！’老太太一进屋就冲我喊道，我的老天哪，我跟你说老弟，她那副样子，用你们年轻人的话怎么说来着？控制不了她自己了！”

如果真如老佩普所说，当时他穿着那套五个多月（而且还是一年中最热的那五个月）都没有洗过的内衣，那么老玛丽亚走进这间严重缺氧、气味好似臭鼬窝一般的小黑屋时会失去控制也是情理之中的。更何况，老佩普还喜欢生吃大蒜。我相信，身处这样一个环境的玛丽亚是绝对想不到性事的。她之所以会对佩普大喊大叫，让他把衣服脱光，肯定是因为老太太实在是忍受不了了，她想把佩普臭不可闻的脏衣服丢进洗衣盆里。我是这么来看这件事的，但很显然，佩普有他自己的理解方式。

“她简直就是一个疯婆娘嘛。”佩普大声嚷嚷着，“跟个发情的野猫似的，冲过来就抓我的裤腿，想把裤子拽下来，还一直喊着‘把衣服给我脱了！’‘把衣服给我脱了！’我当时一个猛子就从床上蹦起来了，比腿脚利索的人跑得还快，一下子就冲到院子里了。”他一边自嘲，一边紧紧地皱着眉头，“她以为安了两颗假牙就能勾引我这么正派的男人了吗？她就是再装几颗也没用！你都不知道啊，她那副样子，活脱脱一个女色鬼嘛！”

我几乎要忍不住放声大笑了，尿意也紧随而来，真后悔来看佩普之前没有去一下洗手间。我把腿盘起来坐着，突然开始体谅起佩罗来，但是我不像它那样可以随时随地解决问题，只能强忍着，不让自己落下小便失禁的名声。我不想说话，也不知道该说些什么。还是老佩普无意中助我脱离了困境，他突然对我说他现在很忙，没有太多时间跟我闲谈了。我顺从了他的意思。看起来老家伙心情不错，他可能是觉得我一直很配合地在听他讲故事，更重要的是，这段故事既展现了他的男性魅力，又刚好遮掩了他被公牛撞到山下的丑事。

“老弟，”他手里攥着骡子的缰绳，准备出门再拉一车杏仁回来，“再见了哦！”

“再见！再见！”我刚转身离开，就开始哧哧地笑了起来。你永远都想不到和这个老顽童聊天能收获什么，但一定是每次都不会失望，聊天结束后心情总会变好很多。谁都猜不到老头子是在正儿八经地和你说话，还是在开玩笑。但是对我来说，这都不重要，听听老佩普打趣总是那么欢乐，是我一天生活中的精彩时刻。

我都要走到门口了，突然听见他在后面粗声粗气地喊我。

“老弟！”他大声叫着，“你忘了你来这儿是要干什么了吧？”

是啊，我光顾着乐了，都忘了自己是为什么来找佩普的了。

还没等我回话，佩普就说道：“在那个木料堆下面，看见那些露出来的竹条了吗？那儿还有一张接杏仁的网。我就知道你会来找我借的。当初买房子的时候，我敢肯定那对吝啬夫妇是不会给你留下什么东西的！”

“太谢谢你啦，佩普！”我为他的细心和热情竖起了大拇指，“非常感谢！”

“这没什么，用不着这么客气！对了，忘了说了，那张网破了一个大洞。记得让你老婆给补上啊。这帮女人就擅长干这样的手工活儿。”

“明白啦！”这一次，我竖起的大拇指是对佩普表示赞同。另一方面，我在心里暗暗祈祷上帝，别让艾莉或是玛丽亚听见这段话才好。

“哈，还有一件事儿，老弟！”佩普都快走出他家院子了，突然对我喊道，“老玛丽亚的假牙，实在是非常奇怪啊。你不觉得吗？那牙……怎么说呢？有点儿太不自然啦！”

这话怎么听着这么耳熟呢？

我晃晃悠悠地拖着那张大网还有几根抽打杏树的藤条，还没走到“市长府邸”门口呢，艾莉就急火火地冲出来迎我了。

她一见面就气喘吁吁地对我说：“今天晚上你必须赶快给橘子树浇水了！”艾莉满脸笑意，脸颊红红的。

“让我猜猜……你不会是中彩票了吧？我们全家马上就要去巴哈马群岛度假了？”

“不对，比中彩票还要好！是森迪！他刚才突然给我打了个电话，说是要飞回来啦！就在今天晚上！”

我也忍不住咧着嘴大笑起来：“你没骗我？”我有些不敢相信，想要听见艾莉肯定地回答我，这是真的。“他没说……没说几点钟到。这孩子是在爱丁堡国际机场的出关口给我打的投币电话，刚说到一半就没钱了。不过森迪说他是临时搞到的票，飞到帕尔马的。”艾莉已经高兴得不能自已了，她从我手上一把抢过藤条，大声地催我：“快点儿，去给树浇水！咱们马上就要出发去机场啦！”

— 6 —

回家来，回家去？

作为一个典型的成长中的十八岁少年，森迪在航站楼出口看到我们后，第一句话不是“真高兴又见到你们了”，更不是“回来真好啊”，这孩子一出来说的第一句话是：“哎呀，饿死我了！什么破飞机餐，就一根锯木屑似的香肠，六颗瘪了吧唧的豌豆，再加上点聚苯乙烯似的土豆泥，连耗子都喂不饱。对了，还都是凉的。告诉你们，我饿到连砖头滚过来都恨不得啃它三块！”

篷塔松瓜尔餐馆几乎是直接坐落在帕尔马机场主跑道的航线下面，离航站楼也就短短一段车程（如果你知道那些小路的话）。艾莉和我想，这地方应该够近了吧，肯定能让我们赶在森迪死于营养不良之前好好地填饱他贪婪的胃。这家餐馆的外表很是低调，你匆匆经过时绝不会朝它看上第二眼。它唯一的“外在资产”大概就只有点缀着风车的马略卡中央平原了。之前，资深老饕乔克·彭斯向我们提过此处美食的良好口碑。他自己也是从朋友那里辗转得知当地人几乎都认为这里的美食物超所值，可他们却一个个防贼般地守着这个秘密。当然了，什么事情一旦被乔克知道了，还怎么可能保密呢？

世上总有些鲜为人知的好东西，篷塔松瓜尔餐馆——或者说“羊腿肉”餐馆，这个别有深意的名字是它慷慨的赞助人起的——就是其中之一。这才是真正意义上的食府，老板雷打不动地坚持做自己最拿手的美食，并费尽心思地努力比别人做得更好，最关键的是价钱上还童叟无欺。米克尔·塞拉能把马略卡人公认的最平凡无奇的家常菜做得别出心裁，人们都把这些太常见的菜视作理所当然，也不会想到把它们收入当地美食年鉴。这里的当家菜是烤羊腿。这里的成功秘诀呢？就是“简单”，还有米克尔的天才决策：摒弃现代化厨具，用石砌的、烧柴的烤箱来烤肉，那烤箱就跟以前西班牙乡下家家户户厨房里头的一模一样。

米克尔的英明决策不仅为他赢得了美誉，还带来了实实在在的财富。篷塔松瓜尔餐馆家的菜肴声名日益卓著，他和搭档马蒂亚斯最后不得不开间更大更体面的餐馆，名曰“马蒂亚斯 & 米克尔记”——还真是名副其实。新餐馆也在这条路上，只不过背对市郊。地段选得非常好，每到饭点，停车场车满为患就是这片福地绝佳人气的明证。即便是现在，除非是赶时间去集市，否则人们还是愿意在“羊腿肉”度过星期天的午餐时光，完全忽略掉餐饮业那些与它竞争的花哨后生。每到周末，帕尔马的大量人口就蜂拥至乡下。若想在马略卡的周末品尝美食，星期五晚上就得订好位子。那天我们还是够幸运的，在晚上十一点、西班牙繁忙的饭点，我们带着快饿死的森迪竟然找到了一张空桌子。

素食主义者当心！烤肉馋人的香味能冲破雪茄的浓雾，要知道那烟雾可是浓到你得动用肩膀才能挤进餐馆。只要一进门，你马上就会发现，这里的就餐环境绝对不是吸引食客结伴而来的理由。所谓的“好餐馆”，就是这样：繁文缛节抛诸脑后，人间诸形皆被宽恕。这里只有一个不起眼的小房间，摆了些不起眼的桌椅板凳，桌上堆了些不起眼的报纸，墙上挂了些不起眼的画，顶多比光秃秃的墙皮好一丁点儿。唯一可供观瞻的只有窗外大型喷气式客机降落在附近跑道上的景象。但即便飞机的引擎声再大，餐馆里喧哗热闹的交谈也能盖过它。这大概也算得上是在西班牙公共场所用餐的一大特点。

至于森迪这次回马略卡是否打算长住，从机场出来这一路上，我们谁也没有提。尽管我和艾莉都很想知道儿子究竟是怎么打算的，但还是觉得最好什么也别问，等森迪觉得时机合适了自己就会说出来。好在餐馆上菜够及时，关于这件事的讨论看样子还能再往后拖一拖。在马略卡下馆子，如果没有新鲜橄榄、硬皮面包和蒜味蛋黄酱，就不能叫下了马略卡的馆子。菜很快就被装在一个大的公盘里送了上来，烤盘上的大虾简直就是件冒着热气的粉色艺术品——上面均匀地淋了一层橄榄油和柠檬汁，还细细地撒着盐和香草，配着厚厚的柠檬切片作装饰花边。我说，装在公盘里可是大家一起吃的，而且从分量上看也的确是的，不过森迪的饥饿程度导致这一说法只能停留在纯粹的理论层面。艾莉和我饿得看到这盘菜就不行了，但既然身为一个十几岁男孩的父母，在饭量上还是得做出点牺牲。不管怎么说，看着森迪归岛后的第一餐吃得虎虎生风，我们还是打心眼里高兴的。只见他一把扯下虾头，吸溜着里面热乎乎的烤汁（这可是地道的西班牙吃法），然后灵巧地剥掉纸一样的虾皮，把那美味的月牙形虾肉塞进嘴巴，那模样绝对是最标准的狼吞虎咽。

“感觉森迪压根就没离开过。”艾莉一边在我耳边悄声说，一边用她充满爱意的目光带劲地看着我们大儿子的吃相。

“这才只有该死的两个星期，”我嘀咕道，“两周内他是不大会忘掉怎么暴饮暴食的。”

最后，公盘里总共只剩了两只完整的虾。

“我，呃，我以为你们吃过了。”森迪在注意到盘子里剩给艾莉和我的残骸相对少了点之后，是这样解释的。“吃啊，”他倒是挺大方，“你们多少也吃一点啊。哎呀，你们知道的，在我这么大年纪的小伙子里，我的饭量还算是小的呢。”

艾莉只是摆了摆手，我也摇了摇头，还是算了吧。森迪耸耸肩，一副随便你们的样子，然后就把注意力放在了自己的消化系统上。我忍不住想建议他不妨试试老佩普总是用来给狗治消化不良的大蒜疗法，不过，考虑到用餐礼仪，还是作罢了。

想起上次在赛尔莰牧大吃大喝的样子，艾莉和我到现在还有些许负罪感。这一次，我们不像森迪一样抵御不了诱惑，去点米克尔拿手的羊羔腿做主菜，而是选择了烤羊排。这道菜同样美味，但在腰围问题上，却可以让我们好受很多。马略卡岛的羊羔跟它北方的同胞之所以不同，主要是得益于当地的气候条件，少雨导致了天然草料匮乏，这就使得“干燥”的羊肉生产国规定羊必须在还是羊羔的时候就送去屠宰。另外，马略卡岛的羊天生苗条，确保了羊羔的肉质既嫩滑又全无肥厚的脂肪。要知道肥厚的脂肪可是一直以来只有真正的英国羊才具备的优良品质。这样的好东西，再加上高超的烹调厨艺，就变成了美味多汁、入口即化的佳肴，而且绝对不会有那种（通常是些又老又瘦的羊）硬邦邦的口感，更不会裹挟着一股羊膻味来勾起你昔日手洗旧羊毛衫的回忆。当然了，想吃完美的马略卡羊羔必须仰仗地道的烹调手艺，而在这一点上，再没有什么地方能比篷塔松瓜尔餐馆做得更好了。

森迪轻蔑地瞟了一眼我们的烤羊排，好像在说那点分量就跟他之前的飞机餐一样，连耗子都喂不饱。菜尽管分量不大，香味却一点儿也不少。羊肉经历了正宗的西班牙烹调，木炭烤架的强温很快就可以使肉色变棕，外酥里嫩。最后，炉火里橄榄木的浓烈气味还会为马略卡的神奇风味添上重重的一笔。

即使是马略卡那种肉质很瘦的羊腿，要想一个人吃完，你至少也得有个成年男子的胃。照这样看来，森迪不费吹灰之力就将那么大一盘的羊腿吃得干干净净，已经证明他不再是个男孩子了，至少在食量上不是了。真是多亏了那石头砌的烤箱，这样的老厨具真是无与伦比，羊腿烤得恰到好处，外面脆得像羊皮纸，里面却保持了一股风味绝佳的湿气，直透到骨头里。配菜也秉承了米克尔的“简单”原则，金黄色的烤马铃薯，还有一碗马略卡风味的经典沙拉，甜丝丝的洋葱，口味温和的青椒、番茄、梨和泡菜，拌上了橄榄油和马齿苋风味的醋，清新又爽口。这样的美味实在是难以言传，你可以做的也只能是尽可能详细地描绘它。或许你会觉得这里的食材还有待改善，可是那些所谓的改善只会磨损这份平易与谦和，妨碍它发挥自己独特的魅力。

森迪咂着嘴巴咽下了最后一口鲜美的羊肉，然后宣称：“你们知道吗，我以前还不觉得，但自打咱们搬到这儿之后，苏格兰最让我怀念的就是吃的了。”

艾莉和我斜瞥了他一眼，然后又狐疑地对视了一下。森迪吃得还不满意？该不会是因为心里不痛快才借题发挥、大发牢骚吧？

“告诉你们吧，”他说，“我回去之后第一件事就是跑到快餐店里，点了一份白布丁。哇哦，那味道太棒了！”

我一点儿也不敢低估苏格兰的美食诱惑（其实我最喜欢吃白布丁了），苏格兰那种白白的、粉质口感的布丁，是一种香肠式的食品，主要成分是燕麦，几乎不加什么调料。这东西听起来似乎平淡无奇，可一旦经过油炸，再配着淋满刺鼻棕色酱料的薯条一起包在纸里从柜台后面递给你时，你会发现它简直可以跟它那起了个虐待狂名字的近亲兄弟羊肉杂碎布丁相媲美。那真是地地道道的人间美味。但是，我告诉森迪，拿这种举世闻名的吃食跟马略卡农家饭相比，似乎有欠公平。

“哦，是呀，我双手赞成。”他欣然让步，“老实说，一回马略卡就吃到这样美味的大虾和羊腿，一切都如我所料。”

“嗯？”

“真的！一点儿都不含糊，我早就猜到马略卡也有跟苏格兰一样好吃的东西！”

看来，米克尔和马蒂亚斯这样的厨艺高手想让森迪那苏格兰格子呢风味的舌头百分百满意，还有很长一段路要走呢。不过我敢保证，当他们得知自己在森迪心中地位上升了不少时必定会如释重负。情况本可能更糟的。想象一下吧，森迪本可以拿他们“简简单单”的菜和其他苏格兰的美味相比的，比如油炸巧克力。

“那么，森迪，这是不是说你还挺乐意回来的？”艾莉开始试探着询问，其实她还想知道得更多。

“那还用问吗？”森迪搓搓手，咧嘴笑道，“我当然乐意了，一下飞机那股熟悉的热气就扑面而来了，你们知道的，我是说，尽管我不知道那股味道到底是什么，大概是松树啊野香草啊或者别的什么东西的味道，反正跟别处闻到的就是不一样。呃，如果你们能听明白我想说的是什么。那个味道甚至透过机场喷气机燃料的臭味都可以闻得到。哇哦，真是妙不可言！”

我知道艾莉接下来想问什么，于是我在桌子底下轻轻碰了碰她的腿，好制止她。可惜我的担心又是徒劳。艾莉的脑袋早已遣词造句好，不假思索就脱口而出。

“这么说你这次回马略卡就不走了，是不是？”艾莉问道。她的眼睛此刻亮得就像圣诞节清晨等待拆礼物的小女孩一样。我敢说，只要森迪说个不字，她的心立马就碎掉了。好在值得称赞的是森迪也意识到了。

“呃，关于这件事嘛，这几个星期以来，我想了很多。”他说着，望了他妈妈一眼，一点儿也没让步，“我有很多想法，不过……”森迪打住了，很不自在地往椅子里挪了挪，拨弄着水杯里的吸管。

“不过，不过什么呢？”艾莉鼓励他往下说。森迪对她笑笑，轻轻拍了拍她的手背，像这样流露情感的身体语言对他来说还真不常见。“大概回去之后我得好好想上两天才能给你答复，”他轻声说，“好吗，妈妈？”艾莉竭力掩饰着她的失望，点了点头，勉强地笑笑表示赞成。

“好啦，”森迪说着，下定决心似的双手合十，四下寻找服务生，“让咱们看看他们今天菜单上还有什么甜品。哎呀，我还是饿！”

这时，我真的建议他去试试佩普的大蒜偏方。

“天哪，我可受不了那股大蒜味，”森迪的反应甚至有些滑稽，“不过这倒是提醒我了——狗蛋在哪儿呢？”

艾莉的表情从失望转为莫名其妙。

“大概是指他弟弟吧。”我试图向她解释道。

“但是，这跟查理有什么关系？”她有点明白了，表情从莫名其妙转为迷惑不解。

“小伙子之间开玩笑。你知道的，起一些有点儿难为情的诨名，骂骂咧咧但没什么恶意的那种。”我说。

“就是就是，妈妈。”森迪咧嘴笑道，“查理的哥们儿在学校里直接管他叫狗蛋，不过你别担心，倒不是说查理那儿真有猎犬的那么大……告诉你，他们说第一个这么叫他的是个十六岁的美国妞，他们叫她得州女牛仔……”

“女牛仔？”艾莉表示怀疑，“马略卡的英语学校里有女牛仔？”

“对啊。”森迪脸上恶作剧似的坏笑变本加厉。

艾莉简直吓呆了。她扭头望着我，眉毛已经焦虑地拧在了一块儿。“但是查理才十二岁呢，彼得。他还是个孩子啊，会让一个十六岁的姑娘知道他那儿有……亲爱的，告诉我，这不是真的……”

“当然不是，艾莉，”我小心翼翼地将双手交叉，向她保证道，“森迪开玩笑呢。”

“是啊是啊，可话说回来，查理他人呢？”森迪反问道，“忙着看电视忙到来机场接他老哥的时间都没有吗？他从来都是这副鬼德行！”

对于查理此刻的行踪，森迪尽管语带讥讽，倒还是颇具预见性的。我们这两个儿子里，其实是森迪在全家刚搬到马略卡的时候表现出了无比的兴奋。

“海滨派对！”森迪咽下一口吃的，“又跑去参加富翁的海滨派对了吗？”紧接着的是一连串愤怒的叫骂。“查理一直不就是这样？”他还要说，“最开始，他在马略卡待了两分钟不到就想滚回苏格兰奶奶家，如今倒是在这儿扎下根了，都攀上有钱人的高枝了。告诉你们吧，查理这种人，就是掉进粪坑里，爬出来时身上还能带着空气清新剂的味儿！”

一说到弟弟在这里已经开始了无忧无虑的新生活，森迪言辞间的愤恨之情就再明显不过了，更何况此时此刻他自己还在马略卡和苏格兰之间进退两难。其实，艾莉和我对他的困境心知肚明，还有更重要的原因——两个儿子处在不同的年龄段。查理进了新学校，来到一个全新的环境，于是，他的生活有了新的转机。他因此交到了很多讲英语的朋友，那些孩子绝大部分都是各国移民的子女。森迪就不同了，一直觉得自己有点格格不入。他一直和我们在偏远峡谷的小农场里干活，那里的居民大多是土生土长的马略卡人，根本不会讲英语，基本上还都比他大上几辈。虽然附近海滩上有的是跟他年纪相仿、会讲英语的人，但他的问题丝毫没有得到解决，至少在夏天还没有。那些年轻人都是来度假的，在岛上待一个星期，晒晒太阳轻松一下，他们更乐意站得远远的，对人指手画脚，跟小农场里帮父母干活儿的森迪不会有什么共同语言。其实，艾莉和我真该庆幸森迪没有被他们吸引过去，庆幸他没有成为岛上第一个陷入花花陷阱的青年移民。我们维持四口之家的收支平衡已然不易，哪儿还敢奢谈什么放荡的海滨生活？我们现在只能祈祷，小查理在这方面能像他哥哥一样规矩——尽管他已经被人叫“狗蛋”了。

在马略卡找一个同龄人分享对园艺的热衷，这对森迪来说实在是太难了，无论他怎样努力，到最后都是徒劳一场。事实上，如今还愿意在农场干活儿的马略卡小伙子已是稀有动物了。其实森迪自己也试着去融入了，去年冬天他一周两次穿过半个马略卡岛去和当地足球队进行训练比赛。可惜，那球队最后解散了。或许就是这件事实在让他受不了，逼得他最后跑回了苏格兰。他怀念现代化、机械化大农场的环境，那比我们现在的农场规模大得多，先进得多，而且那也是他熟悉的环境。最重要的是，森迪是个聪明的孩子，他早就清楚，我们想凭借这个破破烂烂的小农场发家致富，过上体面日子，光靠拼命干活是远远不够的，还需要与之程度相当的好运气。森迪权衡了一下我们家所处的闭塞环境，也权衡了待在这里的好处，但这好与不好由不得你挑挑拣拣，想多了反而把事情搞复杂了。是的，森迪真的很难决定，为了对他公平些，我们还是给他足够的时间好好想想吧。今天晚上，最重要的就是让他感觉回到马略卡、回到我们身边是件多么美好的事情，无论他这次停留多久。

好吧，尽管这里的甜品是不可能比得上羊腿的，我还是叫服务生把甜品菜单拿过来了。

在大型收割机顶上那空调控温的玻璃茧里，人们动动指尖就能轻松操控机械化、电子化的工作设备，如今在地中海地区，却要在炽热高温下全靠人力用长竹竿把杏仁敲下来，这两种处境真是天壤之别。虽然只在苏格兰待了几天，可森迪一回去就单枪匹马地在联合收割机和仓库之间不停不歇、来来回回地运了好几吨大麦。除了转动拖拉机方向盘，拉拉座位边的液压杆倒空麦子之外，他基本上就没什么别的动作了。但在马略卡收杏仁的最后那几天，他几乎感觉自己流的汗跟他收的那些果子一样多。其实手工劳作比运上几吨大麦更累人，光是躲开那些杏树的枝丫就能让人腰酸背疼，在你的肌肉习惯这种劳作之前，那种酸痛简直让人度日如年。更让人郁闷的是，头顶传来木杆打中杏仁的悦耳声音，但在你开始收的时候，转瞬间这就能变成恼人的噪声。簌簌而落的细枝末梢和冰雹般的树皮灰尘不是迷了你的眼睛，就是掉进了你的衣领里。管它是落在哪儿了呢，落在哪儿都不可能让你收杏仁的心情很好吧！

“我好像在书里看到过，在美国和澳大利亚，有人把机器装在拖拉机上采杏仁。”刚用木杆敲了二十分钟，森迪就说，“那些机器三下两下就把这些乱七八糟的细枝都剪了，然后使劲儿摇树——对，就是那么干的。哪像咱们这么原始，还用这种破杆子。”他擦了一把额头，又揉了揉脖子，“呸，简直就是史前的干法。”

森迪说的“新世界”收杏仁的办法自然是千真万确的，但他可能不知道，马略卡农民从未停止过生产工具现代化的步伐。但有两个因素一直制约着他们。首先，在美国和澳大利亚，那些杏树都是经过特殊培植的，为的就是让它们能经得起机器收割时的粗加工。而马略卡岛上的传统品种可受不了这份机器绞断枝丫、拼命摇晃的折磨。岛上的试验田早已向人们证明，果树根部受损的程度严重，任何一种能让果农轻松点的采摘方式都有可能会切断它们的生命之源。另外，马略卡的许多果园都建在梯田上，就算果树能受得了机械化收割的粗暴对待，特殊地形也会让你不得不放弃这种不切实际的方式。或许有那么一天，那些对机器亲善的果树会取代马略卡土生土长的品种，但在“市长府邸”的小山上，在秋天杏仁成熟的季节，必定还是能听到竹竿敲在树枝上的声音。

“你已经很幸运了，我们总共也就这几棵树让你头疼。”我让森迪试图想想事情好的一面，“至少咱们的活儿还有干完的那一天。”我点头示意他往乡间小路那边瞅瞅，“想象一下，好歹咱们没跟老佩普一样有那么多杏仁要收。”

森迪哼了一声算是回答，不过我知道他心里是怎么想的。你一生下来，这世界的某个角落就注定有那么一片特定的土地等着你去耕作。在太阳暴晒的澳大利亚内陆有机械化的收割队，在苏格兰高地暴风雪袭击的半山腰上有照顾母羊产崽的牧羊人，他们大概没想过易地而处吧。同样的道理，要是让老佩普开着内燃拖拉机纵横在广阔的麦田上，就算麦田比他那片峡谷宽阔得多，他的心情恐怕还是会跟森迪在马略卡小小的杏林里挥舞竹竿时一样郁闷。其实，老佩普那种一成不变的生活方式注定会慢慢被时间淘汰。森迪这一辈的马略卡人不愿继续在农场干活，实际上也证明了这一点。而且，看着森迪费劲摆弄着他认定为史前遗物的家伙收杏仁，我心想他和我们留在“市长府邸”的可能性大概更加渺茫了。或许，我们在这里一家团圆、共同开始新生活的梦想只不过是个拙劣的构想，不论这片土地有多么诗情画意，这里的气候有多么清新宜人，这种远离尘嚣的生活方式有多么令人羡慕。

在工作的气氛濒临沮丧边缘的时候，艾莉从家里走向田间的身影总能带来莫大的宽慰。她端着托盘，上面放着一个大水壶和三只玻璃杯。邦妮在她身边兴奋得一蹦一跳，快乐地咧着嘴，小尾巴一摆一摆的，正如所有拳师犬的尾巴一样。它望着艾莉的样子，充满了满足、信任与欢喜。艾莉和邦妮每次都出现得不能再及时了，那景象真是振奋人心。我低落的情绪立刻就被重新点燃了。这几个月以来，艾莉已经习惯把她的“工作服”——其实是件软塌塌的T恤——套在比基尼泳装外面，她的皮肤已经晒成了健康的古铜色，这得益于我们夏季享受到的地中海气候。艾莉的笑容下面是和邦妮一样的幸福，只不过表现得没有那么多姿多彩、引人注目罢了。自从去年冬天搬来这里，我们的的确确面对了这样那样的一堆问题，在将来无疑还要应付更多麻烦，但每当九月的早晨阳光明媚，艾莉和邦妮从一排排果树间走来，那幅美好的画面都在告诉我：我们是多么幸运啊，竟然有机会享受到这种梦境中才会出现的生活。每当我怀疑自己的决定时，就是这样的美好时刻坚定了我的信念，让我相信一切都会好起来的。

“来点柠檬水吧。”艾莉喊道，“喝上一杯凉快凉快。”她顺手就从路边的树上扯下一个柠檬，“我把它切成片放到杯子里泡水，没什么能比这更清爽的了。”

她说的千真万确。柠檬树是造物主多么体恤人心的创造啊，体贴地为你送上成熟的果实，同时不断孕育新的取而代之，就像一条无穷无尽的循环生产线。我早已理所当然地认为，从树上揪一只柠檬下来就跟晚上喝上一杯杜松子酒一样稀松平常。它容易得几乎就跟从冰箱里取冰块似的，而实际上，在一年中的大半光景也的确如此。是的，柠檬树真是个了不起的东西，我举双手赞成。

霍尔迪对我说过，要是你喜欢柠檬树，也想种一棵的话，你只需要切一根树枝，然后把它枝叶埋进土里倒插着，就大功告成了。过不了多久，茎节就会生根，很快就能长成一株新的小树，像它的母树一样开花结果。一开始，我没把霍尔迪的话当回事，我以为他是在跟我这个容易上当受骗的老外开玩笑。直到后来，在安德拉奇镇的农用品商店碰到几个老农后，我特地向他们询问了霍尔迪的方法。他们很肯定地对我说，这绝不是说着玩儿的，其中一个老农还告诉我，这个“把戏”还能用在无花果树上。

“对，没错。”那个老农像圣贤似的点了点头。“千真万确。”他反复强调道，他自己就这样干过好多次了。“这当然是真的了，不含糊，绝对是真的。”

是的，他就是这么说的，而且说得特别认真。不过，在我要开始行动的时候，我忽然想起了另一件事，老佩普或玛丽亚会不会在墙那边探头探脑，带着一副跟我倒插柠檬树枝时一模一样的好奇神情。一想到这儿，我立马就打消了种柠檬的念头。我可不想这事弄到最后，所有人都觉得我是个好糊弄的傻瓜，还对马略卡故纸堆里老掉牙的鬼话信以为真。那股傻劲活像第一天去做工的学徒，一进门就被已经出了师的前辈支使去买上一桶油漆一样。尽管如此，插枝种树这件事的神奇魅力依旧在我脑海中挥之不去，等到有机会，我还是要找个机会将好奇心付诸行动。

玛加丽塔·德弗雷塔斯·巴尔梅斯是一位优雅高贵的西班牙女士，她是一位帕尔马富商的妻子，同时也是个溺爱孩子的母亲。她的儿子卡洛斯是查理的同学。他们家就住在学校附近，我们接查理的时候，她偶尔会从我们这儿买些新鲜水果。我可是从来没觉得自家的柠檬有什么与众不同之处，它们比起老玛丽亚家精心培育出来的果实可小多了。但经过初步调查取样后，玛加丽塔对我们发誓，我们家的柠檬是她尝过最鲜美多汁的，她可以不计较它们略显谦逊的个头。我久等的机会总算来了。我问她想不想自己也种上一两棵结着同样独特柠檬的树呢？没想到我一问她就答应了。可是，当她用近乎孩童般的天真相信了我的说辞，真以为我能用这种奇迹般的方法为她带来一两棵柠檬树时，我却有了一种不祥的预感。不过，冲动还是战胜了理智，我只能说到做到，把自家柠檬枝按照那种“奇迹的方式”种在了玛加丽塔家。

将自己千挑万选的十二根柠檬树枝种在玛加丽塔家的花园之后，尽管心里直打鼓，但我还是对她打包票，告诉她幸运的话，四棵里面就会有一棵生根发芽。我用满怀信心但实际上子虚乌有的说辞向她保证，这就是柠檬树存活的比率。玛加丽塔不知道，接下来的几个星期里，我每次路过她家，都会向她的花园里探头张望，向自然之母祈祷快让柠檬枝生根发芽。一星期一星期过去了，一个月一个月过去了，可柠檬枝什么动静也没有，甚至连叶芽都没长一个。玛加丽塔家最后搬出了圣阿古斯蒂，住在帕尔马城另一边。在此期间，我们在学校的停车场里碰见过好几次，但她从来没有提到过那些培育失败的柠檬树。我心里是明白的，作为一位礼貌周全的西班牙淑女，玛加丽塔顶多对我擦擦鼻子问个好。而我呢，作为一个胆怯害羞的苏格兰绅士，还是别提什么柠檬树为好。

最后，我决心不再想霍尔迪那套所谓的无性繁殖的说法，不过，爱管闲事的心又开始作祟。在玛加丽塔搬出这里几个月之后，我最后一次偷偷向花园里张望，这一次，我惊讶地发现，在我原来种下柠檬树枝的那一小片土地上，居然长出了四棵看起来非常茁壮的小柠檬树。不过，它们旁边还有四棵小橘子树。不可否认，这很有可能是房子的新主人从园艺中心买了些树苗来代替我种的那些乱七八糟的枯树枝。其实，我大可以敲门问个究竟，不过我还是更倾向于这样开放式的结局，这样至少能留下点可能性，无论这可能性是多么渺茫，好歹这场关于柠檬存活率的试验到最后结局还不算太令人失望。不过也有可能，当然仅仅只是可能，在某个月黑风高的夜晚，我还是会冒着被邻居看扁的危险，在“市长府邸”的某个僻静角落，将这项理论再次付诸现实的检验。

无巧不成书，我就是从艾莉摘柠檬的那棵树上剪枝种在玛加丽塔家的。当我再次提起那桩蠢事时，艾莉轻声笑了起来。就连森迪，一想到他老爸难以置信的傻气，也立马提起了精神。好在我倒是不介意，为了适应这里的新生活，我不可避免地干了不少傻事，早就被人笑话惯了。不过这些事倒是让我明白，你要是看不到那些蠢事好玩的一面，最好一开始就别离开熟悉环境给予你的庇护。

“看来去上农学院还是值的，这样就能知道那个该死的柠檬种植法到底是真是假了。”我一抓住机会就提醒森迪，这才是他眼下的当务之急。“要不然你一辈子都别想弄清楚霍尔迪说的是真是假。”

不过，森迪才不上钩。“是呀，”我们休息的时候，他盘腿坐在树底下，咯咯笑着，“你说得对，一辈子都别想弄清楚。”

艾莉和我也加入其中，一起坐在那张老佩普借给我们收杏仁的大网上。大树张开了蛛网般的枝丫，阳光穿过树缝丝丝缕缕地落下来，我们就坐在树荫下喝着自制的柠檬水。或许这的确是一种很原始的收获方式，不过，当你沿用那些你认定是老掉牙的方法来干活时，它却会带给你一些妙不可言的乐趣和满足，让你感觉好像不用借助时光机就回到了过去。真的，坐在果园里，坐在群山环抱的静谧之中，我们几乎感觉不到自己已经生活在20世纪末了。临近中午，农场里的拖拉机也歇了下来，开拖拉机的人都回家吃饭、睡午觉去了。山谷中能听到的只有回荡在树林里的鸟叫，松树荫下躲太阳的狗懒洋洋的呼噜，还有矮脚鸡从农家小院直传到峡谷谷底的真假嗓交替的小调。就算是有人骑着机动脚踏车，用独具西班牙特色的噪声打破这里的宁静，也不会折损这片景色半分的美好。此时此刻，就算有一队古罗马军团走过这片乡间小路，你也丝毫不会显得突兀。在一瞬间，时光就像停住了脚步，我们穿过了时空的阻隔，与此地的故人一起，沉浸在同样的声音、同样的景色、同样的气息之中。这种感觉真是妙不可言，美好得简直有点奇异，更何况它还是那样的静谧安详。我产生了一种幻觉，感觉自己与自然融为一体，成为周围环境的主宰。森迪一定也深有同感。

“刚来的时候，我竟然没有喜欢上这里。”森迪说。他目光所及，是山间一排排整齐的果树，崎岖的山脊向东逶迤，山巅与天穹相接。“没有喜欢上这种被群山和树木环抱的感觉。反而觉得有点儿，怎么说呢，像得了幽闭恐惧症似的。不过现在……”他深吸了一口气，靠在树干上，闭上了双眼。“我不得不承认，这儿真的很棒。”他睁开眼睛，斜着望向我们，轻声笑道，“你们可能不相信，我真的很想念这里，就在我回家……哦，我是说回苏格兰的时候。”

他在说“家”这个字的时候忽然刹住了嘴，艾莉立刻就发现了。“比在这儿想念苏格兰还要多吗？”她问。

森迪朝她会心一笑，却没有说话。我们三人之间忽然有了一两分钟的静默时刻，彼此各怀心事。我知道艾莉心里想的是什么，却猜不出森迪会不会说出那些她想听到的话，猜不出他到底愿不愿意和我们一起留在马略卡。

“还有一大堆活儿要干呢。”我打破沉默，捡起一颗杏仁，将外壳剥掉。“等我们把它们全从树上敲下来、收起来之后，还要把壳给去掉，一颗颗剥出来。”

“手指头要受罪了。”森迪提醒我，他也剥了一颗杏仁。“得买个剥壳的机器，你说呢？”

“是啊。”我回答道，“可是，为几麻袋我们自己就能应付的杏仁，花上一大笔钱买机器太不划算了。”

“是不划算，可就用两只手来干，也太费时间了吧。”森迪又拿了一颗杏仁放在岩石上，捡起一块石头，咔嗒一声敲开了壳，把果实掏出来喂进嘴里。“但愿今天能全部搞定。”

我耸了耸肩算是回答他，我心里很清楚，这整整一套工序，包括收、剥，再放在太阳下晒干，最后收到麻袋里，从财政的角度看其实根本就不用麻烦了。把这么一丁点儿的东西一路运到位于马略卡岛中心的农民合作社去榨油，可能也只是浪费时间和汽油。同样，马略卡岛国际知名的杏仁贸易也不会因为没了我们微不足道的贡献就完蛋。所以我们没有把杏仁拿去榨食用油，也没有做成岛上每年都要出口的成千上万袋加糖坚果。我们更愿意把它们收在地窖里自己享用，如果有吃不完的——就像我们家的柿子那样——就拿来跟别人换其他东西。另外，我们还发现果壳在冬天简直就是最方便的引火材料。在杏仁刚摘下来还新鲜的时候，你会跟森迪一样，发现它有多么美味，一口气不知能吃下多少。马略卡杏仁的美味真是名副其实。既然费尽千辛万苦收完，美味当前，我们自然不会为自己的饕餮胃口产生负罪感，更不会为引火材料短缺而发愁。

森迪又敲开了一颗杏仁。“我从没发现这东西居然这么好吃。”他咂了咂嘴巴说，“干这活儿之前，我还以为它们跟商店里卖的一样干巴巴的，没想到它们，哇哦，不光是味道好，还这么多汁，呃，如果‘多汁’可以用来形容坚果的话。”

“是啊，我们永远不可能像查理的那些富翁朋友一样有钱。”艾莉别有用意地说，“但是这个小小的种植园依然能以它的方式回报你，尽管回报的可能只是些非常简单的东西。”

“我会把那些回报都吃光的。”森迪一边回答，一边把一颗杏仁塞进嘴巴。他要是领会了艾莉不那么含蓄的暗示，当然就不会这样去接她的话茬了。

“嘿！”通往小路的门后面传来一声大叫。老佩普站在那儿冲我们使劲挥手。“天哪，森迪！”他叫道，“真的是你！回来了，孩子？”沙哑刺耳的声音打破了清晨的宁静。“天哪，太好了。”他欢呼道，“欢迎回家！”说着就招手把森迪唤了过去，“我有好多话得好好问问你，伙计。”

森迪立马就精神了。我们刚刚来马略卡岛的时候，老佩普就用我们家的小拖拉机展现了他在耕作上的高超本领，从那时起，森迪就成了我们这位脾气暴躁的老邻居的忠实粉丝。两人之间有一种祖孙般的情谊。他们相互的认同感在热爱土地的人之间并不罕见，代沟更是根本不存在。佩普毫不掩饰看到有新鲜血液注入这片峡谷令他有多么高兴，哪怕这血液来自一个耕作方式、生活习惯与他迥然不同的遥远国度。森迪咧嘴一笑，站起身朝他的老伙计走去。我们听不见他们在说什么，只看见老佩普兴奋地比画了一堆手势，把峡谷的角角落落指了个遍。森迪很认真地听着，不住点头，嘴角时不时露出开心的微笑。

“好。”老佩普最后大声说道，还在森迪的肩膀上使劲拍了一下，“就这么定了，咱们可是说好了啊？”

我们看见森迪又点了点头，这一次非常肯定。佩普又在他肩上拍了拍，然后带着约翰·韦恩的架势，昂首阔步地踏上乡间小路，朝自家农场的方向走去。

森迪回来收杏仁的时候，嘴还笑得一直咧到了耳朵根。

“嗯，那个，”他长吁了一口气，“我决定了。”

“决定什么了？”艾莉的表情很复杂，夹杂着迫切期待与忐忑不安。

“决定了到底是待在这儿还是回苏格兰。”

“结果是什么呢？”

森迪解释说，他的确一直陷在进退两难的境地难以抉择，不过最后，当他把心中所有的事情都吐出来之后，感觉轻松多了。回到苏格兰的那两个星期，他的确很开心，农场上有最先进的工具，身边都是认识的人，他也用不着每天听我们唠唠叨叨，操心要费多大劲才能把“市长府邸”重建成一个现代化的小农场。我们这里太需要帮助了，而他是唯一一个愿意竭尽全力帮我们的人。不过，他同样也意识到，在农场赢利之前，要改善这里的环境，势必要增加家庭开销。他如果现在去苏格兰上农学院，那我们就不用为他花什么钱了，他可以假期在大农场上打工养活自己，他有这能力。

“这么说，你是打算回苏格兰了？”艾莉不像在问一个问题，更像是在陈述一个事实。

“嗯，本来是的，我差不多已经决定要回苏格兰了……直到刚才。”

“那你现在愿意留下？”艾莉又问，她的心忽上忽下的速度（借用一下老佩普生动形象的比喻）比海军入港时帕尔马妓女换内裤的速度还快。

森迪耸了耸肩。“可能是老佩普让我下定决心的吧。”森迪的目光完全是心甘情愿的，“他说想让我在冬天的时候帮他干一点农活。他的腿不太好，好像是打仗时落下的伤。”

“他会付钱给你？”在涉及工作的时候，艾莉总是要及时确认一下钱的问题。

“是啊，而且他说我可以帮附近老农民干活。那些老家伙都赶不动骡子了，他们的儿子也都在几年前跑到外地去了。老佩普说，我可以跟着他们干。”

“等等，你说你要赶着骡子干农活？”我差点忍不住笑出声来，“好啊，老玛丽亚知道了肯定要高兴死了。”

“你开的什么鬼玩笑？”森迪冷冷地说，“我只是想请你答应我用家里的拖拉机，老佩普说农忙的时候我可以用他的那台拖拉机。当然，这些肯定都跟我原来用的家伙差别比较大，不过我也能学到不少东西。反正在春天之前，我们自家也有好多活要干。过了这段时间，我们再考虑将来的事情。”

“那你上学的事情呢？”森迪遂了艾莉的愿之后，她反倒忽然关心起他的学业来，“去农学院上学的事呢？你真的愿意放弃这个机会吗？”

“我都想好了，妈妈。”森迪向他妈妈眨了眨眼睛，“我回来的时候就和校长说过了。校长对我们现在的情况很清楚，他说我可以今年去上学，也就是说下个星期去苏格兰，也可以留在这里帮你们，如果我还愿意上学的话，明年再去也行。只要有他关照一下就没问题。有好多人还跑去澳大利亚一待就整整一年呢，我这有什么大不了的？”

艾莉冲过去紧紧抱住了森迪，引得邦妮兴致高涨，森迪尴尬不已。“欢迎回家，”她微笑着说，“我还得好好拥抱一下老佩普才行。”

“抱他就好了，别抱我。”森迪扭动着身子，想挣脱母亲的怀抱。

“而且你去抱就行，别让我去，艾莉，”我说道，“如果我是你，我会在拥抱佩普之前好好想想——尤其是他身上碰巧有大蒜味的时候。”

“这又是什么意思？”

“说来话长。但是，嘿，现在先别管这个。森迪的好消息值得庆祝，去哪儿呢？听你的，森迪。”

艾莉提醒我们没有必要浪费时间考虑这个问题。科琳·奥布莱恩早些时候给她打过电话，一切都已经安排好了。晚上她家会举行一个盛大的暖房酒会，反正我们也要去接查理，所以肯定都会被他们盛情邀请参加这场“狂欢”的。惯于作乐的女主人告诉我们，这会是个难以忘怀的夜晚，如果我们在派对上没有喝断片导致什么也记不得的话。

突然之间，多亏了岛上社会阶层截然不同的两个人，“市长府邸”的生活再次好转。就连随后继续收杏仁时，森迪拉手刹时常常哼起的欢快口哨也让我们在繁重的工作中心神振奋，尽管那调子是苏格兰的！

— 7 —

当你对着星星许愿

我在一天内两次想起了《星球大战》这部电影。第一次是我看着森迪抽杏树的时候，不知怎么就想起了电影里用光剑劈人的尤达武士。第二次是我们一家参加奥布赖恩家的暖房酒会时。这次的对比更加惊人。我感觉自己像是走进了一个电影中才有的外太空飞船。到处都是奇特的怪人，有些人风趣幽默、富有魅力，有的则疑心很重、谨小慎微，还有很多穿着奇装异服一直乐呵呵的家伙，也有个别人满面愁容、闷闷不乐。总之，这些人加在一起形成了一个怪异组合，而主办者奥布赖恩夫妇的打扮就更是令人惊讶了。很难想象这不是一个化装舞会，所有的来宾也都不是外星人。整场酒会只不过很好地体现了地球多样性，所有参与者都是岛上的移民，那些自视身居马略卡上层社会并乐于整天吃喝玩乐的家伙。

"我说哥们儿，看看这帮人，全都是些肤浅的、自命不凡的卑鄙小人。"乔克·彭斯手握一杯鸡尾酒嘟嘟囔囔地向我走来。他的酒杯里插着一把看起来像是微型热带雨林的纸伞，还有一支弯曲成猪尾巴形状的彩色玻璃吸管。"虚伪。一群荒淫无度的生意人，到处混酒会的冒牌富翁，整天做发财白日梦的家伙。别看他们现在装得人模狗样的，实际上很多人连个尿壶都买不起。我见多了。几乎每场酒会都少不了这些家伙。只要有免费食物，这些寄生虫就冒出来啦！"

正说着呢，一个头发漂成金色的中年女人牵着条小狮子狗从我们身边走了过去，她的脸由于日晒而出现些许皱纹，小麦色的皮肤上挂了一层妆，看起来好像是让石膏匠糊了一层面具。她穿了一件肉色网眼紧身连体衣，我估计这身衣服即使是比她年轻很多的女孩子都未必敢穿出门，因为穿上这衣服可能稍不留神就会被警察以公共场所故意暴露罪拘留起来。除此之外，她身上还挂满了珠光宝气的饰品，活像一棵具有马略卡特色的圣诞树。

"噢，芭布丝宝贝，什么风把你也给吹来啦？"乔克热情地叫住她，这家伙的苏格兰口音毫不费力地转成了美式腔调。那女人一回头，乔克就伸开双臂做出拥抱架势，并且上下打量起她的装扮。"我的小心肝，你可真是人见人爱啊。每次见到你，你都会年轻好几岁。真不知道你是怎么保养的。我的美人，你最近还好吗？"

他过去抱住了这个叫芭布丝的老女人，并在她两个脸颊上各来了一个飞吻，完全不顾那条小狮子狗冲他龇牙狂吠。乔克转过身，向我们介绍这位“人见人爱”的女士：“这位是好莱坞历史上最成功的演员之一，芭布丝女士。”女人听了这话无所谓地耸了耸肩，一言不发就侧身走了。

艾莉很明显没有认出这位“名人”。“我从没听过她啊。”她问乔克，“她演过什么电影呢？”

“傻瓜，那都是逢场作戏的鬼话，你也信。”乔克很自然地恢复了苏格兰口音，“我们已经这样称呼她四十多年啦，谁也没见她演过什么电影。唯一看见她出现在电视上，还是在一个腹泻药广告里演的跑龙套角色。”他指了指女人现在站着的位置，此人正一边敷衍着和一个同样穿着华丽的女人有一搭没一搭地说话，一边四下张望寻找那些手举食物托盘的服务生。“你们看看她，浑身上下都是整过容的痕迹。看，她不得不戴那条勒死人的短项链，好盖住喉咙上的伤疤。你看她脸上的褶子，都快赶上大象屁股啦。”话音刚落，乔克冲着两个女人甜甜地笑了一下，又给她们飞了一个吻。“不劳而获的老女人。”他脸上依然挂着笑，口技表演一般嘟囔着。

我们待了一会儿，就去了泳池旁边的露台。这里同样挤满了各式各样皮肤晒成小麦色的怪人。女人大都选择了老来俏的装嫩打扮，男人则大多穿着扣子几乎一直解开到腰的衬衫，得意扬扬地炫耀露出来的胸毛，好像那是他们的奖章一般。每个人都和“人见人爱”小姐一样，一边和某人敷衍着谈话，一边四下搜索下一个可以聊聊的目标。在场的所有人几乎都热衷于出风头，放眼望去随处可见光芒耀眼的金饰，这些金子加在一起估计能填满克朗代克的矿石化验室了。相比之下，艾莉简单大方的穿着打扮反而显得格外抢眼。艾莉从来不刻意打扮来引人注目，但是每次都能恰到好处地穿着应景的衣服出现在各种场合。我把她的风格叫作古典主义的优雅。而我则穿了一身白，裤子是几年前我们来西班牙度假时艾莉买给我的礼物，虽然有些年头了，却一点儿也不显旧，配套的白衬衫和白鞋样式都有些老气，但是这是我能想到的出席这种场合的最好行头了。穿成这个不习惯的样子我心里是有点别扭，但是在我这个对变幻无常的时尚潮流毫无兴趣也不了解的人眼里，穿这身衣服出席酒会也还说得过去。

奥布赖恩家豪宅的法式大门敞开着，可以看见房子里面那些走来走去的饮酒狂欢的人。远远地，科琳咯咯的笑声从房子里不断传出来。一组正装打扮的服务生游走在人群里，有的忙着给客人换掉空的香槟酒杯，有的举着装满各式开胃点心的银托盘穿梭在喧闹的人群里。

“傻站着干什么啊！快去喝些香槟，吃点好吃的啊。”乔克一边冲着服务生招手，一边催促我，“还有你，艾莉，森迪，你们都等什么呢？还不快点使劲吃？过一会儿这些饿死鬼投胎的家伙就会把东西都吃光的！”话音刚落，三片蘸满鱼子酱的烤面包就落进了乔克的胃里，他大口吞着香槟酒，向我们介绍酒会上白吃白喝的竞争规则。“还犹豫什么啊？一会儿就没有好东西吃啦！”他使劲用胳膊肘顶我，“得用抢的，明白了吗？这就是岛上生活的不二法则。对了，还可以利用免费吃喝的机会多认识些人，扩大交际圈。去！多走动走动，多和别人说说话。弄不好今天晚上你能卖掉不少橘子呢！”说完，他自己先转身向人群中走去，走了两步，停下来转身对我喊道：“千万别忘了多吃点小吃！还要多喝点酒哦！”

乔克走了之后，我们一家人傻呆呆地站在原地，望着眼前热闹的场景，仔细回想他刚才的话。我原来做专业爵士乐手时，参加过无数记者招待会和专辑首发式，并且时常能在这些场合碰到油头粉面、光彩夺目的大小名人，也算得上是见过世面。可是我却从来没参加过这样的酒会。一切都显得那么不真实。一幢仿佛只有电影中才会出现的豪宅，连最小的细节都做到了极致奢华；造型奇异的巨大游泳池在水底灯光和周围棕榈树的映衬下显得如此尊贵，不可亲近；树林中隐藏的无数泛光照明灯把楼体正面映照得光彩炫目；就连地中海那天鹅绒般浓黑的天空中闪烁的点点星光，在这场露天酒会散发出的光芒对比下，也不禁黯然失色。不可或缺的，当然是马略卡岛惯有的热情亲切的气氛。在我看来，大自然的醉人香气胜过酒会上由香水和男士须后水混合而成的浓香，不远处海岸传来的浪花声，还有蟋蟀叽叽喳喳的小夜曲，远比吵嚷的聊天嬉闹和电子扬声器循环播放的吵人的理查德·克莱德曼钢琴曲更胜一筹。

“我们还是找到查理，快点儿回‘市长府邸’吧。”森迪提议道，“我宁愿待在库房里剥一整晚的杏仁，也不愿意待在这儿。”他一脸苦相地说，“这简直是太假了，虚伪透了，我可是一点儿都不感兴趣。”

的确，我很认同他所说的虚伪，可这正是科琳·奥布赖恩眼中的马略卡，五光十色、富有魅力，她举办这场声势浩大的奢华酒会不就是为了庆祝自己能成为这样的马略卡的一部分吗？或者说，科琳·奥布赖恩更是在向众人宣布，自己是这奢侈生活的新任女皇。此时，她正从豪宅门口的高大台阶上信步走来，脸上愉悦的表情显示出她对所有来宾都慷慨大方，别人投来的羡慕眼光让她相当陶醉和享受。毫无疑问，几乎是无人可比的富足，使她成为众人艳羡的焦点。不过，从我们对她仅有的一点了解来看，这个女人又似乎是个相当脚踏实地的人，用她自己的话说就是，她不过是一个普普通通、毫不起眼的爱尔兰农民。这女人真是个不可思议的角色，但又的确很讨人喜欢。她就是那种有一说一、没什么心眼的人，尽管有些（可以说是相当）喜欢炫耀，不过，人的确很好。不管怎么说，既然被人家邀请来了，从礼貌的角度来讲，也应该多待一会儿，不能刚来就准备走。我解释给森迪听，他虽然有些不情愿，倒也还是认同我的看法，同意过一会儿再走。

正在这个时候，科尔看到我们一家，穿过人群直冲我们走过来。一路上，不断有人跟她打招呼，她也有礼貌地一一回应，还有一些不大文雅的人冲她起哄大叫——自然，上流社会里也有缺乏教养的家伙。我们的皇后科琳依旧保持着与众不同的穿衣风格，一身复古的金色土耳其式长衫，衣服上无数彩色金属小亮片拼成了迷幻版的蛇爬梯子游戏图案，标志性的蜂窝头像是参考了卡门·米兰达的经典造型，插满了各种颇具异国情调的水果，似乎整个市场的水果摊都被她给搬空了。不用说，这身打扮轻松胜过了酒会上任何一位女宾客，尽管这里身着奇装异服的女人不在少数。

“我的老天爷啊！你们两口子怎么藏了个这么标致的帅哥？”科尔一过来就气喘吁吁地大叫，两只眼睛上上下下地打量森迪，“我想这肯定不是查理那位难看、讨人烦的大哥吧？小家伙查理总跟我提起他！”我和艾莉一听这话，赶忙介绍森迪和科尔两个人认识，没想到话没说完，科尔就迫不及待地说：“我的小帅哥，快跟我走吧！客厅里有个漂亮的可人儿正要介绍给你认识呢！”她伸手挽起森迪的手臂，准备把他带走。临走前，她冲着艾莉小声嘀咕着：“实话实说啊，我要是能年轻几岁，这么标致的帅小伙我就自己留着喽！”

森迪看起来似乎有几分不情愿，但我知道他只是在做样子，心里别提有多高兴呢，他还是跟着科尔走了，只剩下我和艾莉大眼瞪小眼地傻站着，又一次被惊得目瞪口呆。只不过这次的原因有所不同罢了。

“什么时候起森迪也成帅哥了？”我几乎不敢相信自己刚听见的话。

“怎么说呢，这孩子本来就长得不赖。事实上，是长得很俊秀的。只不过，你从来没注意到这孩子已经长大了。就是这样。”

“但是他又不是卡萨诺瓦那样的风流浪子。恰恰相反，这孩子性情很安静啊。怎么突然间科尔这样的女人就跳出来对他流口水了呢？我是说，森迪连个女朋友都没交过呢。”

“也许只是我们不知道他交了女朋友吧？再说了，有没有女朋友也说明不了任何问题。”艾莉倒不像我一样不冷静，她冲我微微一笑，“放心吧，我们家森迪一贯是个处事谨慎的孩子。你知道老实的孩子是不会出什么事的。”她用胳膊轻轻推了我一下，眨了眨眼睛，“不管怎么说，咱们也不能总像多余的人一样傻站着啊。孩子们都出去玩了，我们也该听乔克的话，多走动走动，认识些新朋友！”

第一印象往往是具有欺骗性的，可是我天生就比较容易相信第一印象。这一次，我终于不得不承认，自己对奥布赖恩一家邀请来的客人的初步评价有失偏颇。在我看来，这些人是肤浅的，精于阿谀奉承，乐于到处炫耀自家的富有，认为自己的社会地位高人一等，而那地位也许名不副实。尽管事实上来宾中相当多的一部分属于我说的这类人（那些在西班牙著名的度假海滩上混日子的外国移民就是声名狼藉的这类人的典型代表），不过还是有一些本性谦和的正常人。这些人淹没在虚荣浮华的大多数人当中，可是你一旦把他们分辨出来，就会发现这些可爱的人让这自吹自擂的酒会变得亲近也正常了一些。乔克·彭斯那人来疯的老婆梅格这次倒是帮了我们的忙，教我们认清了两种人的区别。

“你好啊！我的宝贝们！”梅格的尖音只要一喊出来，就能立刻压住周围谈笑吵闹的噪声，她两只忽闪忽闪的大眼睛明亮得好似刚刚装满香槟酒的玻璃杯，常年不变的美丽脸庞上挂着富有感染力的微笑，这让几乎每个刚刚认识她的人都能立刻喜欢上她。但是，梅格能在岛上受到不同种族、不同社会背景的人欢迎，她的个人魅力才是关键。梅格是一个懂得逗人发笑的人，一个精心包装起来的笑话盒子，为人随性且无拘无束，但又讲求时尚，总是把自己打扮得既引人注目又不会让人觉得不舒服。和她丈夫乔克一样，梅格也是个对美食和美酒没有抵抗能力的人，每次出门参加宴会一类的活动，她都会仔细准备，让自己的穿着打扮能为大家所接受。事实上，梅格才是我们获取各类信息的真正来源，相信马略卡的其他人也和我们一样。梅格在帕尔马西边的市郊开了一家男女皆宜的沙龙，说是沙龙，其实更像发廊。那是一个朋友或是陌生人聚会闲谈的地方，甚至可以说是一个流言蜚语的大熔炉。每小时，每一天，每一年，各种绯闻和秘密在这里以“私房话”的方式从一个人传到另一个人。绝大多数理发师受人欢迎是因为技法好，梅格靠的则是一双好耳朵。还有一点值得称赞的是，即便离开老家爱丁堡的利斯将近二十年了，可是梅格依然保持着纯粹的苏格兰口音。出于各种原因，大多数外国移民都会很快被移居地的口音所影响，并且很快就会染上当地的生活习惯，可是我们的梅格却不吃这一套。她的理论是，要不就接受她现在的样子，要不就别做她的朋友。

“看见那边那个长得就讨人厌的家伙了吗？”梅格小声嘟囔着，指给我们看站在游泳池左侧的人群中的一位。“据说以前是一位职业赛马骑师，是爱尔兰人。可是在我看来，他是地地道道的英国人。估计有六十多岁了吧，但是他到处跟别人说自己才三十多。一个自以为是的家伙。实话实说，自恋到家了。”梅格接着告诉我们，这个家伙几年前来到马略卡的时候几乎什么都没带，只带了一个“无限放大的自我”。“来了之后没多久就钓上了一个有钱女人。”她兴致盎然地继续给“讨人厌先生”揭老底，“那女人也是我的一个老顾客。我们都叫她大莉莉，花名是灯火莉莉。原来的老公靠着卖避孕套自动售卖机发了家，死了之后把钱都留给了她。也有人说他们俩在来马略卡之前开了好多家妓院，她那死了的老公还是男妓中的‘皇上’呢。谁知道？话说回来，我听说这个前职业赛马骑师——蒂姆·麦科伊——他自己说叫这个名字来着，其实是个从利物浦来的职业炸保险箱的抢劫犯。他把自己的弟兄们都给出卖了，然后一路逃到了这儿。等他那群弟兄从监狱里放出来，这家伙肯定不会有什么好下场。”

“这人现在和那个继承了‘性王国’的老女人在一起，日子过得很滋润吧？”艾莉积极地利用这些小细节让谈话更有趣些。

“唉哟，我的小宝贝。好几个月前，他就把那个女人送上天堂啦！官方说法是，她在自家公寓阳台上欣赏帕尔马海湾的美景时，不小心摔下来了。那可是十二层啊。”梅格摇了摇头，做出个不置可否的表情，“是啊，是啊，那我就是奥黛丽·赫本转世了。”

“你是说，她是被推下去的？”我扬起眉毛，一脸震惊。

梅格似乎不想再谈这个话题了，她的语气有些倦怠。“这么说吧，老东西也榨不出多少油水啦。”她叹了口气，“那种丧心病狂的骗子，就跟黑猩猩一样，手里握着根香蕉，心里还惦记更多的。估计还想着能在瑞士银行里藏个几百万美元吧。那个傻莉莉，有一次当着那个骗子的面，说死了之后会把钱都留给他。那是在她家办的一个酒会上，莉莉喝了太多的拉里奥斯杜松子酒，脑袋都不清楚了。我当时也在场，亲耳听见她那么说的！”

“可是这也没有办法证明，是那个男人把她推下去的啊。”

梅格充满疑惑地看着我，就像我的脑子出了问题一样。她哈哈大笑地问我：“你是怎么回事啊？今年圣诞老人给你送什么礼物了？瓷器？”嘲笑了我一通之后，她开始继续讲述蒂姆·麦科伊传奇故事的可笑结局。事实证明，貌似温柔可人的老莉莉也有狡猾的一面，虽然她口头上说会把钱留给蒂姆，却另立了遗嘱，声明去世之后，自己的所有财产都无偿捐献给两家莫名其妙的慈善团体——一家是给那些无家可归的老妓女提供庇护的社团，另外一家则是为退休的赛马提供庇护所的机构。所以啊，这个蒂姆现在正努力寻找下一个有钱的单身老女人呢。“反正马略卡岛上这样的女人到处都是。”梅格非常肯定地说。我们一边聊天一边顺着台阶走向豪宅里招待丰盛的酒会礼堂，一路上，梅格不断对每一个能入得了她眼的宾客进行点评，给我们介绍人家的来头、经济实力等等。

我们遇到一个穿着一身浅粉色西服的男人，看起来文质彬彬，说话带着浓重的伦敦口音，一双变色龙一般的眼睛一直仔细检查着每一位女宾客，就像是探照灯一样。据梅格介绍，此人也是一个臭名昭著的吸血鬼。这个男人自称是经验丰富的国际经济投资顾问，只要把钱委托给他进行投资，就会保证有丰厚的利润回馈。梅格知道此人曾经巴结过几个耳根子比较软的人，他的甜言蜜语差点把人家的棺材本给骗走。

而且梅格还听店里的客人说，此人是个重婚惯犯，这更是让她对这位来历不明的奇怪老头怀疑起来。

“据说他现在和两个女人生活在一起。”热心的梅格向我们透露，“一个是他老婆，另一个是他们夫妻俩以前的保姆，现在成了他精神上的伴侣，这可是他亲口跟我的一个客人说的。奇怪的家伙。记住我的话吧，这个人一旦再得手几次，赚够了钱，就该跑到什么牧场之类的地方潇洒快活去了。就跟他当初来马略卡一样。”

一盏华伦天奴大吊灯下面，一对水管工正厚颜无耻地模仿女人的样子，逗得围观的女士们哈哈大笑。

“这对活宝管自己叫‘迷人的滴水情人’。”梅格给我们介绍道，“叫这名字可不是因为他们两个是来自威尔士的。我可告诉你，事实上这两个混蛋没一个懂修水管。唉！”梅格面无表情地强调道，“就算是诺亚方舟，遇上他们两个花拳绣腿的家伙，估计也得沉船！”

到处都有他们这样没什么真本事的投机者，梅格警告我和艾莉。什么假冒的英伦砖瓦匠、细木工人，他们都在外国移民的圈子里混生活，并且总能找到工作。他们专找那些对人不设防的善良人，尤其那些不会说西班牙语、不懂如何同当地合法商户沟通的人，最容易上这些骗子的当。

“当然了，岛上也是有些真正的外来工匠的。”梅格有些勉强地承认，“除非你能认清自己在和什么样的人打交道，不然就等着吃亏吧。”她一边想，一边哧哧地笑，“你们两个一定要记住我的话哦，这个岛上的牛仔，可比得克萨斯州正中心的牛仔还多！有些还是真正的亡命之徒呢。”

我们穿过拥挤的礼堂向酒吧区走去，一路上，梅格指了好几个“亡命之徒”的例子给我们看。例如，在我们左边的角落里藏着一位挪威来的船长，此人不航海的时候，还兼职做做粉刷匠。据说此人因为游走在中东和荷兰之间贩卖毒品而被国际刑警组织通缉，因此才跑到马略卡来避避风头。

“看到了吗，那个变态还随身带枪呢！”梅格一边冲着“船长”友好地招手，一边小声对着我和艾莉嘀咕。

“你可别逗我啦！这怎么可能呢？”我大笑起来。

“你别不信。看看他牛仔裤鼓起来的地方。别告诉我你以为这是因为他见到我太兴奋了。”

我不知道怎么礼貌地回答梅格，所以干脆就没有作声。

梅格也没有在意，接着指了指我们的右边。一群人正围着一对看起来相当善于交际、衣着华丽的夫妻说说笑笑。梅格向我们透露，那两个人曾经跟她自夸过，说自己成功逃掉了英国的进口税和消费税。

“那个丈夫原来在英国北部做二手货车、卡车买卖的生意。后来故意破产倒闭了，留下一屁股的债，估计列成单子比你的胳膊还长呢。他自己可是成功逃掉了一大笔增值税，卷了所有钱跑到这儿来的。”梅格有些事不关己地耸了耸肩，这是她的标志性动作，“事实上，两口子人倒是不错。穿衣打扮也非常有品位，看起来总是那么舒服。他们常常来我店里，多交些朋友、多应酬些，才能在这儿扎根嘛。”

吧台旁的高脚椅上坐了一个金发碧眼的长腿女人，只要一有男人接近，她就会立刻对人家抛媚眼，完全不顾周围吵闹的气氛。梅格告诉我，这女人叫布里吉德，丹麦人，是个以结婚再离婚为职业的婊子。

“在我的沙龙里，我们开玩笑管这女人叫‘冷血的布里吉德’。何止是冷血啊。这个岛上被她送进坟墓的男人比童话乐园里鹅妈妈下的蛋还多。”梅格提醒我们说，“这女人还有一个绰号是‘黑寡妇’。可能她和蜘蛛不一样，并不真的在上床之后就把这些丈夫生吃了。她只不过是跟那些男人结婚，然后使劲吸他们的血，把钱榨得差不多了就离婚，然后再敲诈一笔数目不小的赡养费，把男人们剩下的最后一点钱也抢走。”梅格使劲用胳膊肘推了推艾莉，“据说是为了给一家丹麦包价旅行公司打工才来马略卡的。完全是个穷光蛋。可是人家用几个星期的时间就能吊上个本地的有钱生意人。唉，你也知道的，这些西班牙男人，一见到金发碧眼的女人就发疯了。这女人可狠了，从来不吃回头草。上周才把第四号丈夫给甩了，现在正寻觅下一个目标呢。”她冲着艾莉做了一个警告的表情，“看好你们家男人啊！”

“我看我是没什么必要操这个心了。”艾莉干巴巴地说，

“除非她想每个月拿到几打橘子当赡养费。”

“嗯，你说得对。”梅格一边点头同意，一边斜眼盯着我的衣服看，“不管怎么说，这女人只看得上有点品位的男人。”她给了我一个理发师专业的微笑，若不是我了解她的为人，换作别人这么看我，我肯定会觉得自尊心受到了伤害。“为了你自己好，亲爱的，拜托你把这身白衣服换掉吧，还有这双白鞋！可能在你们苏格兰老家参加个农民的谷仓舞会，这身衣服还算合适，但是在这儿，它们同比尔·哈利和他的彗星乐队一样，早就过时了！”

一听这话，我立刻就泄气了，感觉自己和周围的一切都格格不入。我看着梅格穿着鲜艳的亚麻裙大摇大摆地走开了，她这身后的飘扬裙摆都足够给约瑟做一套华服了。梅格对交际的热情远远高于跟我和艾莉聊八卦的兴趣，她不再继续给我们展示这些马略卡“美丽人儿”的横截面，而是跑去串场子了。从现在起，只剩下我和艾莉两个人了。

“我们还是把儿子们找回来，一起回家算了。”我冲着艾莉嘟囔，“森迪说得对，我对这种场合也没什么兴趣。非要我待在这儿，就跟硬要把鱼从水里抓出来一样——我觉得，觉得……”

“觉得自己像是一个被人摆在彩色玻璃橱窗里的白色牛奶瓶吧。”艾莉哈哈大笑起来。她也像梅格一样斜着眼打量起我的白色套装了。“别那么敏感。梅格又不是故意要气你。她只不过是有点……有点……”

“有点尖酸刻薄？是，是，我知道的，艾莉。不用帮她解释了。反正我知道你们什么意思。”我低声地咒骂了几句，怒火中烧。“比尔·哈利和他的彗星乐队！他妈的，下一次我要穿一整身50年代的打扮，格子呢夹克，再去烫个大鬈发！”

我想艾莉都要笑疯了。她特别爱看我被一些生活琐事刺痛，不管不顾地大发脾气。她知道，我只是口头上发发飙而已，要不了多一会儿，我就能想明白事情好笑的地方，然后加入大家欢闹的队伍。这一次也不例外。艾莉试图去解释梅格对我穿衣风格的点评是有道理的。作为一名时尚弄潮儿，梅格只不过是在用她特有的方式提醒我不要在这种场合穿得不伦不类罢了。不过，我对出席这种场合该如何打扮还是有些摸不着头脑。事实上，我也没什么兴趣去想该怎么穿衣服。按照梅格的逻辑，我决定，那些穿着得体的家伙要么接受我现在这副打扮，要么就别做我的朋友。不管怎样，只要一两杯香槟下了肚，我的自信心也就该恢复得差不多了，管他们是亡命之徒、大美人、吸血鬼还是别的什么，不就是交际应酬嘛，有什么大不了的。

每一个和我们聊过天的人都有他们自己的故事，当然了，有一些人说的话在我和艾莉听来并不可信。不过令人惊讶的是，有不少人尽管看上去像是乔克口中“荒淫无度的生意人”，实际上竟然和我们一样正常（不知道正常这个词用在这里是不是合适)。这又有什么关系呢？俗话不是说了，不能光看封皮就评论一本书。这句话用在一位退休的银行经理和他的太太身上实在是再合适不过了。这对夫妻穿得好似过气的流行歌手，丈夫的风格完全是拉斯维加斯派的，简直就是活脱脱的汤姆·琼斯再现；而太太的打扮在我看来和神甫没什么太大差别，连艾莉也有点儿恶毒地点评说她像留着小胡子坐在钢琴旁边弹奏弥撒曲的神甫。可是经过一番交谈，我们发现这对夫妻实在是再正直坦率不过的了，尽管两人不像他们的打扮一样光彩夺目，但也不似人们一般印象中的银行经理那样死板无趣。事实上，他们也像我和艾莉一样，对奥布赖恩夫妇的巨额财富惊叹不已，并且毫不掩饰自己能参加这样一场盛大酒会的兴奋之情。要知道，一年一次的银行系统职员烤肉大会都比不上今晚的酒会热闹。

我们还遇见了好几对和这对夫妻一样的人，都是些领养老金的教授或是提早退休的商人，每个人都是怀揣各种梦想来到这个岛上的。例如，有人希望可以开上一家专卖自家烘焙的蛋糕和点心的英式红茶馆，有人想要买一艘小号游船，租给游客畅游海湾。每个人各自有着不同版本的阳光梦想，可是迄今为止谁也没有让梦想照进现实。

“我也不知道怎么了，变得特别贪睡。”一位来自萨里的公务员是这么解释的，“刚到这儿没多久，我也学会了‘明日复明日’。今天这儿晃晃，明天那儿转转，唉！你也知道的，一旦过上了这种日子，想要改变就难了。”

我猜，这话的言外之意是说他们都是奥布赖恩夫妇社交圈子里的一员。一旦他们习惯了在诱惑面前屈服，喝喝小酒混日子的时间长了，离最初的那些美好梦想就远了。这些人不自觉陷入一种漫无目的的慵懒生活，每天信念和欲望都在不断抗争。以往的经验告诉我，这种情况下一般来说获胜的总是追求享乐的欲望。可以说，这是靠积蓄过活的缺点之一，人追求梦想的意志就这样被轻易损耗掉了。但是，也并不是我们遇见的所有人都像这样，可以幸运地靠积蓄度日的，也并不是每个人都是那个年龄段的。

沙吉·斯图尔特是个二十八岁的小伙子，来自格拉斯哥，是那种典型的“派对动物”。十年前，他和几个哥们儿一起来到马略卡岛。没过多久，一些人回了老家，可斯图尔特和另外两个哥们儿决定继续留在岛上。他自己也承认，当时是没什么雄心壮志的，只不过想留下来喝喝酒、追追姑娘，晒着太阳混日子，不知道未来能做些什么。几个星期之后，他们的钱花光了，这几个乐天派的小伙子就跑到平日常去的马盖鲁夫，给一些时髦的迪斯科舞厅卖卖门票赚些小钱。不可避免，日子久了，这样的疯狂生活慢慢变得无趣，他的另外两个兄弟也决定买机票回苏格兰了。可是斯图尔特不想回去。他在马盖鲁夫五光十色的街头徘徊久了，经验告诉他这里有机可图。于是，小伙子在原来卖门票的迪斯科舞厅找了份看门人的工作，没过多久，又升职做了吧台招待员，几年之后，他已经坐上了公司经理的位子。斯图尔特一贯是个头脑清醒、目光远大的人，这么多年他一直滴酒不沾，并且勤俭持家，存下了一笔不小的本金。精明的他用这笔钱在当时并不被人看好的帕尔马东海岸开了一家夜店。凭着大胆的冒险精神、决绝的信心和艰苦的工作（我猜，还得加上一系列杂七杂八的打点），他家的夜店现在已经成了那片区域最受欢迎的一家。最初的大胆冒险在今天为斯图尔特带来了丰厚的经济回报，现在，他正在准备投资几个新项目，他说他构想中的这份投资计划将对现有的零售业产生革命性的影响。

“我可不是准备把冰箱卖给爱斯基摩人哦。”斯图尔特对我说，“不过也差不多吧。”除此之外，他对所谓的投资项目就没再多说什么了。接着，他兴高采烈地发表感慨，说外来游客总是会热衷于买些让本地人大跌眼镜的纪念品之类的，然后又讲了几个老套的故事和巴士旅游见闻等。

马略卡流传着这样一句俗话：所有游客在踏上马略卡岛的时候，就把大脑丢在了飞机场。其实也未必真的如此。我和艾莉满怀兴致地听沙吉介绍了他的发展经历。如果第一印象真的具有参考价值的话，那么我看见沙吉的第一眼，就觉得他是一个懂得规划自己人生的精明人。其实沙吉并不是来赴宴的外来移民中唯一的年轻人。一个从医学院中途退学的小伙子告诉我，他正在和当地一位汽车机械师准备合伙开一家潜水中心；来自英国霍姆郡的年轻秘书说她和搭档厌倦了伦敦两点一线的奔波生活，准备开一家帮助出游的人照顾房产的代理中心；一位梦想幻灭了的数学教师高兴地向所有人宣布，自己决定放弃对数表，转而入股一家养殖旅行用小型马的马厂。他们都为创造在马略卡岛上的新生活迈出了第一步，我和艾莉真心祝福他们都梦想成真。其实这些人中究竟有多少能够成功永远都是一个未知数，可是他们身上闪耀的信心和年轻的激情却是积极进步的。不过，令人奇怪的是，和我们聊天的这些年轻人以及他们的同伴并不担心自己将来的发展前景，反倒对我和艾莉及两个儿子在“市长府邸”的经营情况更加关注。

“你确定能靠种橘子来维持一家人在西班牙的生活吗？”每个人都以自己特有的方式问了我同样的问题。“我是说，商店里的橘子多便宜啊。我一直都不怎么理解，那些穷苦果农怎么能靠卖橘子来维生呢？”

我尽可能向他们解释了我的想法，但是这并不能减轻我自己心里对“市长府邸”发展前景的担心。还好，在奥布赖恩家里各式各样香槟的帮助下，我很容易就把各种担心和忧虑抛诸脑后了。

肖恩·奥布赖恩此时正躲在自家的精致小酒吧里。他看起来已是醉了大半，可还在大大方方、兴致勃勃地给每位来宾倒上各式各样的美酒。还好他只是给别人倒酒，忽略了自己。不少男士围坐在肖恩对面喝酒，我能明显感觉到他周围弥漫着一种异乎寻常的友好气氛，而且显然肖恩自己对来自他人过于亲密的客套很是受用。他是西班牙这座属于他的城堡里的国王，只要他一直慷慨赠予别人美酒，毫无疑问身边自是少不了忠实追随的臣民。这种买来的下作“友谊”在我看来是名不副实的，我不禁开始思索，倘若有朝一日肖恩不能像现在这样随手撒撒零钱喂饱身边的随从，这些人中能有几个还会愿意像现在这样花费时间陪在他身边？

我和艾莉没跟肖恩打招呼就走了，任他去享受来自那些现在还算得上“可靠”的朋友陪伴。在游戏区，我们看见森迪正在和德卡的两个哥哥打台球。显而易见，这三个小伙子身边并没有年轻可人的女孩子。艾莉有些按捺不住作为母亲的好奇心，急于想要知道科琳介绍给森迪的小可人在哪儿。

德卡的两个哥哥很识相地回避了，他们装作讨论下一局更好的赢球技巧，退到了台球桌的另一边，很明显两个男孩子故意装作没有听见艾莉的问题，这在社交场合是一种非常得体的表现。另一方面，森迪几乎无法掩饰自己的尴尬，他小心地用嘘声示意自己的妈妈最好走远一点儿，别让德卡的两个哥哥听见些什么，然后小声告诉艾莉，奥布赖恩太太准备介绍给他认识的实际上是她自己的亲生女儿。

“这有什么啊？”艾莉有点儿缺心眼地回了一句，她似乎觉得森迪浪费掉了一个大好机会。“宝贝儿子，我们应该正视这个问题。”她在森迪耳边鼓励道，“你能表现得很好的！”

“可是她比我大了整整十岁啊！”

艾莉有点无可奈何地耸了耸肩膀，然后不假思索地说出一句有点不礼貌的话：“是不是奥布赖恩家的女儿有点太普通了呢？”这完全是多此一举嘛！

“您是想说她瞎了眼了吗？”森迪有点生气地反击道。他深深地吸了口气，默默倒数三秒，然后尽可能平静地提醒自己的妈妈，他之所以拒绝奥布赖恩小姐的约会邀请，是因为她早就结婚了，丈夫还是西班牙著名的体育明星。德卡的一个哥哥提前把这些信息告诉了森迪，据森迪说是因为这位奥布赖恩少爷和森迪比较谈得来。接着儿子还向我们透露了奥布赖恩小姐丈夫的情况：西班牙顶级球队的超级明星，虽然个子不高，但是在球场上可是有着一脚好功夫的。奥布赖恩小姐已经决定搬来马略卡和父母同住了，可是到了赛季，她的丈夫必须要留在马德里踢球。但是只要委员会成员批准，他就会时不时地飞回马略卡，陪老婆几天。“我可不想找麻烦，要是被他听说我和他芳心寂寞的老婆有一腿，那可不是闹着玩的。”森迪确定无疑地告诉艾莉。

“嗯……查理呢？查理在哪儿呢？”艾莉有些迟疑地问，她的脸上写满因不祥预感而产生的担心。如同魔法一般，艾莉的脑海里浮现出了她的宝贝小儿子和一个风骚女人嬉笑打闹的色情画面。更何况，奥布赖恩的豪宅里还有那张藏在巨大牡蛎壳里的水床。我们能从艾莉的脸上读出她心里在想什么，就如同读一本翻开的书一样——这次是一本关于色情女人的淫秽书刊，就是封面上盗印着半裸美女的那种。一下子，艾莉陷入了沉思。

森迪无奈地摇了摇头。“我的老妈，拜托你别胡思乱想好不好？”他低声说道，“就算是查理笨到卷进这种事情里面去，估计那个女人也不会变态到去干一个十二岁的孩子。”

艾莉的表情直白地告诉我们，她并不十分相信森迪的话。“可是，他快要十三岁了呢。”她一个人自言自语道，“对那种厚颜无耻的放荡女人来说，应该已经够大了吧？”

“那又怎么样呢？几分钟之前，你还无比热心地希望我能和她约会呢。”

艾莉的眉毛皱得紧紧的。“可那时我还不知道她是个有恋童癖的骚货呢。”她小声嘀咕着，添油加醋地把事情夸大了无数倍。过了一会儿，正如她的一贯作风，艾莉的思路猛地来了个一百八十度大转弯。她给了森迪一个责备的表情，然后低声说道：“对了，年轻人，‘干’这个词好像不大适合从你嘴里说出来吧，更何况还是当着你妈我的面。”

森迪无可奈何地翻了个白眼。

“可是查理到底去哪儿了呢？”我问道。尽管在心里，我一再告诫自己不要自寻烦恼，但还是抑制不住想要弄清楚状况。

森迪朝宅子正门入口旁一个人头攒动的房间点了点头，正在这时，查理和德卡一起出现在了我们面前。

我看见艾莉惊讶地张大了嘴。“他们竟然穿着燕尾服！”她的声音颤抖着，“而且！竟然还打了蝴蝶领结！”

只有艾莉才会大惊小怪地认为这是年轻人堕落的征兆。在我看来，我只会为儿子突然变得如此温文尔雅、成熟得体而感到惊讶，还会感叹孩子竟然突然就长大成人了——尽管查理只是看起来这样。拿森迪来说吧，我全然未曾察觉到他已经是个大人了。看看现在的他，完全是自信满满的青年才俊，那个穿着汗衫加牛仔裤的读书郎已经是昨日旧事了。他现在只缺胳膊上挽一位魅力四射的年轻超模，这幅成熟的画面就算完整了，至少从远处看是这样。

看到查理的样子，森迪开始放声大笑。“看他那副傻样子！”查理向我们走得越近，森迪的嘲笑就越是大声。“看看你自己吧。简直就是一只从动物园极地馆里跑出来的企鹅！哈！哈！哈！”

查理丝毫没有在乎大哥的嘲笑，他才不会上森迪的当呢。“嗨！老爸老妈！”他冲着我们咧嘴一笑，“实在不好意思啊，让你们久等了。德卡和我借了他姐夫的奔驰车，上高速公路到帕尔马的提托斯接几个朋友去了。”

艾莉宽慰地叹了一口气，但马上被森迪的哄笑声淹没了。我们所有人都认为查理是在开玩笑。德卡只比查理大十八个月，连考取学员驾照的年龄都还差几年呢，更别提去什么提托斯了。那可是现在欧洲最时髦的夜店，位置极好，能远眺到风景绝佳的帕尔马海湾林荫道步行街。像查理和德卡这样的小孩子，连夜店门都进不去，尽管两个人穿上燕尾服还挺像那么回事的。

“对了，你是怎么搞到这身衣服的？”我觉得自己现在的感受混合了艾莉的放松和森迪的不屑一顾。

“噢，这也是我姐夫的。”德卡毫不隐瞒地说，“他衣柜里全都是衣服。你知道我姐夫吧？一流的西班牙足球运动员。他个子不高，所以他的衣服我和查理穿刚好合身。我们开着他的奔驰，别人还以为是他本人呢。”

艾莉给了德卡一个略带责备的微笑，就是那种妈妈为孩子随时准备好、当孩子撒撒无伤大雅的小谎时该给他们的微笑。“你们两个倒是为晚上的酒会好好打扮了一番呢。”她对查理说，“但是，我认为你现在应该换回自己的衣服了。”艾莉指了指手表，“看看，都几点了。已经过了你该上床睡觉的时间了。我们要回家了。”

“对啊，小屁孩。”森迪在一边幸灾乐祸，“别忘了把那辆宝贝奔驰小心开回原地哦。我可听说了，你要是把德卡姐夫的车搞乱了，准没什么好果子吃。”

查理倒是没有提出异议，只是和德卡交换了一个有点狡黠的坏笑——至少在我看来是这样——就一起顺从地上楼了。与此同时，艾莉去找科琳道谢，感谢他们一家的盛情款待，而我则去了小酒吧，准备和肖恩道别。我见到肖恩时，他已经醉得不成样子了，我估计他都没有认出来我是谁。从肖恩茫然的眼神来看，我猜他把我当成那些围着他喝酒的清客了。只见他费了好大劲才准确地抓住其中一个坐在正中间的人的手，使劲握了握，然后咧嘴大笑，完全没有听见我准备好的传统盖尔语道别辞。其实我的盖尔语也确实不怎么样，估计听起来和斯瓦希里人驱除惊扰到野羚羊的邪灵时念的咒语差不多吧。所以我的这段道别辞还能有多恰当呢？屋外传来一声酒杯破碎的声音，继而是人群的欢呼声及伴随着水花飞溅声的几句咆哮，应该是有人掉进（或者被推进）泳池里了。随着马略卡夜晚渐渐凉爽起来，整场暖房酒会的气氛也逐步攀到了沸点。艾莉是对的，现在正是回家的最好时机。

刚走上露台，我们就听见乔克·彭斯操着一口美式腔调大声喊：“嗨！在场的各位小姐先生！”他拿腔拿调地说，“现在舞会开始！就在这儿，奥布赖恩夫妇的舞会！小伙子们，快点抓个姑娘吧！摇摆起来！让我看看你们尽情摇摆的样子！”

“典型的乔克！”我在心里哧哧地笑。他从来不会错过任何一个搞笑的时机。今天他和梅格不仅享用了不少免费的美食美酒，还自作主张地当起了舞会主持人。或者在不久的将来，我真该跟他好好学习一下“岛上生活的不二法则”。我和艾莉今天听他的话，的确认识了不少新朋友，却没像他希望的那样，卖掉哪怕是一个橘子。必须要说的是，我甚至都没试一试。可能这就是乔克能在岛上混得如鱼得水的本事和我们今晚第一次照他意思进行的初步尝试之间的关键差距吧。乔克在电子键盘上按下几个键，震耳欲聋的摇滚乐队现场演奏就魔法般从电子扩音器里传了出来。

“第一个上场表演的是我的一个好朋友。”我只不过对乔克挥了挥手以作告别，没想到这个没心没肺的家伙竟然夸张地大声向在场所有人介绍起我来。“这个家伙可是从过去穿越时空来到现场的哦！让我们给我的朋友彼得让让路，请他到台上来，为大家演奏一曲传奇的经典曲目《昼夜摇滚》！”

乔克这家伙又拿比尔·哈利和他的彗星乐队开我的玩笑了。我知道这是他针对我白鞋子的恶作剧。可怕的是，在场的其他人很快也明白了他的玩笑话。从泳池到可供我“避难”的停车场，一路上总有打扮入时的家伙笑嘻嘻地盯着我，而我只得调动起全部的幽默感，尴尬回应。艾莉和两个儿子一直很有礼貌地保持沉默。我则一直忙着在心里狠狠咒骂那该死的白色皮鞋，甚至都没有注意到停在我们家福特嘉年华旁边的时髦奔驰跑车上有一道长长的划痕。很显然，车里其他人也都没发现，可能只除了查理……

✣✣✣

在九月的凌晨时分，回到令人神清气爽的乡下农场“市长府邸”真是件令人欣慰的事情。打开百叶窗，躺在床上，让窗外大自然的清雅香味和夜晚种种细微声响飘进房间，这种感觉和晚上在奥布赖恩家酒会上的体验相比，差别实在是太大了，甚至让我开始怀疑我们是不是在同一个星球上拥有这些奇妙境遇的，更别提在同一个小岛上了。

“你知道吗？”过了一会儿，艾莉突然说，“我们回家之前，在我去找科尔的短短几分钟里，至少有三个男人跟我搭讪呢。”

“才三次而已嘛。”我闭着眼，睡意蒙眬地小声嘀咕着，“你啊，已经不行喽。”

“别闹。我是说真的。到处都有好色的家伙。无聊的变态，每请女士喝一杯酒，都要算计一下自己得手的概率是多少。酒会上似乎到处都是这种讨厌的人。”

“现在天热嘛。欲火中烧。”

“可不是每个人都是这样啊。”

我决定忽略艾莉这句话里有话的尖刻评论。经过了漫长的一天，再加上喝多了香槟，我现在被无法抑制的困意笼罩着。“晚安，艾莉。”我低声说，“明天见。”

不知怎么，艾莉似乎毫无睡意。不过幸运的是，她除了想要聊聊天之外也没什么心情做别的。“有两个跟我搭讪的人，自称是什么建筑商。”她自顾自地说着，“脖子上挂着那种大金链子。你知道，就是梅格很看不起的那种英国牛仔。嗯……”她似乎陷入了自己的遐想，“两个人都说要是我同意和他们私下约会谈谈需求，就会给我大的折扣。我一听就知道是骗人的把戏。事实上两个人的行骗手法如出一辙。只不过一个说要约我明晚在新帕尔马的英式快餐店见面，另一个约在了同家餐馆的楼上罢了。”

其实在一般情况下，听到艾莉说这样的话，我肯定会无比热心地想要了解这两个男人究竟是怎样的货色，这样的话，如果下一次有机会和他们碰面，我也好给这些家伙点儿颜色看看。但是今天，我实在没有兴致去关心这对可怜的建筑商人。“至少你还有魅力让他们兴奋啊。”我说这话其实是想间接地恭维一下艾莉，可是由于昏昏欲睡，话说出口竟然显得有点粗俗。

艾莉似乎没有察觉到我无心的错误，“啊，第三个人才奇怪呢。梳着一条小辫子，说自己在帕尔马开了一家异装癖俱乐部。”她一边说，一边哈哈大笑，“他竟然问我有没有兴趣在他的俱乐部打工。他说我可以打扮成玛琳·黛德莉，你敢信吗？”

“肯定是因为你的颧骨比较高。”

“嗯，有可能。他一直盯着我的颧骨暗送秋波来着。

哈！哈！”

“好吧。要是你决定做这份工作，去跟查理谈谈，没准他能把那套燕尾服借给你穿穿。”

艾莉竟然对我尖酸刻薄的答话没有什么反应，只是告诉我说：“不对。我觉得应该穿长筒丝袜和吊袜带更加合适，那个男人也会更感兴趣的。”

“好啦，好啦。”我有些不耐烦地说，“艾莉！你已经成功摆脱那些色狼的追逐啦！现在该睡觉了！我的老天爷！”

我刚刚享受了几分钟的清静，艾莉又开始兴高采烈地用胳膊捅我。“快看，天上的星星！彼得，快起床！看！你见过这样的星空吗？”

我知道自己彻底被她打败了，于是翻了个身，勉强睁开眼，眨了眨眼睛，透过窗户斜望向远方星空。毫无疑问，在没有月亮的夜空下，闪烁着数不清的耀眼明星。我们以前在苏格兰常常能看见的星座全都清晰可见——北斗七星、猎户座、小熊星座以及数不清我忘记了名字的星星——但是，我从来没有见到它们这样清晰过，即使是在北方多霜的最佳观星季。我知道，不仅是马略卡和苏格兰之间相隔的一千五百英里造成了星空的倾斜，让我本能地歪头仰望夜空，这原本就是我习惯了的姿势。真的，我从来没有见过这么大、这么亮，而且又离我这么近的星星——近到让我感觉只要伸出手，就能触摸到它们。

“好像是无数的圣诞树小灯散落在了黑缎子窗帘上。”艾莉低声嘟囔着，声音里终于有了几分倦意。不过没过多久，她突然又活跃起来，指着窗户气喘吁吁地大叫：“看！流星！一颗！又一颗！天哪！我觉得我差点就抓到它们啦！”可能是由于今天晚上黄道十二宫看起来格外近的缘故，艾莉竟然萌生出了颇为浪漫的想法。她在我身边躺下来，紧握着我的手，依偎着我小声呢喃道：

“我们能许三个愿呢。”

“给我留一个就行。”我打着哈欠。

“但是你别告诉我你许的是什么愿哦，要不然就不灵了。”

“反正说不说都一样。”我嘟囔着，又一次陷入香槟带来的睡意，“我可一点也不介意告诉你。”

“为什么都一样啊？”艾莉更紧地抱住了我，“你许的到底是什么愿望呢？”

我转过身，把被子扯过来蒙住头，大声咆哮道：“我的愿望是，当初要是没有听你的话买那双该死的白皮鞋该有多好！”

— 8 —

冬　春

托马斯·费雷尔送我一本古老的马略卡农事历。抱着许久未翻过的西班牙字典逐字翻译花了我好几天的工夫。不过这件事儿还是挺值得的，我不仅学了不少新词，还了解到岛上的老人是怎样通过月相来安排耕作的。这套理论其实看起来挺像那么回事的，或许真有道理也说不定，你看现在不还有那么多信徒相信太阳、月亮和行星运动以及它们的相对位置会左右自己的爱情、事业和财运嘛。现在是十月，黄道上太阳进入天蝎宫，历书上是这么说的：

> 太阳运行至天蝎宫，会带来一系列天气上的变化：日益寒冷，十月之后，要注意防治冻疮，时时会有暴风雨降临，伴有电闪雷鸣。

其实没必要弄得那么玄虚，万事万物都是互相关联的。有没有觉得天冷，完全取决于你适应什么样的气候。我们在马略卡度过的第一个十月，气候还是相当宜人的。别提冻疮了，我们倒觉得这更像苏格兰的夏日，而且还不用为蚊虫烦恼。但不管怎么说，历书上讲的这个月“时时会有暴风雨降临，伴有电闪雷鸣”却是千真万确，而且这也正是换季的标志。二月末三月初，我们早已领教过暴风雨的威力了。马略卡人说，大自然肆无忌惮的惊声呼喊，是换季的讯息，表示冬天就要过去，春天就要来临。十月的天气跟春天如出一辙，又让我们久居马略卡的邻居给言中了。在过去，马略卡人的语言里没有“秋天”这个词，一年里的第三个季节就是“冬春”，听起来倒是挺古雅别致的。其实，在这个时候，地中海地区的很多地方都是这种气候。秋天里的农活，像是摘葡萄、收杏仁、采橄榄都已经做完了，但是，按照历书上说的，现在正是播种的好时节，可以种一些樱桃树、谷物、蚕豆、羽扇豆或者其他适宜在马略卡的温暖冬天成长的植物。不过，大概是唯恐马略卡昔日老农让人们对冬天气候麻痹大意，历书上特地加了这样一段话：

> 在十月间，树木和水果（比如榅桲和石榴）易受蚂蚁和黄蜂损害。

那怎样补救呢？

把黄蜂蜂巢捣毁。

这法子听起来真不靠谱，防治蚂蚁的方法也好不到哪儿去，尽管潜在的危险系数要低很多。

把南瓜叶子榨成汁冲洗有蚁穴的树，同样方法还可以防止牲口被蚊虫叮咬。

这得榨多少南瓜叶子才够你“冲洗”果园里所有的树和棚里的牲口啊？反正历书只字未提，不过我估计，就算是跟他们一样反对化工农药的佩普老头听了这个方子也得退避三舍。我从来没在他的园子里看见过南瓜。不过，他肯定有一些效果相当的老方子来防治害虫。尽管到最后，可能只有微乎其微的一小撮害虫会被他的诅咒和臭烟斗吓唬走。

对于我们来说，果树里的蚂蚁问题还不算太严重，如果真的要采取行动，我觉得用佩佩·苏沃教我的方法就足够了。他是当地果树种植的行家，也正是他在我们忽视果树里的蚁穴时及时挽救了我们的果园。佩佩·苏沃并不鼓吹滥用杀虫剂，但能很好地调和环境问题与小农利益之间的矛盾，保护我们赖以维生的牲畜、谷物和树木。在“绿色”这个字眼成为环保的行话之前，甚至在历书出现之前，佩佩·苏沃和他的祖先就已经是具有生态意识的农民了。不过他也是个很务实的人，知道如何既保持传统又跟上时代。总的来说，佩佩·苏沃给我们的建议不会有错，就像老玛丽亚建议我们如何处理蚂蚁问题一样……

“用烟囱里的灰！”这就是玛丽亚教我如何阻挡蚂蚁破门而入的方法。“在门口用灰撒一条线，它们就进不了门啦。知道吗？它们在烟囱灰上站不住。哎，这可是真的！我上次不就教你在卷心菜旁边撒一圈木屑防鼻涕虫吗？农药？”她作势朝身后啐了一口，“哼，就是现代化毒药！就跟你那个鬼上身似的拼命冒毒烟的小拖拉机没什么两样。农药？天哪！我可不会昧着良心用那种东西！”

她那叽叽喳喳的声音，跟老佩普唱的是一个调调。我们这两位德高望重的马略卡邻居，是旧式乡村生活的狂热支持者（至少在言辞上如此），搞得我也成了支持生态健康的传统人士。但是我们都知道，就算是佩普，也不得不用他那条“战伤”的病腿作为借口，在某些情况下用拖拉机代替骡子耕地。至于玛丽亚，我要偷偷地说，我亲眼看到她在番茄上撒蓝色药粉抵御真菌。那是一种硫酸铜粉末，用于园艺已经很久了，只要使用得当，是绝对安全的，但不管怎么说，这到底还是有毒的化学药品吧。不过，尽管我知道硫酸铜使用不当能造成的后果，但也知道这是必要的。尤其后来霍尔迪还坚定甚至有点专横地告诉我，如果不这样做的话，马略卡的潮湿空气会让农作物上长出对番茄而言致命的孢子。霍尔迪还说，适当使用一点硫酸铜杀真菌剂，或者是用一点鱼藤杀虫剂，会让番茄变得更健康。在谨慎用药的安全性和本质问题上，他也不接受任何质疑。我吃了好大的教训才明白这一点。

一个夏日清晨，霍尔迪在无花果树的荫蔽下打量了一下我们家那几排番茄的个头，然后说："我告诉你，伙计，用点杀虫粉没什么坏处，不会影响你的性生活，而且比你带给你邻居的麻烦可要小多了。"他忽然捂住了鼻子，"妈的！真是臭！你别以为我不知道你要的是什么把戏！"

我知道霍尔迪指的臭把戏是什么。不是说"有机"肥料又好又省钱嘛，我们就用自家化粪池里"富有营养"的液体来灌溉农作物了。在这种缺水的地方，这种做法很合理，更何况化肥到处都卖得那么贵。我们故意把番茄种得离屋子很远，不过离费雷尔夫妇度周末的房子很近。我们也没跟人家打个招呼，貌似有点不顾他人感受。的确，我们这个决定背后不无恶意。但这也算是我们以其人之道还治其人之身的做法。他们在把这片地方卖给我们时，向我们隐瞒了这里的下水管道系统有多么糟糕，这可是有欠厚道的。霍尔迪对此心知肚明，我也知道费雷尔夫妇此时此刻度周末的心情想必相当郁闷。

不过，我搞不明白的是，霍尔迪为什么要拿化粪池带给费雷尔一家的郁闷和农药带给性生活的困扰相比较。我猜，难道他是指吸入硫酸铜或鱼藤粉末，对男子气概多多少少会有些副作用？就像我喝多了香槟之后，晚上就会对艾莉无动于衷一样？这我可得立马搞清楚。

“呃，那个……性生活？”我挠着头皮问霍尔迪，“往番茄上撒点农药，对性生活有什么影响吗？”

他点了点头，然后用他独有的姿势看了我一眼，带着点遗憾，好像我脑门上清清楚楚地印了两个大字“白痴”。

“就是蜜蜂啦！”他说着抬起眉毛又望了我一眼，估计我脑门上的字应该变成“我明白了”。

可是我不明白，反而更糊涂了，而且糊涂得一览无余。

“就是蜜蜂啦！”霍尔迪叫了起来，好像提高嗓门就能让我迟钝的脑袋听明白他在说什么似的。“你撒药粉的时候当心一点，不要伤到蜜蜂！”

看来我真的不是什么聪明人。“蜜蜂？性？”这有什么关系啊。

霍尔迪咬了咬牙，真的有些发怒了，整张脸都绷得紧紧的。“对，蜜蜂！”他叫道，“番茄里的蜜蜂跟蜘蛛，果树上的阿姨，芜菁里的玛加丽塔——都是他妈的性！对，就是这样！只有蜜蜂是好的性！对农民有益的！妈的，我说伙计，你的英语比刚来马略卡的时候可是烂多了啊！”

我知道每一次见面霍尔迪的英语词汇量都有所增长，所以没怎么费劲就搞清楚了，“阿姨”是指“蚂蚁”[1]，“玛加丽

1　阿姨（aunties），与蚂蚁（ants）音近。

塔”是指“蛆”[1]，随之恍然大悟，那个“性”到底是怎么一回事。我装模作样地摆出一副羞愧姿态，尽量忍住笑意。“抱歉啊，霍尔迪，”我说，“在你讲蜜蜂的时候，我就应该猜到，你说的‘性’是指‘昆虫’。[2]”

“对，就是嘛！这就是霍尔迪他妈的要给你讲的，性！”

经历了霍尔迪那番天才言论之后，我明白了，但还是决定忍着他那口别扭英语，要让我跟他聊家常，估计更费劲。从那天开始，“阿姨”“玛加丽塔”对我而言，有了崭新的含义，至少是在我跟霍尔迪交谈的时候。不过，霍尔迪用他独一无二的语言对我说的话和佩佩·苏沃曾经给我的建议如出一辙，那就是不要伤害蜜蜂。蜜蜂授粉对植物至关重要。在植物开花的时候使用杀虫剂一定要格外当心。玛丽亚告诉过我，蜜蜂就是田间的小丘比特，没有它们的爱神之箭，植物就不可能开花结果。正因如此，在给果树除虫的时候，佩佩·苏沃对农药的使用格外当心，要用就必须得经过玛丽亚的允许。不过，事实上，还是有“地下工作”未经许可就展开了。她那个长期饱受“压抑”的女婿豪梅可不是省油的灯。在玛丽亚眼里，他是个自以为是的小子，拖拉机的狂热爱好者，简直是破坏传统习俗的洪水猛兽。可是，时代还是在改

---

1 玛加丽塔（Margarets），与蛆（maggots）音近。

2 性（sex），与昆虫（insects）音近。

变，不管佩普和玛丽亚怎样频繁地为过往好时光唱赞歌。不过，就连他们，如今也在小心聆听——如果说还没有主动歌唱——现代化的赞歌了。

我对维护过去“绿色”传统做出的一点微薄贡献（当然也是出于苏格兰人精打细算的本性），就是建议艾莉我们不妨试试玛丽亚防治蚂蚁的法子。艾莉的反应迅速又直击要害：

“烟囱灰？你没长眼睛啊？烟囱灰是绿色的吗？那是黑色的！你当心别得了色盲！我们家一进门可就铺了一块贵得要死的地毯，看清楚，白的。你要是高兴，还可以叫它乳白色、石膏色、蛋壳色或者象牙色，就是不能叫它黑色。想想看啊，要是你儿子和邦妮脚上都沾满了烟囱灰进门，它就真成黑色的了。”她说着就递给我一个喷雾罐，“蚂蚁都怕这个味道，我今天早上在五金店买的。”在我要申明经济上的考虑之前，她抢先说道：“一小罐子喷雾是比烟囱灰贵，但比洗地毯的开销可要便宜多了！”

好吧，我为全球变暖致上我深深的歉意，我听从了艾莉的指令，在门前的地上喷了无色杀虫剂。当然，这东西的确很管用，蚂蚁游行大军的领袖在闻到那股化学药品的气味之后，立即摇了摇触角，带着它的部队匆忙撤退，向另一个欢迎它们的房子进攻了。尽管我使用杀虫剂来对付蚂蚁可能会加剧对臭氧层的破坏并造成无法挽回的损失，可蚂蚁却并不在乎这两者的差别。对它们来说，土方的烟囱灰和现代的杀虫剂都是一样的，这些奇形怪状的两脚巨人不过是在浪费时间、浪费精力罢了，因为那些该死的玩意儿都只能暂时将它们拒之门外。每一只具备思考能力的蚂蚁都知道，它的同胞比这帮多事之徒在地球上多待了几百万年，在人类用烟囱灰和杀虫剂把自己折腾死之后，它的同胞还能再活几百万年。若是真有个有勇无谋的匹夫要跟它们过过招，其厄运是可想而知的，家里地毯上沾满烟囱灰应该算是最轻的了吧。

艾莉坚定地拒绝使用玛丽亚提供的土方，在这一点上，我真没什么好怪她的。我自己已经试过很多土办法了——尽管我一样很热爱现代的“科学”方法（估计爱得还更多）——只可惜这些土方都收效甚微。不过我应该公平一点，很有可能是我自己操作失当的缘故。比如，很有可能是我把胡桃叶子放得离蟑螂藏身之地不够近，或者是我用来驱蝇的盐渍柠檬片分量不足。管它是不是呢，总之记下这些事情就像在编荒诞故事一样，我最后不得不承认，《芝麻街》里的柯米蛙说了句至理名言：“绿色不易。”

但这些并不足以让我改变初衷。我依旧支持“绿色”吗？是的，在一个广义原则之下我当然是支持的。那么为它摇旗呐喊呢？呃，这个就太夸张了吧。不过，在农业的阵地，我和公平公正的佩佩·苏沃一样，是走中间路线的。自从我被玛丽亚那套关于“那个年代”的布道俘获之后，基于健康考虑，我对那些土方法的热情是多了些，老玛丽亚总说它们包治百病。

比如，他们老派人士对付蚊子的那套“纯天然”的法子就是最好的证明。我倒不是说蚊子相比别人更喜欢咬我（尽管这可能是真的！），只是被蚊虫叮咬这件事让我很讨厌不是没理由的。蚊子在吸我的血时，穿透皮肤的长鼻子总是喷出许多抗凝血剂，这种东西不仅能让它尽可能多地偷取我的血液，还能让小偷完全不受影响。这让我很在意！

话说回来，我必须申明，马略卡岛上真正会对人造成伤害的爬行类昆虫基本不存在。你在这里的群山与平原间跋涉一辈子，都不会遭受毒蛇或是毒蜘蛛的侵袭。就算马略卡蚊子对人的健康有点威胁，也要比它们那声名狼藉的北方亲戚好得多。苏格兰的蚊子在夏天会丧心病狂地蜂拥到西部高地，袭击那些前来度假的倒霉游客。不过，不知出于什么原因，苏格兰的蚊子从没怎么叮过我。或许，它们放我一马是因为我是个无甚新鲜感的土特产，它们的首选是流淌在外国游客皮肤肌理之下别具异国情调的血液。如果这个原理可以推而广之，那倒是可以解释，为什么从我们来马略卡的温暖春天——一年中的第一个春天——开始，这里的蚊子——在地中海气候里和蚂蚁、蟑螂一样普遍——就一直骚扰着我的生活。

蚊子先是靠它的小细脚着陆在我的皮肤上，然后再狠狠地把吸管式长嘴插进去，开始侵袭我毫无防备的血库。直到被叮过的部位周围皮肤开始变热，我才发现自己已经成了蚊子的受害者。随之而来的就是发痒，真他娘的痒啊，怎么挠都没用，而且是越挠越痒，真是再郁闷不过了。过了一两个小时，瘙痒已经升级到无法忍受的地步，我挠得简直都抓狂了。皮肤上的小红疙瘩开始膨胀，这是体内的抗体开始惊慌失措的反应。最后，我那被蚊子叮过的手就像戴了只浸过水的红色橡皮手套一样。一点都不夸张。我敢肯定我身体新陈代谢对蚊虫叮咬的强烈反应能够纳入吉尼斯世界纪录。

最难忘的一次是，我在睡觉的时候估计是遭受了一群斯图卡式俯冲轰炸机微型空军部队的侵袭。醒来之后发现，它们在我的左手上享用了一顿饕餮大宴，这场吸血鬼盛宴留下的令人不爽的遗迹一直延伸到我的肩膀。当我起身到镜子前检查“战场”时，我听到艾莉发出一声令人毛骨悚然的惨叫。我扭过头去，只见她直挺挺地坐在床上，即使是在光线昏暗的卧室里，我也能看到她眼睛中再明显不过的恐惧。她又叫了起来，这次嗓门更大。

“你中邪了？”我倒吸了一口气，“看在上帝的分上，艾莉，你吓死我了！”

“哦，原来是你啊。”她长吁一声，像是放心了。

“那你以为还能是谁？”我痒得要死，说话也没好气，“简直就是一场噩梦！”

艾莉窃笑道：“我可是吓坏了，一醒来就模模糊糊看见一个陌生人晃过来，肩膀上还扛着个大肿块。等你转过身来，看到你的脸，我还真以为自己见到了卡西莫多呢。”

这当然是地地道道的危言耸听，不过我发现，手臂上的确肿起来一个很大的疙瘩。我从镜子里看了看，发现还真是辨不出自己的模样了，这分明就是《巴黎圣母院》里的那个驼子嘛，而且还是30年代电影版本里的驼子。我左半边脸简直就是查尔斯·劳顿的。唯一与卡西莫多不同的，可能只是驼峰的位置，对，在相似度上只有这一点尚存争议。

为了防止这种情况再次发生，我必须采取行动。其实，我已经尝试过各种各样的药膏了，它们的制造商都声明可以保护我免受蚊虫滋扰，可实际上却一点用都没有，搞得我最后只是攒了一堆乱七八糟的止痒去痛药膏。这些林林总总、花样繁多的药膏我不知买了多少，多得都可以要求药店老板给我打个大大的折扣了。绝望之中，冒着被奚落的风险，我终于在一天清晨跑到佩普老头家门口，东拉西扯了大半天，才吞吞吐吐地向他抱怨起我的境遇。

“废话！”他哼了一声，“那些玩意儿都不好使。用化学药品对付蚊虫根本没用，就跟你只给闹饥荒的人一双筷子一样，没用！”

按照佩普老头不容置疑的看法，醋，辛辣又刺激的醋才是解决我目前问题的唯一良方。我应该用醋涂满全身裸露的皮肤，没有蚊子能受得了那股味道。而且，他补充道，不再有蚊虫叮咬，我就不用浪费钱买什么去痛止痒药膏啦，能省下好多钱呢。

为了防止佩普老头骗我，我在付诸行动之前特地咨询了玛丽亚。她耸了耸肩膀，脸上的表情告诉我，她以为这法子全世界人民都知道呢。

“当然了，”她说，“身上涂点醋，蚊子不敢惹。这法子对付黄蜂也好使，还能治晒伤，洗衣服的时候加一点，腋窝里的汗渍也能洗得干干净净。醋的用处多了去了。蚊子？”她在空气中拍了两下，“醋能让蚊子躲得远远的，就像我女婿躲农活躲得远远的一样。”

这对我来说真是福音啊。

“你闻起来跟饭桌上的鱼一个味儿。”这是我头一回抹上醋时艾莉的反应，“老实说，你带过来的那股味儿让我想起用报纸从炸薯条店里装出来的一包吃的。”她瞪着我，上上下下闻了闻，“你要是带着这股味儿，我就不跟你一起出门了。”

那时，我们正准备出门去闻名已久的猎人饭庄试一试那里的美食。饭庄坐落在山谷另一面，是个不为众人所知但推荐指数极高的所在。我意识到了问题的严重性，因为我还从来没有见艾莉会放弃吃美食的好机会。看来这个问题我是不得不面对了。胡乱求医问药的境遇该告一段落了，我应该多找找科学的解决之道。

最近有调查研究显示，只有母蚊子咬人，而且只在产卵期间咬人，因为它需要你的血液来滋养受精卵。在产卵期间，再多情的异性也都变得毫无吸引力。母蚊子一旦怀孕，公蚊子对它而言也就没什么用处了。如果不幸哪只公蚊子还没有得到满足，那么不好意思，去找大黄蜂或是自己解决吧。显而易见，几百万年以来，蚊子得以繁衍，根本不是基于感天动地的爱情，母蚊子才不稀罕呢。至于人类被咬成那副模样，还是摆个高姿态吧，蚊子有了你的血液才能繁衍，谁又能阻止它们生生不息？

“现如今这些人都想什么呢？他们真以为那些化学药品和防蚊剂能保佑他们安然无恙？”在我的幻想中，臭气熏天的水沟旁，蚊子家族高贵的女家长在产卵时一定会频频发出如此这般的疑问。“来，让我们来搞定它。”它们接着说，“有什么能比恐龙的胯部更难闻？我们成千上万的祖先为了它们未来的宝宝，不都挺过来了吗？”

这样一想，还没等艾莉来劝我，我就已经认定自己跟蚊子之间的战争最后注定要以我的失败告终。侏罗纪时代的屁都没能让它们销声匿迹，这样看来，附近数以万计的吸血鬼的祖先可是雷龙屁股后面的居民。既然祖先都乐于冒险繁衍后代，那么子孙自然不会被我脸上涂的那点醋吓倒。不管佩普和玛丽亚如何信誓旦旦地保证，我还是觉得这一招的前景也比较暗淡。

但是，事情通常就是这样，老天制造了麻烦，自然也会给出办法。一连好多天，我都在瞎琢磨怀孕的母蚊子，忽然有一天，我在《马略卡每日公报》上看到一则邮购广告，理论依据正是我近日研究的主题。广告声称，他们发明了一种新装置，可以发出一种尖锐的声响逼真模仿公蚊子发情时的频率。这种配备电池的装置很小巧，可以像一支钢笔一样别进你的衬衫口袋里。更重要的是，它的音频信号可以准确无误地传到母蚊子那儿，但人耳却是听不到的。不像那些用刺鼻气味杀蚊的产品，这个装置对使用者没有任何副作用。真是救星啊！我立马就订了一个。

你能想象我发现这东西好使的时候有多么兴奋吗？忽然间，有了这个小东西的保护，我不再是嗜血夫人的靶子了。我甚至可以去蚊子最多的地方，在那些露天场所坐下来享用一顿饭菜或是小酌几杯，根本不必担心被蚊子咬。就连广告声称的，你和你周围的人都不必为这个小装置发出的声音而感到困扰，也是千真万确。估计就是再放个迷你扩音器在耳朵里，你都未必能接收到它发出来的声音。但不可否认，过路的狗通常都会竖起耳朵，夹着尾巴，朝我疑惑地望上一眼，然后赶紧跑开。不过在我看来，用这一点点代价就把我从长期忍受的瘙痒折磨中解救出来，绝对是值得的。但是非常不幸，我高兴得太早了。正是因为狗，我的诺亚方舟撞在了礁石上。

作为一条狗，邦妮有着敏锐的听觉，我如此自私而无情地看不起它的耳朵，让它很不高兴，它相当严酷地表达了自己的观点。过了几个星期没有蚊子侵扰的生活，我开始有点麻痹大意了，只在太阳下山之后蚊子猖獗时才戴着那个小东西，白天出门就把防蚊装置关掉搁在厨房桌子上，这样能省点电池，晚上就能多用一会儿。在这种情况下，尤其是我们离开农场一两个小时之后，邦妮作为我们家的看门狗，总是很自然地留守在厨房里。从厨房敞开的大门，它可以一路畅通无阻地跑到阳台，在那儿关注房子外面的动静。邦妮可谓是恪尽职守，尽管岁数不大，却从来没干过什么恶作剧。她干过最坏的事，也不过是偶尔被看守时的孤单无趣打败，从厨房门口挂的防蚊纱帘上扯下几个小装饰玩，或是从阳台的花盆里拽出一两株天竺葵。即使是这样，在我们回来的时候，邦妮那张拳师犬的小脸上还是写满了负罪感。它知道自己做错了事，只要艾莉或我“嘘”两声，指指它就能让它陷入羞愧。

不过那一天，它咬坏了我的防蚊器之后，竟然是一脸的得意扬扬，无比自豪。由此可见，它对那玩意儿肯定是恨之入骨的。而我也应该清楚局势了。每当我打开防蚊器的开关时，邦妮必定扭过头来，用它棕色的大眼睛困惑又恳切地望着我，好像在说:“拜托你能不能别让那魔鬼叫唤了？”如果我没有注意到的话，它会开始呜呜地叫，用前爪不停地挠耳朵。我对自己带给它的痛苦深感抱歉，但总觉得，这点代价对于解决我的麻烦来说根本算不了什么。我认为，我的防蚊器只是给邦妮带来了一点点不适，却能够让我再也不必忍受那种不堪忍受的折磨。这个想法真是大错特错。如果我先前没有意识到，那么现在看来，我绝不该低估一条心怀不满的狗的决心。在邦妮看来，我不假思索地破坏了它的世界，用一种比农药对人类的伤害更令人愤慨的方式污染了它的世界。任何事都是以自我好恶为标准的，即使是在狗的世界里。

在我们从帕尔马购物回家之后，我发现厨房的桌子上有两个爪印，而我的宝贝防蚊器只剩下一块咬坏了的电池和一堆被啃过的乱七八糟的电线了。显而易见，邦妮一点儿伪装的意思都没有，它非常高兴能够为自己，同时它相信也是为我们，做了一件大好事。它的脸上满是喜悦，一点都没有察觉自己的“主人”不像它和它的犬齿类朋友一样，对那个破玩意发出的声音那么敏感。

出于对邦妮的同情与愧疚，再念及它也是一片好心才弄坏了我的防蚊器，我没说什么，只是立即又去订购了一个。不过这一回，上帝站在了邦妮那一边，我联系供应商的时候才发现，他们早已经更换了联系方式，这种事在邮购公司中司空见惯。他们消失不见了，不知道是不是因为有太多不胜其烦的狗竞相讨伐。后来，尽管我试过很多基于同样原理制造出来的东西，但都没有那么管用，至少对我不管用。邦妮的欢乐建立在我的痛苦之上。我绕了个大圈又回到了原点。

好在天无绝人之路。几个月前，玛丽亚告诉我，若是想在露天场所吃饭时不被蚊子咬，可以往炉火里扔几块驴粪，她向我保证，那股浓烟绝对管用。这法子我从没试过，我可不想在峡谷的小路上寻觅驴粪，这也太难为情了。更何况，万一玛丽亚是在骗我呢，她以前就是个小淘气，戏弄过我。

“这回是真的，朋友。”加夫列尔很热心地告诉我。他是佩格拉市郊一家五金店的老板，特别热心肠。“其实啊，你要想对付蚊子，烧几个加尔各答盘香[1]，跟烧驴粪一样管用。”他信誓旦旦地向我保证。

也真是凑巧，艾莉在附近的皮皮家居超市买东西时，我闲极无聊，从他店外“打折出清”的一堆东西里翻出了他说的那种加尔各答盘香。盒子上画了一只大大的蚊子，一下子就吸引住了我的目光。

“是店里头最后一个了。”加夫列尔说，“存的老货。不过，”他立刻伸出食指强调道，“你要是想要的话，我可以再进些货。要多少有多少！”

第二天一大早，我就急匆匆地跑到他店里，又订了一大堆。

拆开包装后我发现，这种加尔各答盘香其实是一种干胶片厚薄的卡其色纸碟状东西，上面固定着一圈圈小圆柱，按

1　即蚊香。

照说明书，你只要把缠在一起的盘香圈剥离开来，固定在盒子里附赠的底托上，然后把外圈的末尾点燃，确认香的确点着了就算是大功告成。如果想在户外用餐，就把这盘点燃的香放在桌椅板凳下面，在它的保护之下，没有蚊子胆敢前来冒犯。

加尔各答盘香真是发挥了威力，我从加夫列尔店里买回来之后就马上试验了，结果是我在灌木丛里坐了三个小时都安然无恙。要知道矮松树丛可一直是蚊子的乐土，尽管我能看到它们成群结队地在我的防风灯附近飞来飞去，却没有一只敢靠近我，加尔各答的烟雾提供了一个看不见的保护层。气味如何呢？嗯，邦妮是唯一一个体贴周到（或者用艾莉和儿子们的话说，是笨得要死）地要陪我守夜的家庭成员，即便是它那敏感的鼻子，对加尔各答式芳香也没有太反感。当然啦，那个蚊香圈不可能跟香熏一样好闻。我也在猜想，按照它那个名字的暗示，这东西该不会是用大象的排泄物做的吧？要不怎么跟玛丽亚的驴粪异曲同工呢？不过到底是不是，谁也猜不出来。你能闻到的，只有夜晚温热的空气，和不远处丛林里飘出来、令人昏昏欲睡的有机物燃烧气味。

蚊子的麻烦暂时告一段落。我使用盘香这种将传统方法现代化的好东西很完满地解决了问题。老话说得好，最简单的方法就是最好的方法。我真是对那个发明这一简单易行却又威力无穷的盘香的天才脑瓜佩服得五体投地。打那晚开始，我晚上坐在外面必定要在附近点上盘香来保驾护航。还好，人畜都没有什么不良反应，只不过，当我把那个东西放到卧室窗台上时，出现了一点小问题。艾莉提醒我，夜风会吹起窗帘，要是沾到了香火，搞不好会着火的。为了不冒这样的风险，她把盘香拿走，换了个新奇的小装备，那是一个体积很小的加热器，可以将杀虫剂加热，释放出蒸气，跟加尔各答盘香的原理一样，估计也是从玛丽亚的驴粪原理中衍生而出的吧。虽然这东西看起来先进不少，可实际效果却不敢恭维。卧室里的防蚊效果大打折扣，我真是愿意冒着失火危险，不顾艾莉的白眼把那些盘香换回来。

周围的环保人士可能要问了：“那个杀虫剂的加热器是化工产品啊，会不会对大气层造成污染呢？”

坦白说，在与蚊虫对抗的持久战中，我经历了种种折磨和困苦，早已经考虑不到那么多了。但是，为了保住自己在佩佩·苏沃环保小组里的一席之地，我也尽可能努力协调了运用现代化设备和尊重传统方法之间的矛盾。在使用电力驱蚊设备的同时，我也采用了玛丽亚的老方法——把一盆罗勒放在了卧室窗台上。

其实，在传统还是现代这个问题上，我还是采取一贯的观望态度，并且自认为这种中立的姿态挺好的。对于我这样一个曾一度变成卡西莫多的人来说，管它黑猫白猫，能抓住耗子的就是好猫……

✣✣✣

正如历书所言，十月的第一场风暴在太阳进入天蝎宫时如期来临了。我事先毫无感觉，但十月份它千真万确地来了，而且来得很及时。之前的几个星期，天气越变越糟糕，如果你可以理解这样负面地描述越来越热的天气。与九月末那宜人的夏季气候不同，十月中旬的气温竟然从温和的初秋转入了令人难以忍受的盛夏（至少感觉上如此）。九月末，采葡萄的、收杏仁的、摘橄榄的还在干急活，只需偶尔休息，找到一片阴凉，放松一下酸痛的臂膀或是喝口水消消渴。

从六月初到八月间，高温一直持续不下，我常常在峡谷间抬头望天，祈求有那么一两朵云彩能为我们遮遮太阳灼人的光线，带来一时半晌的珍贵清凉。可这样的机会少之又少。或许那些喜欢晴好天气的人听到这个说法会觉得奇怪，但我还是要说我真的无比想念苏格兰那反复无常的气候。实际上，在“市长府邸”夏日的田间地头，我不止一次这么想，我多么盼望苏格兰那寒气泠泠的薄雾来到我的果园里，让它的清新气息一洗我的尘土肺，让阵阵凉风镇静一下我大汗不止的老皮。只有偶尔那么几次，季风带来了倾盆大雨，稍稍缓解了太阳耀人的光芒，可惜，这样的时候总是太过短暂了。

十月份，我们的气候状况好了很多，没有那么极端了。

但是，随着白天日益变短，这个季节岛上特有的湿气让所有东西在一夜之间都受了潮。天亮之后，太阳蒸发了露水，带来更多蒸汽，弄得湿度一天高过一天。天气还很闷，而且与往年相比，确是异乎寻常地热。这样的天气会给人一种错觉，觉得自己好像又被带回那令人难以忍受、仿佛无穷无尽的夏日里。事实当然并非如此。实际上，这是大自然在酝酿，要让历书上的预言灵验。众所周知，在天气持续闷热的时候，只有一件事情能让它赶紧凉快下来……

第一场风暴自北方而来。遥远的雷声起初听起来像喃喃自语，而实际上，隆隆的巨响已经在宾诺泰尔山山巅和塞斯佩耶斯山脉的峡谷之间阵阵回荡。近来最闷热潮湿的一天中，夜幕终于降临。傍晚时分，四周群山崖缝中的黑影似乎也变长了。空气变得凝重起来，暴风雨的脚步越来越近了。

“我想躲到餐桌底下。”艾莉一想到风暴将至，就哆哆嗦嗦地说。尽管风暴还在遥远的海面上，离这儿大概跟到巴塞罗那的距离一样远，可艾莉对打雷闪电有着近乎病态的恐惧，她的“求生本能”已经被触发了。

我们坐在屋子前面的门廊下，像平常一样和儿子们共进晚餐，一边嘟嘟囔囔地抱怨湿乎乎的鬼天气，一边享用着艾莉跟弗朗西斯卡·费雷尔学的私家料理。弗朗西斯卡还送了一道晚餐主菜给我们，用的就是她丈夫托马斯在自家院子里种的蚕豆。托马斯种了很多优质蚕豆，和弗朗西斯卡夸耀的一样好。不过，她自己倒是从来不吃。她曾经对我们透露过，要是把蚕豆跟甘蓝菜混在一起吃的话，她的消化系统就得……呃……放点气出来。她说得很坦白，很可爱。最后，弗朗西斯卡用她一贯的傲慢姿态——当然这次仅有一点点傲慢——对我们说，鉴于消化系统排斥，她无法消受托马斯种的蚕豆，所以，我们想吃的话就尽管去拿好了。如果说弗朗西斯卡的馈赠里带点儿不情愿，艾莉也选择视而不见（至少在弗朗西斯卡面前），总是笑嘻嘻地接受并表示感谢。为什么不呢？托马斯的蚕豆很好，弗朗西斯卡的食谱同样好。

烧蚕豆相当简单。你只需要往平底锅里倒点橄榄油加热一下，把培根切丁放进去翻炒，然后再加放一个土豆、一个洋葱和半个辣椒（当然也全部切丁）。当洋葱翻炒至透明时，再加上适量的蒜头（一般加三四片就可以了），然后往里面扔上两三把剥了壳的蚕豆，加同等分量的番茄（番茄罐头也行），再加鸡肉或是新鲜蔬菜，最后撒上少许盐和胡椒粉，小火慢炖到蔬菜变软。在关火之前，你还可以按照自己的喜好加入一点点草药。尽管菜里的各种成分都平平无奇，不过按照这个方子烹饪出来，再搭配上两个煎蛋，就成了一道美味佳肴。

这就是“弗朗西斯卡炖蚕豆”。试试看吧，很简单，但绝对美味，而且还很健康。其实，蚕豆确实会让人“放点气出来”，不光是针对费雷尔夫人一个人。蚕豆在引发人类肠胃产生气体的问题上，有着令人惊讶的功效，并因此臭名昭著。所以，“弗朗西斯卡炖蚕豆”用来招待客人还是免了吧，除非你能确定来宾不介意蚕豆引发胃胀气，释放出那股难以避免的尴尬气体。

小查理就是受害者之一，尽管他是心甘情愿地受害，可还是很影响他妈妈艾莉的兴致。在查理风卷残云地吃了一顿蚕豆大餐之后，艾莉发现他在自己的卧室里翻来覆去，跟消化系统过不去。艾莉很严肃地告诉他，为了惩罚他暴饮暴食，查理这次得自己清洗内衣裤。但是，这却不能解决查理的生理问题。实际上，我猜也没法子解决。不过，从此以后，查理对公开表演释放气体的热情空前高涨，他将这种表演称为“掌控裤裆里头声音宽广音域的能力”。艾莉对这种插科打诨的表演很是不屑一顾，不过我倒是觉得这不过是再平常不过的孩子气罢了。而且我也的确发现他这一手绝活掌握得相当纯熟。虽然查理不至于成为雷龙放屁联盟的一员，但每当他吃完蚕豆，我都觉得我可以把我的加尔各答盘香给掐了，因为估计没有什么蚊子胆敢在这种情况下前来冒犯查理势力所及的范围。可是，这种法子的缺点也是显而易见的。盘香倒是不用点了，可查理释放出的气体闻起来简直就像死耗子一样。不过，好在果园里时不时有带着柑橘味道的阵阵轻风吹来，只要我坐在查理逆风的位置上，问题就不是那么严重了。再说，这还能省下点买加尔各答盘香的钱呢。对于一个精打细算的苏格兰人来说，省下一便士就等于赚了一便士。所以，煮点“弗朗西斯卡炖蚕豆”吃，还是十分具有经济意义的。

今晚对于查理来说，来袭的风暴比往常带给他更多自由。首先，他妈妈可以带着她那挑剔的鼻子躲到厨房桌子底下去；还有，打雷的声音也可以给他创造罕有的表现机会，不必因为害怕被艾莉听到而取消自己的直肠独奏音乐会。

第一声雷听起来不是隆隆声，更像是什么东西被撕裂了，这证明暴风雨已经近在咫尺。几秒钟之后，一道闪电拖着耀眼的光芒划过，把塞斯佩耶斯山脉的上空照得透亮。艾莉一看见那道光，就立马退回屋里去了。跟她一起躲在厨房桌子底下的，还有胆小的邦妮。屋外只剩下我和儿子们一起观赏这片自然奇景。想想也挺荒谬的，闪电和雷声对我们的刺激和对艾莉、邦妮的强度是一样的，我和儿子们却一点也不觉得惊慌。或许吸引我们的就是它带来的那份刺激吧。这就好像纵火犯点燃高楼，不是出于恶意，而只是寻求看见那极富戏剧性盛景时的感官刺激而已。不过，我和儿子们都不会为了满足自己的狂想而去从事那样的破坏行动（不管怎么说，想搞出一场雷暴还是有一定难度的），所以就只好待在家里，欣赏大自然如此惊天动地地展现它无与伦比的威力了。

不过，除此以外，我还有更加离奇的想法，没准我们坐在这里看雷暴的原因只不过是我们压根就缺乏艾莉和邦妮的基本常识。实话实说，我们三个男人的确是有干傻事的冲动的，比如说在雷雨天站在大树底下的水坑里。不过这些只是想想而已，在相对安全的门廊内看一场即将到来的盛大演出，已经是我们敢做的最不计后果的事了。大自然的回应永远都是盛大慷慨而又体贴周到的。

峡谷周围一片沉静，一瞬间，死一般的寂静笼罩着一切。没有鸟叫，没有蛙声，没有风吹草动，连墙上的壁虎也消失不见了。在群山的黑影之下，甚至连神经兮兮的犬吠声都听不到了。风暴终于来临，挟着一股锐不可当之势，霎时间地动山摇、震人心魄。狂风怒号，雷声震天，闪电划破了天空。那道刺目的白炽光盘旋着绕过地平线上锯齿般的山峦逶迤向西而去。

两个儿子欢呼起来，向厨房里大声吆喝。不过艾莉和邦妮没必要担心。这次的风暴倒不像去年冬天那一场。去年冬天，闪电劈裂了厨房门口那一株姿态优美的老桉树。而这一次，大自然仿佛在声明，她带来的是令人敬畏的美景，虽然近得足以产生影响，却不会伤到峡谷中毫无防备的人。你只需要欣赏，那是怎样的一种奇观！

那股仿佛来自外太空的风暴逐渐向南移动，似乎在告诉人们，它那无与伦比的万丈光芒是任何人都无法复制的。过去，我总是为爱丁堡国际艺术节上盛大璀璨的焰火表演瞠目：在爱丁堡的宏伟城堡前，烟花奢华灿烂，炫目夺人。但现在我意识到，根本没有任何一场人为表演敢妄想与当下这场自然奇观相媲美。见识了这般美景，再去读读古希腊、古罗马诗人写下的那些赞美地中海暴风雨光辉灿烂的篇章，你很容易就会深有感触。

一阵惊天雷鸣将这场盛景带入高潮，一道飞天缭乱的耀眼光芒在群山之巅凝固。长长的闪电翻腾迤逦，带着几百万伏特的强大电流，像一只巨大的僧帽水母。

“还不赖吧？”森迪用典型的苏格兰保守方式问道。

我觉得森迪的反应可能有些简洁得过分了，一切不过才刚刚开始。

整个山谷里都是白炽的炫目光芒，这景象持续了几秒钟，群山的岩石统统被照亮了，甚至比最明亮的白天还要耀眼。继而，定音鼓般震耳欲聋的声响在山谷间阵阵回荡。那一刻，我发现查理望向天边，目光严肃而静穆。而我则突然有了个离奇想法。在这震耳欲聋的喧哗声中，就算查理放屁放出了柴可夫斯基《1812序曲》里的炮火声，也没有人——尤其是艾莉——会听见，从他仰头努力集中精神的微笑来判断，他很可能正在尝试呢。

雷暴在马略卡的终场演出结束之后，还附带了一系列安可曲，伴随着暴风雨余韵一路向南漂洋过海，前往伊维萨岛和北非的海岸去了。

总算是下雨了。如此美好而又奢侈的雨水。在那望不到头的夏日酷暑中，为这令人神清气爽的雨水，我苦等了那么久！北方暴风雨的尾声送来一阵轻风，仿佛在提醒我们，在几个月后到来的冬季，从特拉蒙塔纳山脉吹来的狂风必将时常拜访这个小岛。但是现在，当我拾级而下，感受到的却是秋风和雨滴轻拂过面颊的温柔触感。过去几个星期以来令人窒息的闷热终于烟消云散，我终于又可以顺畅地呼吸了，这清新的空气闻起来比北方老家的还要甜美。

我回想起春天第一次在马略卡的清晨醒来看到的美丽日出。那真是令人终生难忘的一刻，可就连它也不能与我刚才看到的盛景相媲美。马略卡的秋天就这样到来了，这是冬天的春日盛大的诞辰典礼。明天即将在充满活力的清新空气中破晓而发。我愿意在这振奋人心的日子里，把所有在一年的两个春天之间试图偷懒将工作无限拖延的借口统统抛到九霄云外去。

明天将是繁忙的一天。艾莉挨过雷暴便重拾了信心，她会保证明天会很忙的。

— 9 —

天佑勇者

在清晨阳光的照耀下，经过昨晚一夜的雨水冲刷后，马略卡的自然美景显得格外迷人。空气中弥漫着熟悉的从树木繁茂的半山腰飘下来的松木和种种药草香，再混杂上香槟色一般的明媚晨光，给人一种沁人心脾的美妙感受。这正是那种被无数著名作词人称赞过的能让人感觉到生之幸福的早晨。“啊，多么美妙的清晨！谷堆像小山一样高。”其实我也不知道谷堆能有多高，在马略卡，我连谷子都没种过呢。这另当别论，不过即使是这类让我有些难堪的农事难题，也不会影响我的好心情，我总是能看到事情好的那一面。现在，我正和两个儿子并排坐在走廊里，一边喝橘子汁——由于显而易见的原因，这成了我们一家在“市长府邸”最常饮用的饮品——一边尽情地享受温暖的晨光。

昨夜的暴风雨一扫连日的闷热，似乎连鸟儿也分享到了这份喜悦。大门口旁边的松树丛里，一小群麻雀正凑作一团，先是懒洋洋地吱吱叫了一会儿，然后又欢天喜地叽叽喳喳闹了起来，那欢快的啁啾声让人感觉春天又回来了——可能这些鸟儿也和这里的人一样，不曾察觉秋天已经到来了吧。小白腰雨燕和褐雨燕在向北迁徙的途中会在这里停留数日，这些小家伙喜欢绕着园子里的果树飞来飞去，捕食苍蝇和（我希望的）蚊子来补充能量，以便应付接下来的漫长飞行。它们迁徙的终点是非洲，那里是这些鸟儿的冬季栖息地。第二年春天，这些鸟儿又会飞回来，继续唱响叮砰巷里语言艺术家们创作的春之赞歌。我开始有点嫉妒太阳了，它除了每天绕着天空转上一圈之外就没什么工作要干了，而我却有那么多农事要忙。我毫不费力地压抑住自己偷懒不工作的内疚之心，闭上眼睛，懒散地靠在椅背上，陷入沉思。

无巧不成书，艾莉刚好在这个时候回家了。她一大清早就跑去安德拉奇镇上购物了。“看这儿！”她把一个大塑料袋推到我面前，“这就是修理墙体裂缝的涂料，我催你买了几个月你也没买回来。这儿有四大包，五金店里也还有不少存货，你不用担心不够用！”

匆匆忙忙地检查了仓库里的墙，我不得不开始佩服起鬼才毕加索的创作能力了。从上次我看到他的第一幅大作到现在，墙上已经布满了他的杰作。我估计全家四人一齐上阵，这个周末应该能把他这些密密麻麻的作品擦除掉。不过这只是理论推测。不刮掉裂缝周围那些容易脱落的碎片，直接补墙是件得不偿失的事情。因为这些石灰片太容易剥落了，到时还会带走你刚刚补好的部分。因此，按照涂料外包装袋上的说明，正确方法应该是，在修补裂缝之前，用尖头的小铲子把裂缝旁边的部分刮掉。这的确是个明智的好办法。把缝周围的部分铲掉之后，能形成一个V字形的沟渠，涂料能抹得更深，和墙体的接触面积也增大了。当然，这也只是理论推测。在真正的实践中，尤其是在修补旧墙时，刮那些碎片，很可能一不小心就铲深了几厘米，或者干脆铲掉一块鞋底一般大的墙皮。十有八九，这些墙皮已经松松垮垮地贴在内层石头砖上好几十年了，就等着你和你的尖头铲子来把它们一下子削掉呢。

马略卡式的内部墙体结构为我们储备了不少恶毒的小惊喜。在我看来原本应该是毫无新意且小儿科的工作，一开始就呈现出不少预想不到且令人气馁的问题。更令人意想不到的是，工作才开始没多久，四人组就精简为了三人行。老佩普跑过来非要森迪去帮一个“客人”的小农场耕地。在我的记忆里，还不曾看见森迪像今天这样兴高采烈地奔向我们家的小型双轮拖拉机，自告奋勇地把车开走了。以前他总是抱怨这头柴油驴子如何不好用，他又如何厌恶开这台车。当然，平心而论，对于他今天这样突然改变心意，我也不好责怪他什么。

刚刚过了几个小时，铲石灰碎片这项工作——尽管是必要的——就变得如同噩梦一般可怕。我甚至希望自己从来没有答应艾莉要完成这件事。我感觉自己的工作像是越做越多了，总也没个尽头。石灰渣、尘土飞得到处都是，头发里、袖子上、空气里、脖子根下面、鼻子尖上、眼睛里、嘴巴里，还有地板上都有。不知道为什么，就连我盖在家具上面的布帘底下都落满了沙土。不仅如此，我很快就绝望地发现，这才是万里长征走完了第一步！

一旦用铲子刮掉裂缝周围的部分，查理就要立刻用浸了水的油画刷子把刮出来的渠道和暴露出的砖石弄湿。然后第三个人艾莉需要把已经用水和成黏土团的涂料填充上去，抹平裂缝。这是一项麻痹神经的单调工作。可是你知道，你必须要重复这些动作，补好一个又一个缝，一面又一面墙，一个又一个房间。

很可能，你还需要重新再来一遍，因为等墙面完全干了之后，有些部分会出现凹陷，这些地方就需要用涂料再补一遍。要是裂缝太深的话，重复三遍都是可能的。直到最后一层涂料干掉，墙面整体上看过去平滑整齐，这个阶段的工作才算告一段落。（可是每一层涂料充分干掉需要好几个小时，只有等上一层涂料干了才能抹第二层上去。）这时可别得意得太早了。最后一项工作，用砂纸将干燥的补缝涂料打磨平滑，做到和周围部分的墙体在同一平面是整个补墙过程中最难的一项。如果你觉得前期刮墙时到处乱飞的尘埃和沙砾非常恼人，那么即将迎接你的将是更坏的情况。砂纸打下来的白色细粉无孔不入，即便你戴了防护眼镜和令人窒息的口罩（日本街头的上班族常常戴的那种），也于事无补。到最后，你会觉得自己的肺和眼睛是从盛满粉尘的容器里刚刚捞出来的。更加糟糕的是，这些粉尘会和皮肤上的汗液混在一起，几个小时之后，吸附在你手上、胳膊上的干掉的粉尘，会让你觉得自己是站在婚礼蛋糕上的糖粉小假人。

“要是贴了壁纸该有多好啊！”第一天劳心伤身的劳动结束后，查理埋怨道，“为什么你不买一所贴了壁纸的房子呢？这样就不用管这些该死的裂缝了！”

说得不错。可事实上，马略卡大大小小的房子里几乎都是裸露白墙，这是有一定道理的。我听说，在像马略卡这样气候炎热且有时潮湿的地方，贴壁纸会导致螨虫大量滋生，壁纸后面就是它们生存繁殖的天堂。究竟这个说法是不是正确我并不知道。但是可以肯定的是，白色墙面为房子内部提亮了不少。尤其是那些老房子，只在厚厚的石头墙上开很小的窗户，这样做是为了保证夏天的热气不会进到房子里。更何况，传统的白石灰涂料非常便宜，保养起来也简单，虽然时间长了不免会出现磨损和污迹，但是只要提上一桶石灰水，随便刷刷就焕然一新了。即使是修补过裂缝的墙，刷上一遍也看不大出来，我摆事实，讲道理。总的来说，尽管裂缝非常令人头痛，可是相比贴壁纸，白色的石灰墙更适合我们家的房子。

我尽量详细地把这些解释给查理听，并且在这过程中振奋了一下自己的精神。可是，最后事实证明，这些都是我的痴心妄想。实践中得出的结果又一次和理论不符了。当我们抹好的第一层涂料干了之后，我们发现在新补好部分的衬托下，周围的墙体显得那么暗黄和邋遢。可是我们以前从来没有发现墙面已经脏到这种程度了，而且忙了这么长时间，我们才只补好了众多裂缝中的一条。

“他妈的！”我愤愤地咒骂着，“看来我们得把所有墙都刷一遍才行。”

查理看起来像是面粉厂新来的学徒一样，浑身沾满白粉末，他深吸了一口气，“爸爸，这可不是什么好消息呢。”这孩子叹了口气，巧妙地模仿起他哥哥森迪最擅长的轻描淡写式的语气。

艾莉一言不发，我知道她正在思考呢。我也一样。忙了一整天，才只补好仓库的一面墙。这才是第一个房间，而且还有三面墙没补好呢。更何况所有墙面最起码要涂两层石灰才行。除了仓库，还有一间厨房、两间客厅、四间卧室、两间浴室和一间卫生间要处理。对了，还有两条走廊。我感到绝望像是一把小木勺，开始在我胸口搅动起来。在我们买下

“市长府邸”之后，这已经不是第一次感到这种令人窒息的绝望了。

“这活儿永远也干不完啊！”我悲戚地喊了一句，“而且这得花多少钱啊！”

从表面上来看，艾莉显然没在同情我这个即将精神失常的人。

“一切都会好的。”她慢条斯理地说。看到我的脸上依旧写满迷惑和无望，她转用一种赶驴上磨的腔调对我说：“别惦记你的石灰水了。过不了多久这玩意儿就会剥落，搞得到处都脏兮兮的。我们还是得买质量好的乳胶漆，就是乙烯基的乳液。这是最好的解决方法了。家里的墙也该好好整整容了。”

“什么？我没听错吧？”我大声叫道，“还不如请一家有名的专业室内设计公司，然后去五星级的加勒比豪华游艇上潇洒一个月，等我们回来，估计他们也该干完活儿了。”

“好主意啊，老爸！”查理兴奋极了，“刚好我们马上就要放一个星期的期中假了。我还可以再请三个星期的假。反正对于我这么聪明的孩子来说，缺三个星期的课也没什么影响的。”

“查理，给我闭嘴！”我嘟囔着，努力抑制住想要踹他一脚的欲望，“我看你是跟那些有钱人混久了，连自己有几斤几两都忘了吧！”

我转向艾莉，采用一种近乎哀求的语气，希望她能理智一些。“拜托你了，艾莉。如果我们有钱买那么贵的乳胶漆，现在还犯得着这么辛苦地自己动手，做这么无聊的苦差事吗？”

艾莉依然面无表情。“我觉得这是有意义的。”她冷冷地回了一句，然后习惯地耸了耸肩。这样的身体语言似乎在说，她认为自己的想法不容辩驳。

“你错了！”

“不，我没错。”

“可是我们根本就花不起这个钱！你能告诉我大手大脚地浪费钞票有他妈的什么意义吗？”我试图说服她，显而易见我的想法是正确的，“艾莉，你知道吗？你最大的问题就是，连一点经济学常识都没有！”

“谁说我不懂了？这叫增加附加值。”

“是啊，是啊。我就知道你会这么说。但是白墙就是白墙，谁能看出来刷了贵得要死的乳胶漆的墙和刷了便宜石灰水的墙有什么差别啊？”我轻蔑地哼了一声，顺便附赠给她一个充满嘲讽意味的冷笑。“只有你们女人才会觉得在修补墙面上乱花钱有什么狗屁意义。”

“我觉得你应该说，只有女人才会明白乳胶漆和石灰水在质量上的巨大差别。”我还没想出一句能漂亮地驳倒她的话，艾莉就无限怜悯地叹了口气，我都能猜到她想要说的是什么。果然，不出所料，她摆出了一副女学究的腔调：“一分钱一分货。”

“老爸，妈妈说的是对的！”查理跳出来插了一句。“看看你在安德拉奇镇的集市上买的破烂货吧。和正版的 CK 简直就是一个天、一个地！”

要不是艾莉迅速把话接了过来，我都已经准备好冲这个小崽子的屁股狠狠踹上一脚了。她提起我最近对“市长府邸”未来发展前景的担心。西班牙加入欧洲共同体之后，“市长府邸”将面临来自地中海地区其他国家的竞争压力。没准到时我们就不得不放弃这里，搬到一个更大、更有利可图的农场去。艾莉的观点是，如果到时我们不得不把“市长府邸”卖掉，那么适当改进一下这里现有的面貌，可能会卖出一个更高的价钱。

“所以啊，完全没有理由说这是在浪费钱。”她补了一句，并且提前讽刺了我在心里默默准备好的异议，“事实上，我们不得不花这笔钱。”

其实我大可以从经济学角度和她争个面红耳赤，可是这似乎也没有什么意义。艾莉刚才说的话的确在理，并且我相信她知道我是认同她这番话的。我们已经在“市长府邸”投入太多了，不论是经济上、情感上还是物质上的。既然已经这样了，如果因为钱的问题放弃墙体修缮，实在是件很傻的事情。但是，要我不加任何附加条件就承认自己被打败是不可能的。我必须要提出一点有助于财政稳健的政策才行。毕竟我是一家之主，要保持住领导的形象，尤其是在查理面前，但是艾莉又一次比我抢先了一步。

“注意啊，我们得提前算好需要多少乳胶漆才行，买多了就太浪费了。”她笑着说，“我觉得你该把‘改造先生’乔克·彭斯这个万事通请过来，让他帮咱们看看该怎么办。”

我没有理睬查理会意的坏笑，努力调动起所有库存的自信心大声说道：“艾莉，你怎么把我想说的话都给抢走了呢？”

尽管其他房间墙壁和天花板的破损程度并不像仓库那般严重（这个仓库实际上是储藏室和工作间的综合体，因此到处是使用多年留下的印痕），但我们仍然面对着一项需要几个月才能完工的修补装饰任务。而一年当中最为繁忙的橘子收获季眼看就要到来了，所以这项家庭手工自助劳动只能见缝插针，等我们有时间了再做。不过，我倒是认为这是双重幸运。第一，经过一天的尝试，我已经受够了无聊的补墙工作。很明显查理和森迪也对这事没什么兴致，从一开始他俩就老大不情愿的。而且我怀疑艾莉也开始觉得这是份枯燥的苦差事。尽管她一直急着把家里装扮一新，可这并不意味着在我和儿子们眼中单调乏味的工作到了她那里就变得有趣起来。

因此把集中劳动分散开来多少能够缓解我们四个人的不良情绪。第二，这意味着我们不必一次性付清所有开支，可以分步骤地购买所需要的乳胶漆。考虑到这一点，我希望靠卖橘子获得的收益能足够支付装修房子需要的费用。我们已经为维持收支平衡大伤脑筋了，希望这次额外的支出不会给我们增添太多经济压力。

我们现在陷入的境地是当初购买“市长府邸”时没有料到的。当然，这也不是我们希望发生的事情。以前在苏格兰，购买农场之前，我们总会请一位检查员或是评估员来对所有设施进行察看和分析，但是在马略卡的乡下却没有这样的规矩。可能正因为这一点，才有了现在的局面。在马略卡，你要靠自己的眼睛来判断一单买卖是不是值得，要靠自己的嘴来讨价还价，要靠自己的智慧来抓住商机。我们来到这儿以后就顺其自然地入乡随俗了。不得不承认，如果当初用银行贷款来买“市长府邸”，可能境况也会有所不同。可是我们最初定下的方针就是，靠自己已有的资本来进行风险投资，不管结果是好是坏，我们用的最起码是自己腰包里的钱。现在，事实证明，原来准备的资金有一部分投进了原本没有计划到却又非常必要的项目里。例如，换掉旧有的老式热水系统，更换电缆线和网线，替换已经损坏了的家居用品，把原有的化粪池“精简”为自动抽水马桶，聘请佩佩·苏沃来治理果树，甚至连添置些或大或小必要家具的支出都超过了我们原本的预算。费雷尔夫妇口口声声说“市长府邸”是个设施装备齐全的农场，可是直到我们能舒舒服服地住下来之前，投进去的钱已经不是一笔小数目了。

这一次修补裂缝和重新刷墙的支出自然也不在最初的预算里，却又是不得不掏腰包的事情。不知道还会有多少类似的意外支出正在未来等着我们。现在这种情况下，我实在是控制不住反复想这个问题。没准这是一个不好的迹象，预示着我即将变成一个把所有事情（即便是那些明显能顺利圆满完成的事情）都往坏处想的敏感的妄想症患者。再说了，没有人能够否认才过去几个小时，所有事情都已经在显而易见地每况愈下。早上我还和儿子们一起坐在走廊里，一边喝橘子汁一边晒太阳，现在的我却被这么多麻烦事搞得头昏脑涨。我只能劝慰自己，只要去尝试、去努力，总会有转机的。与此同时，我敏锐的判断力却提醒我，一旦面对令人失望的形势变化，这样过于积极乐观的想法反而会导致情绪失控。我感觉自己开始不断怀疑当初决定搬来马略卡到底是不是明智的选择。不管怎样，即使身处的环境再田园牧歌，压在脖子上的重担却始终是让人透不过气来的。我越是想着多看看身边的美景，就越是感觉心里不自信的苗头开始增长——更具有讽刺意味的是，今天刚好是“冬春”的第一天。

然后，我突然想起了布鲁斯一世和蜘蛛的寓言故事。布鲁斯一世是 14 世纪苏格兰伟大的君主，有一次战败之后，身心疲惫的他为了躲避敌人追逐，藏在了一个山洞里。他认为局势不可挽回，陷入了深深的绝望和悲哀中。而就在他认为事情已经毫无转机时，他抬头看见一只蜘蛛悬在山洞顶上。这只小东西正试图靠吐出的丝把自己荡到另一个位置上去，以织好一张新网。前六次的尝试都以失败告终，可是小蜘蛛没有气馁，终于在第七次的时候成功完成了任务。布鲁斯一世把这看作成功的征兆，他抛开消极情绪，勇敢振作。果然，他靠着勇气和信心，从一个躲在山洞里的败将，变成一名所向披靡的战斗英雄，成为苏格兰历史上最为传奇的人物之一。

让我重燃信心的也是一只蜘蛛。它又瘦又长，看起来很像没有翅膀的大蚊子。发现它的时候，我正在愁眉苦脸地测量我们“创造”的由石膏粉和沙砾组成的迷你沙漠的大小，这个小东西突然从垃圾堆里钻了出来，快速向瓷砖壁脚板拐角处的一个小洞爬去。

邦妮也发现了这只蜘蛛。它眨巴了一下眼睛，把脸凑到小蜘蛛前面，一下子挡住了它的去路。这样的近距离观察给蜘蛛的感觉肯定是一个怪异的大家伙突然从天而降了。但是蜘蛛却没有慌神，而是依旧清楚地牢记自己的任务，才不会因为这个没有礼貌的庞然大物中断自己的旅程。只见小东西急匆匆地掉转方向，试图绕过这个一会儿嗅一嗅、一会儿低声吠几下、一会儿又高声咆哮的障碍物。邦妮的身手也是相当灵活，它从各个方向迅速拱着蜘蛛的头，轻而易举地拦截了它的去路。

和布鲁斯一世的小伙伴一样，这只小蜘蛛也开始试着突围，它一连试了六次，都以失败告终。可是它没有放弃，一直到第七次，终于成功从侧面躲过邦妮的袭击，尽可能快速朝它的目标角落猛冲过去。不过，它的麻烦并没有就此完结。邦妮立刻追上去，抬起前爪一巴掌拍在蜘蛛身上。我猜想，这一巴掌可能给勇敢的小家伙带来了灭顶之灾。我有些为邦妮感到羞耻。可是我知道，邦妮只是想和小蜘蛛玩玩游戏而已，绝对是没有恶意的——只不过，它没有意识到作为一条强健的拳师犬，它前爪的重量对于这样一只腿脚细长的小虫子来说简直就是泰山压顶。

在好奇心驱使下，邦妮低下头，侧着脑袋，竖起耳朵，试探性地抬起爪子，想要看个究竟。没想到小蜘蛛猛地站了起来，毫无准备的邦妮被吓了一跳，惊得蹦了起来，狂吠一声，然后一屁股坐在了地上，眼睁睁地看着自己的猎物毫无阻挡地疯狂奔向了墙角。不过，小蜘蛛还是为此付出了惨重代价。它的三条腿留在了石灰堆上邦妮的爪印里，只剩五条腿了。它留在地上的爬行印迹好像是两个喝醉的水手在溜冰场里玩两人三腿赛跑留下的痕迹。尽管如此，小勇士还是成功完成了使命，回到了瓷砖壁脚板拐角处的小洞里。

目睹这个微不足道的小虫子如此顽强地战胜邦妮这样的庞然大物，我的情绪立刻振奋起来。像布鲁斯一世一样，我感觉自己浑身一震，又有了继续工作的劲头。是啊，为什么要让自己陷入悲观情绪呢？“把眼睛盯在积极的一面，忽略消极的因素”，那些老歌中都是这么唱的。迄今为止，我还是相信歌里的哲学并没有和生活脱节。显然，相比之下，赋予我动力的小蜘蛛就更有指导意义了。“乐观地面对生活。”宾·克罗斯比的歌里这样写道，这让我想起了约拿和鲸鱼以及诺亚方舟的故事，他们不都是从困境中走出来的吗？“把快乐的情绪放到最大，让消沉的阴影缩到最小吧！”

艾莉的热情似乎有所消减，当然，原因是显而易见的。我没有再多费周章，直接按照她的建议，给乔克·彭斯打了电话。

“比别人先行一步——你要想在岛上混得舒服，一定要记住这一点才行！”此时，乔克刚刚把车停在帕尔马城交通最为拥堵区域的禁停位置。“让交通堵塞都留在这儿吧！”

我指了指车前面人行道旁的路标，“可是这上面写了，这里禁停啊。”

“你刚才肯定没好好听我说话。”乔克满不在乎地说，“快点从车里出来吧。你要学的东西还多着呢。”

“可是，这样的话，你肯定会接到违章罚单的啊！”

“对极了！”乔克笑嘻嘻地嘟囔着。他把车锁了起来，然后迅速环视四周，一边吹口哨，一边晃晃悠悠走到停在他车旁边一辆已经被贴了罚单的车边上，以迅雷不及掩耳之势把夹在挡风玻璃雨刷上的罚单揭了下来。“快点儿走，千万别回头看！”他一边把偷来的罚单塞在自己车的雨刷里，一边对我说。

“你这招是行不通的。”我笑道，“只要警察停下来，核对一下你的车号和单子上的车号，就会发现的！”

“哈哈！老弟，你把这儿的警察想得也太有水平了吧？”乔克自鸣得意地干笑了两声，“他们从来都不动脑子的——否则就不会当警察了。更别提这些细枝末节了。要不然，这岛上谁都别想过上踏实日子啦！”

我们一边说，一边横穿了城里最繁华的宪法大街。由于只顾着躲避来来往往的车流，我们完全没有注意到刚刚路过的巨型建筑里就有帕尔马最大的邮局。

“可是，那辆车的主人该拿到两张罚单了！”我冲着乔克大喊，声音盖过了汽车发动机高速运转的声音和喇叭的滴答声。“这就意味着他得交双份罚款了。”

“他交两份，我就不用交啦。”乔克无所谓地耸了耸肩，“对了，人们不是常说我们苏格兰人很小气吗？”

他这个问题我似乎没有必要回答。我在心里对自己无奈地笑了一下，一边惊讶于乔克的厚颜无耻，一边回想起他传授给我的另一个省钱秘籍，那个故事的逻辑和这次罚单罪行一样荒谬离奇。“如果你家汽车轮胎不小心扎破了，用不着去补胎哦。”我们刚从他那个阴险朋友恩里克手里买下福特嘉年华的时候，乔克就这样提醒我，“直接把轮胎换成新的就得了。”我听了之后，完全摸不清楚状况，这可是没有必要的浪费啊。可是乔克却告诉我，换一个新轮胎的价格比补胎还要便宜呢。这简直是不可思议的事情。事实上，他的阴谋是这样奏效的：

如果你的汽车不小心扎破了轮胎，不要着急，先把备用轮胎换上，然后给巴勃罗打个电话，报上乔克的名字，再把车开到帕尔马众多停车场中预先安排好的那个。你唯一要做的事情就是把一百块钱的西班牙银币藏在自己的车牌号后面而已。这是付给人家的辛苦费。之后的事情你就不用操心了，去喝杯咖啡或是在商店逛上一会儿，等你回来的时候，一切都已经搞定了。福特嘉年华是很常见的一款车型，停车场里一定有好几辆，因此，对于乔克的朋友来说，换个轮胎实在是再容易不过的把戏。这样，我就可以省下一笔钱了。要是幸运的话，还有可能换到一个更好的轮胎呢。这套戏法对乔克自己的西雅特熊猫照样奏效。简单来说，整个过程是把你轮胎上的小洞转移到别人的轮胎上。反正扎破洞的事情时有发生。要是那个被换了轮胎的倒霉蛋刚好也知道巴勃罗的电话，那就继续把破洞传递出去，这对每个人（当然除了最后一个受害者）都有好处，连停车场睁一只眼闭一只眼的看车人都能捞到些好处。我从来没有采纳过乔克的建议，因为我总觉得这样的做法有悖于伦理。可能这是因为我还没有扎破过轮胎。还是让时间和我的良心（可能早就不剩下多少了）来检验我能否坚持吧。

众所周知，乔克是个视吃如命的老饕。他自己也从来不否认这一点。只要有必要，他会以令人咂舌的惊人速度疾走如飞，而又有什么比饥饿时更需要赶时间呢？只见乔克健步如飞一头扎进邮局斜对面巴黎街的小巷，我差点跟不上他的脚步。如果乔克此时头顶一只发亮头盔，手握一根水管的话，那么周围的人都该四处寻找，到底是哪里着火了吧。

“快点，老弟！”他扭头招呼我，“我告诉你，在别的地方你可是找不到这么好吃的弗兰克斯的。”

“弗兰克斯……”我记起来了，这是弗兰克·扎帕斯的简称，又是乔克发明的，指的是塔帕斯，西班牙语里餐前小吃的意思。这可是乔克无法抗拒的超级美食。我对乔克最鲜明的印象就是他有无数中意的餐馆，即便你把他骗到一个荒无人烟的小地方，把他困在那里，不出几分钟，这家伙就能靠着鼻子找到一家合他胃口的餐馆。如果不是他带我来，我可能一辈子都不会找到喜鹊塔帕斯餐吧。这个不起眼的店面藏在一条比小巷宽不了多少的窄街里。帕尔马的“哥特街区”

分布着很多这样的窄街，它们组合在一起形成蜂巢一般的结构，连接各种购物中心和休闲广场。这么说吧，我追在乔克身后还没看见喜鹊塔帕斯餐吧，就已经闻到从敞开的店门传出来的香味，这味道比起各类耀眼夺目的霓虹灯招牌更具有广告效应。炸洋葱圈、明火烤对虾、番茄酱肉丸子、加了甜胡椒粉的肉汤炖肝、香草蛋黄酱配土豆块、橄榄油煎鱿鱼卷、蒜蓉蘑菇……形形色色的马略卡美味小吃散发出的诱人香味使劲往我的鼻子里钻，挑逗着我的味蕾。

乔克刚推门进去，就受到了老板安东尼奥的欢迎，他一个人有些慵懒地经营着这家小餐馆。很明显，乔克已经是这里的常客了。我进门时，安东尼奥正站在狭窄的柜台后面，懒洋洋地把一盘盘美味小吃和酒水递给排队等待食物的热情食客，慢条斯理的样子看上去好像时间多的是。这种表面看上去有些冷淡的待客方式是安东尼奥的特点之一。虽然看起来并不难，可实际上这份工作由一个人来操作还是不甚轻松的。小店最有特色的地方是，柜台的正面是玻璃的，客人可以非常清楚地看到陈列在里面的所有食物。各种盛放在干净不锈钢盘子里的小吃，按照品种分门别类地排成一排。这里的小吃很受欢迎，每位客人眼睛里闪烁的期待光芒正是食物品质的最佳佐证。安东尼奥始终保持稳扎稳打、不慌不忙的步调，用大汤匙把各类食物分发到各个碟子里，然后再搭配上一两片硬皮面包、一张餐巾纸和吃塔帕斯专用的叉子——

这种精心设计的简洁食具有一个外部叉子比其他部分要宽些，用起来像内置小刀。与此同时，安东尼奥还负责发放客人单点的红酒、啤酒或是咖啡。一切操作均显得那么有条不紊，绝对不会让哪个客人比其他人多等上一分钟。这才是一流的餐饮服务，而安东尼奥本人也可以称得上是这个行业的大师级人物。我甚至还没有开始品尝这里的食物，就已经明白为什么乔克给这家小店如此高的评价了。

显然，这间不起眼的小餐馆也很受当地人欢迎。它的结构有点像稍微大些的走廊，整个服务区域凹陷进墙体里，对外开放的区域很小，只有柜台周围放了几张高脚椅，靠墙放了一排小桌子而已。厨房的部分肯定是藏在了柜台后面的尽头，因为安东尼奥每卖完一种料理，他一身厨子打扮、同样冷静沉着的老婆就会在后面的小门口出现，递给他满满一盘刚做好的同种料理添上。真是顺畅极了。

乔克拍了拍我的肩膀，指给我看远处刚刚由两个穿西装、手提公文包的男人腾出来的空桌子。“老兄，快点过去占地方。你要是想在这儿找到位子就得下手快！”他一边往柜台那儿的人堆里挤，一边对我喊，“别担心。这儿就交给我吧。你只管去占座就好！”

我非常满意这样的安排。谁还能比一个经验丰富的老饕更清楚哪些菜品好吃呢？由乔克帮我来点菜实在是再好不过了。十月的中午时分总是暖洋洋的，尽管今天的天有点阴霾，但是阳光还是穿透阻隔照进了餐馆里。各种食物散发出让人食欲大增的热气，混杂上一点暖烘烘的香烟燃出的薄雾，形成一股沉静且亲切的独特氛围，萦绕在这家决不提供不必要服务的小馆子里。和马略卡的其他餐馆一样，这里的客人主要是男性。从他们穿的服装来判断，多是些生意人——小店老板或是推销员。他们聚在这里，一边交换对生意或工作的看法，一边享受快餐和甜点的美味，摄取足够的食物以便撑到午饭时间。似乎没有人赶着去什么地方或是急于去做什么事，每个人的情绪都是轻松愉悦的，大家这一刻在这里停留，放松一下身心。和我们业已习惯的乡下的恬静相比，这里展现的则是城市里的舒缓平和。和店里出售的餐前小吃一样，对待生活无拘无束的轻松态度也是西班牙的传统特色之一。

塔帕斯的字面意思是顶棚或者盖子。据说西班牙这种广为流行的能吃的“盖子”，雏形是小酒馆的经营者放在卖给客人酒杯上的小面包片——加上这个面包“盖子”是为了防止酒从杯子里溅出来。这种店家好意赠送的恩惠小食慢慢发展，增加一两颗橄榄、一小段腊肠、几片火腿或者任何一种店里有的廉价食品作为装饰。随着时间推移，这种质朴的配餐传统逐渐演变成一类固定的烹饪风格，那就是塔帕斯。随后，专门出售此类食物的餐馆也应运而生。从本质上说，塔帕斯实际上是一种最基本的西班牙快餐，但是在西班牙，即使是快餐，人们也愿意用从容不迫的悠闲步调来享受。在正餐之间，选上一小份符合自己口味的精心烹制的清雅小吃，来犒赏一下自己的胃或是作为和朋友小聚的理由，成为人们喜欢的生活方式。

不论是城镇里的老式室内市场，还是市郊新建的高级购物中心，到处都有专门出售塔帕斯的餐馆。这些可供人们闲聊的舒适平和的小地方，变成厌烦购物的丈夫们的避难所。当老婆推着购物车，带着孩子在一排排通道、一个个货架上搜索采购时，丈夫通常会来这类小餐馆，站在柜台前一边随便吃点充充电，一边和其他人闲聊。最近，这类开在购物中心里的塔帕斯专卖店越发繁荣起来，不过并不是所有人都持认可态度，我猜，这完全取决于你的性别。

现在，越来越多人吃塔帕斯，并不只满足于吃上几样过过瘾，而是会点上很多种小吃，干脆当作午饭甚至晚饭。因为塔帕斯在品种上和普通餐馆相比更多更全，人们就餐的兴趣也更高一些。举例而言，在一家口碑好的塔帕斯小店吃饭，唯一的限制是你的胃口有多大，还有，与之相对的你的钱包有多鼓。因为随着这种餐饮模式流行起来，很多小店已经不像以前那样还是寻找便宜吃食的去处，而是变成格调和价钱都比较高的地方。当然，除非你找得到那些分布在偏街窄巷的小店。显然，乔克就是谙熟于此的典型老饕。

没过多久，乔克就排在了柜台最前面。我远远望着他忙着和安东尼奥谈论什么。他的眼睛随着右手食指移动，慢慢地搜索玻璃橱窗里摆放的一整排美食。安东尼奥的反应仅仅是时不时地耸耸肩，或是歪着脑袋点点头而已。与此同时，他还在忙着擦拭几个装红酒的高脚杯。显然，这至关重要的决定权是出自我的老友乔克的，就我对他的了解，这家伙应该已经发动起对美食的鉴赏功力，在店里供应的各类小吃中搜寻检索了。怕是再多给他一些选择，乔克也不会慌了手脚。从安东尼奥的肢体语言来看，他对乔克的精挑细选并没有异议，我估计即便是乔克要求把每样东西都尝一下，他也不会表现出任何厌烦情绪。毕竟是男人嘛，何况还是个生意人！

在乔克精心挑选食物的时候，我有充分的时间来观察自己所处的新环境。我的第一印象是这是一家不会提供多余服务的餐馆，这一点已经得到证实。环视四周，我发现店里的桌椅都是铝合金的，类似于街道两旁的常见款式。天热时，坐在这种材质的椅子上，后背不会觉得闷热出汗，但你要是想多坐一会儿歇歇脚，那这椅子的坚硬程度对你的屁股而言可绝不是舒服享受。公平地说，不坐太久，对不太大的餐馆来说是很必要的，翻桌率高，顾客才多，盈利才会高。这家小店里的地面和墙壁都是铺了瓷砖的，这是非常俭朴简单的装饰品，绝对不会给人那种拒人于千里之外的奢侈感，而且像店里的铝合金家具一样，显得非常整洁，清理和维护起来也很方便。显而易见，这是一家经营良好的小吃店，尽管它并不靠外观上的特点来引人注目，实用性占第一位。

店里除了安东尼奥那件巴塞罗那足球俱乐部的队服纪念品，唯一的内部装饰就是一些印有图案的瓷砖，它们均匀分布在桌子旁边的墙上。瓷砖上印的是一些简洁的标语，字里行间都是些众所周知的忠告："如果你打算在吃鱼的时候说谎，那可要小心了！""只要结一次婚，就够你后悔一千次的！"还有一条是对那些酒鬼的人生美赞："要想过上健康的生活，滴酒不沾是绝不可能的！"

我被如此这般乐观的逻辑推理逗笑了。乔克扭过头，扫了一眼把我逗乐了的瓷砖，然后对我说："我劝你还是相信这句话比较好。"说罢，他用手臂托着一整排装满各式食物的小碟子向我走来，边走边用脑袋示意柜台方向，"我把啤酒放在柜台上了。你过去拿一下吧，我来摆桌子。"

等我拿着两扎生啤回到座位时，乔克已经痛痛快快地把一份凤尾鱼吞下肚了。这种西班牙式小凤尾鱼，和在很多国家被人们用作比萨饼上装饰品的盐津长条凤尾鱼不一样。在西班牙，凤尾鱼的做法更偏重于保留自然香味，一般还会搭配少许清淡的橄榄油和一点点醋。这种包装在塑料小盒子里的廉价流行食品几乎在任何一家超级市场里都能找到。相对于放在比萨饼上的凤尾鱼的刺激口感，西班牙的小凤尾鱼更好吃些，口感也更柔和。今天这家馆子的做法是，先在新鲜的小鱼身上均匀涂抹一层薄薄的面粉，然后扔进热油里迅速炸一下，捞出来后马上搭配少许柠檬装盘上桌。做法虽然简单，口味却是一流。如果你喜欢北欧小鲱鱼的做法，那么来试试喜鹊塔帕斯餐吧的凤尾鱼吧，相信你会感到惊喜的。

包括这份凤尾鱼在内，乔克一共只点了七种小吃。我不知道这是因为他突然决定要控制自己对美食的狂热，还是因为安东尼奥刚好卖光了乔克喜欢吃的其他菜品。总的来说，乔克选择的小吃还是相当丰盛的，给我带来的美妙味觉体验也和几分钟前在街口闻到挑逗起我味蕾冲动的迷人香味相符合。我非常满足于每道菜品带来的享受——尽管和乔克分享这些小吃时，我吃到的菜量总是比他少许多。要知道，和乔克一起吃饭，你需要的不仅是一把长把勺，还得备上一把能靠涡轮发动的才行！

摆在我们面前的盘子，除了一个还剩下个肉丸子，其他几个都已经空空如也了。乔克毫不客气地把最后一个丸子吞下肚，然后拿一小片面包残骸把盘子里的肉汤也沾干净吃掉了。“哎呀！”他打了一个饱嗝，“这肉丸子真不错，和其他菜一样好吃。但是，还是比不过松木餐厅家的啊。”他用餐巾纸抹了两下嘴，站了起来，“快走吧，兄弟。别忘了还得给你买油漆去呢。这才是正事。快，咱们走吧。”

如他所说，乔克帮我联系到了一个老朋友，能够辗转从帕尔马一家油漆批发商那里按批发价帮我买到乳胶漆涂料。他还不怕麻烦地亲自带我去买，因为他的西班牙语比我好太多了，他觉得只有和我一起去，才能保证我以相对便宜的价格买到想要的东西。如果没有他的帮助，我还不知道要绕多少圈子呢，为了表示感谢，我觉得今天这顿小吃该由我请客才对。

“门儿都没有！”乔克扑哧一下笑了，“我吃的东西可比你多。”我们往柜台走的一路上，他都在跟我争执要付餐费，可我也非常坚持。最终，他有些恼火地摇摇头，叹了口气，“那好吧。如果你非要请我吃顿饭心里才舒坦，一会儿的午饭你来付账好了。”

听了这话，我停住脚步，扭头看了眼桌子上那堆刚被我们洗劫一空的盘子，然后看了看表，刚好是下午一点钟。我迷惑不解地问乔克：“我们刚吃的不是午饭吗？”

他也看了一眼手表，然后咯咯笑了起来。乔克伸出手轻轻拍了拍我的肩膀。这个手势简直就是学校里那些坏孩子搞砸了最简单的考试之后，希望从老师那里得到的代表宽慰的爱抚。“不，不，不，哥们儿，”他低声说，“你忘了这里是马略卡吗？在这个岛上，下午两点钟之前，是不会有人吃午饭的！”

如果不是乔克，我肯定找不到哪儿卖乳胶漆。从小吃店

出来后，他并没有带我左转回停车的地方取车，而是右转径直奔向市里纵横交错宛如迷宫一般令人头痛的大街。尽管我以为刚刚吃完足以喂饱一只大象的美食之后，乔克不会这么快就饿了（他只有在饥饿的时候才会健步如飞），可是他好似脚下生风，步伐快得我差点跟不上。我问乔克这么匆匆忙忙地去做什么，他只说在城里还有几笔生意要谈。“要知道，时间就是金钱啊。”这该死的家伙一脸正经地告诫我。话虽不错，但是我关心的是，离开车子的距离越远，等会儿买好乳胶漆之后，拎着那么重的东西往回走就越困难。我把这个想法直接告诉乔克，谁承想他的反应竟然是义正词严地批评我担心得太多了。“等到真出了问题再担心也不迟，什么事都没有呢就杞人忧天完全没有必要！”这就是他信奉的不二真理。我只好气喘吁吁地跟在他身后，三步并作两步地小跑，担心一不小心就跟丢了。

一路上，乔克的特立独行实在是大出风头。由于这家伙的体形比较突出，迎面走过来的行人（绝大多数都比乔克苗条很多）一般都会侧身让他先过去。乔克很快就注意到了这一点，并且因此而自鸣得意起来，开始用夸张的美式俏皮话跟每一个给他让路的行人打招呼。我注意到有几个和他擦身而过的马略卡老妇人，被这从天而降的玩笑话弄得惊讶又困惑，不知如何应对，只好直接一字不差地模仿乔克的原话作为回答。乔克那些乍一听很有风度的招呼用语有“宝贝！让我好好看看你！”“咦！小身段不错嘛！”“哇，老奶奶，您的拍子踩得真准啊！”，而我作为一名无话可说的听众只能老老实实地跟在他身后，这无形中更是助长了他病入膏肓的喜出风头的毛病。还好，乔克很走运，至今还没有被人用手提包砸在脸上，要不然我的脸也跟着丢光了。

不知为什么，这家伙的情绪渐渐高涨到不能自已，他甚至冲着十字路口那个独自站在岗楼里执勤的交警打了声招呼。“老兄，你好啊！”乔克一边赶路，一边兴奋地大叫。交警满是疑惑地朝正在人行道上疾走的乔克看了看。从他紧皱的眉头不难猜出，可怜的警察对这位满脸堆笑冲自己打招呼的家伙究竟是谁毫无头绪。而乔克更是变本加厉，兴高采烈地扯着嗓子用西班牙语问道:“哥们儿，你的老婆孩子近来还好吗？什么时候有时间，咱们再一起喝一杯去！”这个疯狂的家伙在喊话时都没有停下飞奔的脚步。很明显，交警被乔克的问候弄得很是狼狈，但是又不好当众对这位他一时没有认出来是谁的家伙发脾气，不知如何是好的他只有暂时停下工作，点了下头并勉为其难地笑了笑算作给乔克的回礼。这样做的后果是，几辆车稀里哗啦一下子连撞在一起。面对喇叭的轰鸣和急刹车的嘶嘶声，乔克只是像个女学生一样傻笑了一下，就潇洒地转进一条小巷子里，继续自己的征途。梅格，他长期忍受折磨的太太曾经告诉我，一旦乔克出现这种症状，你就必须做好准备，可能需要陪着他去每一个地方两次，第二次是回去道歉的。

当我们终于到达油漆商店所在的单向街时，我立刻明白了乔克为什么没有开车带我来。狭窄的路面被堵得水泄不通——两边的人行道上停满了小轿车和货车，有的地方甚至并排停了两辆——这直接导致其他车辆无法通行。那些被堵在街上的司机绝大多数都是运货的司机，他们早就习惯了帕尔马这些后街小巷的交通路况，一个个摆出一副西班牙人独有的泰然淡定，闲坐在车里，嘴里叼着烟，一只胳膊耷拉在车窗外，另一只手则在方向盘上敲着鼓点——这是他们身上能找到的唯一一处不耐烦的表现。过了一会儿，要是哪个挥着警棒的交通监管员从天而降，试图指挥交通的话，地狱的大门就会一刹那打开：这些司机会惊人地步调一致，开始疯狂按喇叭，脏话连篇地谩骂，没有一个人例外。整场仪式能持续半分钟左右，然后一切才会又一次恢复宁静。当然，堵塞的交通依旧没有变化。

油漆商店里上演着另一个版本的交通堵塞，等待购物的客人从柜台一直排到大门口。乔克一边幽默地跟排队的人打招呼，一边目标明确地直奔站在柜台里忙来忙去的四个男人中的一个而去。他先是自信满满地跟对方介绍自己是某个莫须有的美国油漆公司总裁，然后适时提出要和商店经理单独会面。

“老弟，自信点！”乔克撇着嘴小声冲我嘟囔，“一定要显得有自信！只要做到这一点就够了！”

一分钟以后，我们不仅舒舒服服地坐在了经理办公室的沙发上，还喝上了经理本人亲自泡的咖啡。乔克风度翩翩地答谢了经理的款待，然后开始用破烂的西班牙语滔滔不绝地讲起广告文案之类的故事——当然了，美国南部乡下懒洋洋的腔调自是不会少的。这家伙明显借用了动画片里来亨鸡福亨的口音，说话断断续续，好像他的演讲稿里写满了插入语，每隔几个词就加上个“哎呀”，几乎句句都是以“哥们儿”结尾。我百分之百确信这位经理和我一样，没听懂多少乔克的废话，只不过他一直很有礼貌地微笑着。等到乔克把可怜的经理折磨得差不多了，他才掏出从朋友那里借来的批发打折卡，然后随便扯下一张纸，龙飞凤舞地把我的名字和地址写上去，递给迷惑不解的油漆店经理。彬彬有礼地互道再见之后，我们从经理办公室走出来，店里等候的队伍和几分钟前我们看见的一样长。

“这简直就是在虚度光阴。”乔克一边笑着跟等在队伍里脸色沉郁的人们告别，一边小声对我嘀咕，“人生苦短啊！老弟，你一定要记住这句话！”

就这样，我们又开始了漫长的徒步行进。任务已经完成，自然该顺着原路回去了。可是还有一个小小的问题困扰着我。

“嗯，我不是个在小事上斤斤计较的人，你也是知道的……”我满是迟疑地说道。

“是啊。有什么话你就直说。”

“乳胶漆。”

“乳胶漆怎么了？”

“我是说，我不是想要吹毛求疵或者什么的，但是……”

“但是什么啊？”

“嗯……但是我们一桶乳胶漆都没有买到啊。”

乔克自鸣得意地笑了。“瞎操心什么啊？明天一早就送到你家门口啦！免费送货，五折优惠，质量最好的乳胶漆。你只要把钱付给司机就成了。没问题！”他冲我使了一个亲密得有些异常的眼色。“喂！”他嘟囔着，“你不会以为我会笨到费这么大劲演出一场，只为了帮你拎着两桶他妈的有二十升的油漆横穿半个帕尔马吧？”乔克拍了拍自己的后脑勺，骄傲地宣布：“脸皮要厚！你要想在岛上混得舒服，一定要记住这一点才行！”

“是啊，最好记住这句话才是。”我在心里略带凄凉地对自己说。

十分钟后，我又迷路了，只能像一条被绳子牵着的小狗崽一样，乖乖地跟在乔克身后。我们在一家印刷厂里稍微停留了一会儿，乔克需要给他组织的圣安德鲁节庆典定制门票。从厂里出来后，他又带着我曲曲折折地绕了很多“捷径”，来到一栋位于市中心另外一条繁华大街上我从未见过的高楼下。

乔克告诉我，这里是他经纪人的办公室所在地。

“经纪人？”

“对，就是帮我接各种活动的人。我常去新帕尔马宾馆那样的地方演出。婚礼啊、成人礼之类的都有。”

“你是说犹太男孩的成人仪式？”

“嗯，各种典礼仪式都有。葬礼啊，离婚啊，这些都是能赚点小钱的好活儿。明白了吧？”他耸了耸肩，“只要拿上键盘出席就好了。”

十分钟后，我们已经从位于三楼的音乐家演出代理机构出来，进到电梯里准备下楼了。像往常一样，刚才乔克迅速谈妥了生意，几单新的“好活儿”已经加进他的演出日程表里了。此时，他显得格外高兴，脸上挂着几分淘气的坏笑，眼睛里闪着幽幽的光。我猜，和中午时一样，他“人来疯”的毛病又要爆发了，而且这一次还加了些缺德的新花招。果然不出所料……

到了一楼，电梯门刚打开，我们就看见迎面站着一位牧师和两个修女。那位牧师看起来是位虔诚的绅士，和大多数同行一样，鼻子上也架着那种典型的无边眼镜，好似乌鸦一般的容貌和身上的大黑袍子相得益彰。伴随他浆挺衣服相互摩擦发出的好似小鸟扑腾翅膀一样的瑟瑟声，牧师带领两个修女避到一边，把出口让给了我们。我先从电梯里出来，冲着三位神的徒仆充满敬意地道了一声“非常感谢”。与此同时，我隐约感觉乔克正在我身后鼓捣着什么，扭头一看，正好瞥见他用脚把一个小东西踢进了电梯的角落里，然后小心翼翼地踩在上面，对牧师和修女亲切地用西班牙语说了一句：“愿上帝与你同在！”（我觉得此时说这句话还是很恰当的。）不幸的是，在他们走进电梯按下关门键的一瞬间，这个神圣三人组的命运就变成了未知数。即便是法力强大的神灵恐怕也帮不上他们的忙了。

随着电梯嗑蹬嗑蹬地向上升，我们听见从里面传出了阵阵咳嗽和呕吐的声音。接下来传出的西班牙语句句都与神灵有关，只不过它们的感情色彩过于浓烈，我觉得都有几分亵渎神灵的嫌疑了。

一个修女尖叫起来：“我的老天哪！”

紧接着，另外一个也高喊道：“神哪！救救我吧！”

“上帝保佑！上帝保佑！”牧师低沉地说。

两个修女提高嗓门，齐声悲叹：“我……我的神哪，救救我啊！我的老天！”

随着电梯上升，这些惊慌失措的叫喊声逐渐离开我们的听力范围。突然间，一声牧师的怒号传了下来：“他妈的！到底是谁干的？我的神哪！”

听了这话，我开始在脑子里假想自己和上帝之间展开了一场指控和辩驳的激烈交锋，我不虔诚地在神面前否认自己刚才跟在乔克后面进过那辆走厄运的电梯。我瞥了一眼乔克，他的脸涨得发紫，好像随时都会爆炸一样，两边太阳穴的青筋都绷起来了，看起来像是肥滚滚的蚯蚓，这个家伙眼里含着泪水，正努力忍住不让自己笑出来，但是这种快乐的冲动实在太难抑制，他几乎憋得不能呼吸，更别提说上几句俏皮话了。

“你！”我模仿起乔克时不时会采用的教书匠腔调，开始训责他：“是你干的对不对？我就知道是你这个家伙！说，你出门前往电梯里扔了什么鬼东西？”

“啊……”乔克哽咽着，大口喘着粗气，胸膛剧烈起伏，努力调整自己的呼吸。“我的天，乐死我啦！对，是我扔的，怎么样？”他从口袋里掏出一个小玻璃瓶，“就是这个东西。”

瓶子上用滑稽的字体印着：“浓烈——闷屁——炸弹——臭气弹——特供专业人士”。乔克承认这是他从学校一个低年级孩子那里没收来的。作为一名资深教师，他不仅没有按照学校的规章制度，把这瓶“恶臭原子小球”及时上缴或者丢进垃圾桶，反而偷偷据为已有，他说当时他一看就觉得这个整人的小玩意儿说不准什么时候就能派上用场。

“看看，牧师和修女也会说脏话！”此时他已经恢复了正常呼吸，一边走路一边哧哧地笑。这个疯疯癫癫的家伙用胳膊肘轻轻推了我一下，脸上清清楚楚地写着一个更刺激的坏点子又钻进了他的脑子里。“哈！哈！”刚从歇斯底里的傻笑状态恢复过来没多久，他又开始发癫了，“想想看吧！最妙的地方在于，等一会儿电梯停了，不管谁进去，肯定都猜不出到底是那三圣徒中的哪一个搞出这么惊天地泣鬼神的恶行！”

过了好一会儿，我们终于从拥挤的窄巷里钻出来，重新回到我认识的繁华大街上。乔克还在津津有味地回味自己的伟大行径，一个劲儿地傻笑。我们现在所在的大街以前叫波奈大街，但是最近街道名字改革的风潮过后，这里也换上了古马略卡语的地名，改成了埃斯帕斯格蒂斯波恩大街这么个冠冕堂皇的名字。这条从帕尔马种满棕榈树的海港地区延伸进内陆的大街，曾经是拉列拉河的河床。这条反复无常的季节性河流在涨潮时给当地带来过多次损失严重的灾难。直到四百多年前，河道才改到老城城墙外，也就是现在所处的位置。毫无争议，波恩大街是帕尔马众多漂亮街道中最为惊艳的一条。街的两旁种满了高大的树木，树投下的阴凉刚好荫庇着路中央那景色优美的步行街。波恩大街从皇后广场靠海的那一头一直延伸至位于城里熙熙攘攘的商业区中心的胡安·卡洛斯一世广场。除了那些令人印象深刻的古典主义西班牙建筑之外，这条街上还分布着镇上最为昂贵和唯我独尊的高级店铺。很难想象，在这个区域你还能找到廉价餐馆，但是乔克偏偏就知道一家，直接把我带了过去。

“两点半了。”这家伙连手表都没看上一眼，张嘴就说，“看，刚好是吃午饭的时间。”

尽管亚塔里孜餐馆位于波恩大街上，可它的店面实在很不起眼。如果你以前不知道它，很可能是因为把所有注意力都放在不要被人从狭窄的人行道上挤到汽车首尾相接的路面上，而不小心从它门前错过了。店门口的玻璃橱窗里摆放着设计精美的手写今日菜单，西班牙政府迫令国内所有餐馆都必须提供这种固定价格的当日菜单。和常规菜单相比，今日菜单上列出的菜品肯定是当天正在供应的。当然了，如果你有特殊需要，也可以询问店家，是否能够提供今日菜单上没有列出但是常规菜单里有的菜品。即便如此，参考这张精简过的今日菜单，并没有给我们的选择减轻多少难度。单子里列出了三种开胃菜、四样主菜和两种甜品。除此之外，还包括价格低得惊人的红酒，同样的金额在街上其他餐馆可能只够买上一碗汤吧。不管怎么说，也许正是因为这家店实在是小得可以，所以价格也就相应便宜了许多。我猜这正是乔克带我到这里吃午饭的原因。

和它那奢华的店名不太协调的是，亚塔里孜餐馆的内部装潢很是简朴。总的来看，事实上这家店让我联想起历史上充满爱意、体贴温和的自由放任政策。尽管店里的陈设有些老旧，摆放的人造皮长椅也因为接待过太多屁股而显得有些破败，但整体氛围却是温暖祥和、令人愉悦的。店老板罗西塔太太是个不善言辞的人，她和她那位兼任厨师的丈夫米克尔苦心经营这间小馆子，完全是出于个人爱好。我怀疑，除此之外，还有什么原因能促使夫妻俩这么多年来坚持在地处波恩大街黄金地段的餐馆里以低廉价格出售优质菜品呢？店里的食客并不在乎餐馆需要翻新改造这件事，这些衣着考究的本地人通常是在附近时尚旗舰店、民间或商业组织供职的员工。我跟其中一个人打听了才知道，自从1937年亚塔里孜餐馆正式营业以来，这家小小的私房菜馆已经成为这里众人皆知的著名餐厅了。

“我要饿死啦！”我们刚坐下，乔克就开始抱怨起来，“走了这么长时间的路，饿得我都能吞下一头牛了。”他一边快速仔细察看着服务员递过来的今日菜单，一边嘀咕。

是啊，尽管几个小时前，我们刚刚吃过一顿餐前小吃，但是走了这么久的路，我的肚子也饿扁了。跟着乔克到处奔波的确是项燃烧卡路里的健身运动。虽然觉得有些不敢相信，但我现在已经做好了大吃一顿的准备——虽然这已经是今天的第二顿午饭了。

乔克又一次体贴地帮我省去了点菜的麻烦。就上顿饭的经验来看，这家伙对美食的品位还是非常高的。果然，第一道上来的鲜蔬汤——用地里自产的新鲜时蔬熬成的汤品——就味道一流。随后的主菜是炸鱼饼。

乔克用在学校里讲课的语气告诉我，这道菜的主料是一种名叫透明虾虎鱼的小鱼。和它的名字一样，这种鱼外表很不起眼，有点类似于凤尾鱼。但是由于产量稀少，而且肉质鲜嫩，透明虾虎鱼的价格可不便宜。炸好的小鱼配上各类香草和大蒜，塞进烤薄饼里，再丢进热橄榄油中炸至两面金黄，就成了这道鲜香可口的佳肴。

“此物只应天上有。”我想破脑袋才找到这么一句能配得上炸鱼饼的美味的话。

罗西塔太太过来帮我们收拾空盘子的时候，乔克高兴地对她说，这是他吃过最地道的炸鱼饼。然后他冲我眨巴眨巴眼睛，又使劲吧嗒一下嘴巴，怕我会错意，干脆用苏格兰语直接说：“这小鱼，简直就是绝了！”事实上，我觉得他这句话的言外之意是，他那不知足的肚皮还没被填饱呢。就像飞蛾扑火一般，他的眼睛直勾勾地盯着隔壁桌上摆着的食物。他一边看，一边叹气：“早知道我点猪排就好了。火腿煎蛋也不错。还有炸薯条……嗯，你看，那份夹心甜辣椒看起来味道多好！”

此时，我觉得自己就像那份夹心甜辣椒一样，已经被食物塞得满满的了。于是，双份甜点——他的焦糖布丁还有我的水果沙拉——就都进了乔克的肚子里。最后，他放弃了自己点的咖啡和薄荷糖。

“吃东西还是要适度。”他一边用手挡着嘴巴打饱嗝，一边对我说，“咱们走吧。晚餐之前，我还有一堆事情要忙呢。”

当我把少得可怜的餐费递到罗西塔太太手里的时候，我的心里充满了不安。一定是乔克考量周全的天性促使他选择这家便宜的小餐馆来吃午饭的，因为他知道付账的人是我。

在花费了那么多时间和精力帮我买到质优价廉的乳胶漆之后，乔克完全有资格受到一份更为昂贵的款待。可是恰恰相反，他却高高兴兴地带我来到了这里。我相信这顿午餐的钱比几个小时前他结账的餐前小吃费用还少。我更坚信的是，在今天早晨我们出发之前，乔克一定早就为我们今天的行程做好了周密安排，因为从亚塔里孜餐馆出来之后，没走几步我们就回到了早上乔克违章停车的地方。几个小时过去了，乔克的车安然无恙地停在原地，那张偷来的罚款单也依旧夹在前挡风玻璃的雨刷上。偷偷摸摸察看了一圈之后，乔克取下罚单，一下子钻进车里。

“你啊，真是个胆大妄为的混蛋。”我笑道。

“瞎说什么啊，老弟。这叫天佑勇者。”他笑嘻嘻地耍着贫嘴，胖嘟嘟的脸上写满得意。

就在这时，一位满面愁容的漂亮小姐开着辆奔驰敞篷跑车来到我们面前，准备等我们把车开出来之后，把她的车塞进我们腾出来的位置。乔克摇下车窗，把那张违章停车罚单递给她。

“宝贝，收下吧。”他懒洋洋地说，这个家伙又用回了美式腔调，“对了，有没有人告诉过你，宝贝你的胸形真的太迷人了！哇噢，丰满又圆润！”

女孩子满是疑虑地看了看罚款单，又抬头打量了一下我们这两个完全陌生的家伙，然后终于明白了乔克的善意。她舒展开紧锁的眉头，冲我们温柔地笑了笑，送给乔克一个飞吻。“真的太感谢了！”女孩一边把奔驰开上人行道，一边低声说，“非常感谢！”

把车开进熙攘的车流中之后，乔克意气风发地对我说：“就像那首歌里唱的那样，‘把快乐的情绪放到最大，让消沉的阴影缩到最小吧’！”他把头靠在椅背上，微微笑了笑，“对，做人嘛，要懂得幽默。你要想在岛上混得舒服，一定要记住这一点才行！”

— 10 —

有花堪折直须折

从某种意义上来说，马略卡的雨季真是天底下独一无二的。还有哪里阴雨连绵的光景会持续那么久？早就听说这里的秋天因为年年如期而至的暴风雨而闻名，我们前不久已经见识到了一场。接下来，十月，一年中雨最多的季节就要来临了。至少历书上是这么说的。看看，人家是这样自信满满地预言的：

> 在这个月里，降水量与蒸发量大致相当，或许还会略微超过蒸发量。因此，在本月末，土壤中应该会储存一些水分。

这对农民来说无疑是一大福音，因为它意味着耗时费力的灌溉工作总算是可以告一段落了。

我一直习惯性地认为，给树木一天浇两次水是一项枯燥乏味的工作。不过后来我竟然慢慢喜欢上了给树浇水，尽管我喜欢的是一种跟平常不太一样的浇水方式。在柑橘树荫下，我坐在塑料筐上面，一两个小时什么事都不用干，只需要看着橡胶水管干完所有的活，这还有什么好抱怨的呢？当然，我还是需要时不时起身将水管挪挪窝，从一排果树挪到另一排果树那儿，不过这对我来说倒也不是什么累人的活，只需要在二十五棵果树之间挪动屁股就可以了，我还从来没干过这么轻松的事。我发现自己最近沉溺于一种新的挑战，那就是研究怎样能够不费吹灰之力地将事情搞定。马略卡农村的这种生活平静得没有一丝波澜，一开始投身其中我还挺不习惯，但时间一长，我发现自己真有那么点长进，当然，也就一点点啦。

“你该换个新的灌溉系统了，朋友。”加夫列尔说道，他是佩格拉海岸边那家万能五金店的老板。除了五金店以外，加夫列尔还拥有自己的农庄，就坐落在安德拉奇镇和安德拉奇港口之间。他们家祖上世世代代都是当地的农民，所以加夫列尔在农艺上的意见是很值得听取的。

在讨论灌溉问题时，我又陆陆续续买了许多钉子和一堆零零碎碎的小东西，这已经是每次来加夫列尔店里不可避免的一项流程了。他会把我拉到店外面的路上——都超出他的势力范围了——向我展示他推荐的灌溉设备：黑色的塑胶水管，上面有许多喷口和阀门，还带一个微型量表。加夫列尔热心地告诉我，我需要做的只是用它在自家果园里布好一个灌溉网，确保每一棵果树都能被浇上水，然后只需打开阀门，水压和地心引力自然就会料理好剩下的事情。加夫列尔噼里啪啦地往下说，有了这个东西，就再也不用举着根管子去浇水了。他还提醒我，这玩意儿不仅是全自动的，而且比起我现在用的这种老方法，还能为我们节约宝贵的水资源。除此之外，他还补充了一点，同时也是最重要的一点：伙计，想想看，你用它给你省下来的时间，能干多少事啊！

且不去考虑加夫列尔建议背后那笔不菲的开销，他那套更新设备省下时间去做更多工作的说辞，就已经与我“平静生活”的理念背道而驰了。现在的灌溉方式，还不至于让我闷死在柑橘树下的板条箱上呢。我把这个想法直接告诉了加夫列尔。

“哦，不，不，不，朋友。”他笑了，“我可没说让你省下时间去做更多工作。”他很亲热地在我肩膀上拍了拍，补充道，“我是说它可以省下时间让你跟其他人一样去酒吧好好喝上一杯。”

尽管我明白加夫列尔的这些话只不过是说说而已，但还是十分确定，我一直以来倾心的那种马略卡式劳作观念已经被技术的更新换代彻底破坏了。我谢过加夫列尔，告诉他假如到时候柑橘收成好、我们家收入允许的话，我就会认真考虑他的建议。

夏天给果树浇水让我能有机会好好感受峡谷里的宁静，还有那日出和黄昏时分群山环绕之中与世无争的安宁。我和小狗邦妮也因此格外亲昵起来。它现在最喜欢的游戏就是在水管喷口附近玩水，尤其在天气最热的时候，小家伙这样可爱的陪伴逗得“孤独”灌溉的我特别开心。在邦妮还不到十个月大的时候，我们就把它买了回来。真是幸运，这个小家伙身上几乎汇集了拳师犬所有的优点。它性情温和，惹人喜爱，而且总是富有饱满的生活热情。在某些时刻，若是涉及切身利益，它还能表现得相当勇猛，尽管这样的时候并不多见。

别看它个头不小，还挺强壮，但到底还是一条娃娃狗，怎样虚张声势地惹事添乱，它可是轻车熟路。这个小东西曾经一而再、再而三地偷玛丽亚的鞋子，把老太太气得要死。但是，玛丽亚对邦妮最严厉也不过是骂上几句，再用锄头来两下。与之相比，她一看见弗朗西斯卡·费雷尔那群脏兮兮的猫，才感觉自己的福祉遭到了威胁。那些猫是野猫杂交的后代，性情卑鄙又无耻，活脱脱猫族强盗，成天只会东游西荡收罗垃圾，也亏得费雷尔太太这个无可救药的动物保护人士竟然收留了它们那么久。那些猫对我们这一家“闯入者”可谓恨之入骨，而且这种情绪自打我们搬来的第一天起就已经暴露无遗。更何况跟着搬来的还有一条狗，简直就是火上浇油，它们已有的敌意燃烧得越发不可收拾。

在费雷尔夫妇回到帕尔马的时候，每天我们都要去他们的度假小屋两次，给那群猫还有两条狗喂食，这也是当初买下“市长府邸”时费雷尔太太提出的条件之一。一开始我觉得这似乎是当邻居的应该做的，可是后来才发现，我们有心帮忙，那些猫儿却毫不买账。每当我们提着满满一桶吃的来到小屋附近的猫窝时，它们就回以猫儿大合唱，那声音丰富极了，嘶叫、呻吟、哭号，无所不用其极。若是不将吃的倒进弗朗西斯卡留下的食盆，它们就会像一群土狼一样绕着我们不停叫。我们一离开，它们就开始你争我抢，好像个个都觉得那盆东西理应自己独享。不过，尽管这些动物统统居心不良，我们还是觉得情有可原。毕竟，在弗朗西斯卡收留它们之前，这些小家伙都是饱受他人欺凌的无辜弱小的生命。可问题的关键是，邦妮没有这么高的觉悟。对于它来说，猫就是猫，自古以来就是狗水火不容的敌人。它还以一股溢于言表的不屑之情向我们表明自己的态度——在它眼里，那些猫儿才是不折不扣的入侵者。

潜在的危机已然在酝酿，再加上两个促狭鬼儿子的唆使，邦妮听到猫的嘶叫之后，到底是冲出了我的保护范围。好似脑中的警钟已经敲响，邦妮那会儿只能想到两个词：“死猫！臭猫！”上一秒钟它还趴在厨房地板上睡觉，下一秒钟竟然腾地起身冲出家门，跑过农田，像全国越野障碍赛马冠军一样跃过墙头，子弹一般飞进费雷尔家的地盘。邦妮知道，他们家屋顶是那些猫晒太阳的地方。那儿现在肯定有好几只“死猫、臭猫”在打瞌睡。屋檐的排水管很低，邦妮伸出前爪就能够着。一场宿敌之间的大战看来是不可避免了。我看到邦妮勇敢地面对六只猫，它们围成一个半圆形，龇牙咧嘴、不怀好意地狞笑，前爪一下下抓在邦妮脸上，好像它是一个活靶子，好让它们揶揄嘲笑，仿佛在对邦妮说“来啊，来啊，来抓我啊”。邦妮时不时停住它愤怒的低吼，转过它怒火中烧的双眼，扭头看我们还在不在，好像它也不算完全英勇无畏(其实这英勇无畏与有勇无谋是一个性质)。不过，就像它喜出风头的同胞乔克·彭斯，它直到目前为止都提防着“手提包打头”，在它这里，这一击可能是要流血的。

那天猫儿没有真的发飙，这很反常，倒不是因为我们还在场，很大程度上或许是因为邦妮并没有对它们造成实际威胁。不过，打那之后的几个月，我们发现猫群在不断缩减，最后只剩下最初几个成员依然坚守，没有人知道为什么。或许，它们是厌倦了不断被犬齿类入侵者骚扰的“居家生活”，发现最初山间丛林中自给自足的生活更有吸引力。弗朗西斯卡也没有因为门徒作鸟兽散而责怪邦妮半句。“邦妮亲爱的”依然是她时不时挂在嘴边的话。甚至在周末的时候，邦妮还享有陪伴费雷尔太太“巡视庄园”的殊荣。她的两条杂种狗——罗宾和它的妈妈玛丽昂，都得一脸阴沉地排在邦妮后面，跟在那支反狗队伍里仅存的猫儿身后。鬼知道为什么，反正事情就变成这样了：女王殿下所到之处，她的小型动物博览会都会按照这般次第排成一队，像是随行的仪仗队一样。当然，地位变化以后肯定还会发生，这一点我们深信不疑，只是变好还是变坏，就没有人能说得准了。

但是，并非所有朋友和邻居都像费雷尔太太一样喜欢邦妮。玛丽亚就把它视为一个顺手牵羊的小偷，佩普提防它就跟提防獒犬一样，霍尔迪一见它就是一副“别靠近我”的模样。就连邮递员和自来水公司的职员也是，只要看见邦妮就不敢踏进院子半步。邦妮在门口看到陌生人时有个很奇怪的举动，它会轻轻咬着你一只手的指尖把你引进屋里。这个举动本来没有丝毫恶意，我们回家的时候它也这样，而且它咬的力道很轻，轻到连葡萄皮都咬不破。不过，邮递员和自来水公司的职员都觉得还是不要拿自己好好的手去赌博为妙。自打第一次遭受过邦妮的欢迎仪式后，他们都不约而同地选择鸣小摩托车上的喇叭，站在小路上等我们家里的人出来，从门栅栏的缝隙中接过信封。

像每一个溺爱自家小狗的主人一样，我总是不断重申，根本就没有必要害怕邦妮。我相信邦妮心里的善意可能都要多过每一个造访的陌生人。我没有责怪那两个神经兮兮的家伙的意思，不过我相信如果他们见识了十月末的那一番景象，肯定就不会怀疑邦妮温顺的性情了。

那一天我刚浇完果树。傍晚很安静，峡谷好像在为终于挨过了炎炎夏日长吁了一口气，总算可以在初秋的天气里歇歇了。就连邦妮似乎也意识到这份平静来之不易。它没有像平常那样去“踢”最喜欢的玩具——一个塑料足球，而是静静地跟着我溜达过田间地头返回家中。路过果园的时候，树上已经挂满了柑橘。有些树的树龄还很小，枝叶长得很低，挡住了远方山脉，我在树下停住脚步。只见山坡上树林里有一股烧木材的烟袅袅上升，我不禁觉得那个小种植园仿佛坐落在寒冷冬天里的炉火旁边。屋子外面的树上还站着一只猫头鹰，为那份黑暗平添了一份阴森。

夕阳的最后一缕光辉穿过果园树叶间的空隙，在我面前赭红色的土壤上交织出奇异的图案。这对我来说完全是一种不一样的秋天。我在苏格兰时，秋天总是在暗示人们接下来的季节里整个大自然都要沉睡过去，可马略卡的秋天却是在提醒你乡间还有些东西正在苏醒。我注意到附近一小块地里，前两天我播下的种子已经发芽。最早破土的几片嫩芽已经开始冒险接受马略卡的阳光，在接下来的几个月里，没有温室，这些植物也依然茁壮成长。这倒是稍稍提醒了我，那个我所熟悉的苏格兰多雾的秋天已经离我很遥远了，真的，现在的季节是马略卡岛的“冬春”了。

我们再次出发朝家的方向走去，白色围墙已经在树梢若隐若现，被蔷薇色的晚霞染上了颜色。这正是峡谷最让人着迷的地方。我们屋顶的电视天线插向天空，路旁电线杆上交织着电线和电缆，但峡谷依然保持着最本真的美，几个世纪以来不曾改变。不过，我也承认，与科技提供的便利相比，随之而来的风景上的瑕疵真的已经无足轻重了。

这时邦妮却突然停住脚步，低吠起来，这一举动吓了我一跳。只见它竖起耳朵，两只眼睛直直瞪着我们家和玛丽亚家围墙间的缺口。这个缺口玛丽亚自己都已经习惯了，有了这个缺口，她只会更加方便，哪天想起什么，随时都可以过来向我们提供她的建议。可是那一天，尽管只是模模糊糊看到有个人懒懒坐在阴影里，我也敢肯定，那绝对不是玛丽亚。邦妮无疑也很肯定，因为这个人的块头可比那个饱经风霜的小老太太大得多。我看到邦妮背上的毛都竖了起来。它低吼着，随时准备向那个黑影扑过去。

“放松点儿，”我抓住邦妮的项圈对它轻声说，“没什么大不了的。”

我这份外强中干的安抚其实连自己都骗不了，却给了邦妮莫大的信心。它似乎感觉到无论如何自己还有坚强的后盾，于是，小家伙竭力要挣脱我，叫得更加勇猛、更加大义凛然。

“是我，是我，堂·佩德罗。”在我们靠近时，那个神秘的身影嗫嚅道，“我不是故意要闯进来的。我没有要骚扰你们的意思。”

邦妮立马放下心来，又开始摇它的小尾巴。它认出这个声音是豪梅，玛丽亚的大女婿。玛丽亚常常骂他好吃懒做，他却毫不介意。实际上，豪梅是玛丽亚果园尽职尽责的管理者，一个不辞辛劳的好管家，家里事无巨细，全得仰赖他操持。玛丽亚家完美无缺的果树林和精心耕作的农田就是豪梅所做贡献的最好证明。可惜就算做到这份儿上了，他还是入不了他那百般挑剔的岳母的法眼。

豪梅身材高大魁梧，身上有一种长辈的慈祥气质。他现在退休了，之前在帕尔马一家高档饭店里做了一辈子的服务员。他从不掩饰（当然除了在玛丽亚面前）自己不喜欢务农。我怀疑他还觉得鉴于之前的职业生涯，务农实在有伤一位绅士的体面。不过，他毕竟是这片峡谷的子孙，非常了解当地的农业生产，也经常热心主动地给我一些不错的建议。尽管身上还保持着老派侍者谨慎周到的做派，豪梅却有一副好热闹的天性。由于那份幽默感，他经常拿我开善意的玩笑，在我们初次见面的时候，还送了我一个冒牌老爷的名字——堂·佩德罗。还好虚惊一场，现在邦妮总算恢复了常态，我的嗓门也跟着提高了，老爷就要有老爷的样子嘛，尽管我知道这肯定又要被豪梅拿来寻开心了。

不过，今天傍晚豪梅的举止的确有点反常。他平日里打招呼时的那股热情劲全没了，虽然他把脑袋压得很低，藏住了脸，但我还是能感觉到不对。就连我走到他身边，他也没抬一下头，兀自坐在那堆倒下的墙砖上。他的肩膀向前弯着，一只手不停捶着额头。邦妮大概也察觉到情况不对劲。它没有像往常那样冲到豪梅怀里撒欢，而是坐在几英尺外，歪着脑袋，好像询问般地望着他。

“呃，豪梅啊，你还好吧？”我吞吞吐吐地问道，一问完我就觉得“你还好吧”实在是傻得不能再傻的问候。这不明摆着嘛，人家一点儿都不好。

豪梅一开始没有回答，只是响亮地擤了好几下鼻子，摘下眼镜，从口袋里掏出他平常擦眼镜的手帕。“不好。”他最后总算出声了，尽管头依然垂得很低，“不好，一点都不好。”

邦妮呜呜叫了两声表示关心，脑袋偏到了另外一边。

我不知道该说些什么，也不知道能做什么。虽然我平日里跟豪梅很熟，而且也很喜欢这个邻居，但我清楚，在他的世界里，我终归是个外人。尽管我非常想在他悲伤的时候安慰安慰他，可是隐隐的担心却让我不敢轻易冒险。我发现自己骨子里有一份苏格兰人对情感的克制，在现在这种敏感情形下，很难打破局面。我所能做的极限也只不过是问他“你还好吧”，实在太过多余。

豪梅依然坐着一言不发，直直地瞅着地面，手指神经质地抚着嘴唇，好像这样就能控制住那股正在吞噬他的忧虑。我的第一反应是玛丽亚该不会出什么事了吧——尽管她长期以来对健康问题自负到不屑一顾，但现实终究是残酷无情的。向豪梅提到她的名字时，我是真真切切地关心。我非常尊敬这位老妇人，尽管她脾气反复无常，而且古怪自负，但她待我却像老祖母一样真诚善良。玛丽亚是个身材矮小的老妇人，就像邦妮和我目光所及的山脉一样，看似平平无奇，实则饱经风霜。是的，玛丽亚的气质就是这片峡谷的气质。

过了好一会儿，听到豪梅回答说他伤心不是因为玛丽亚，我才长舒了一口气，还好是我杞人忧天了。最后，豪梅终于抬起头来望着我，深深吸了一口气，然后长叹一声，好像这样能吐出心中的积郁，哪怕只是短短一刻也好。即使是在黄昏半明半暗的光影中，我也能看到豪梅的双眼又红又肿，脸上还残留着没擦干的眼泪。显然，他是在竭力克制情绪，好让自己有勇气面对难题。费了好大的劲，豪梅才向我说清到底是怎么回事：他的儿子何塞在西班牙军队中服役，他和妻子去大陆看儿子，几个小时前才刚刚回来。一到马略卡，他们就从机场径直来到峡谷。连日里儿孙承欢膝下，他们心情本来特别愉快，可是快到家时，却发现家门口停着一辆警车，兴高采烈的情绪顷刻间烟消云散。

他们的第一反应跟我一样，以为是玛丽亚出了什么事情——是抢劫？或者更糟，是谋杀？如今这世道，作奸犯科之事可是无处不在、防不胜防。但是，玛丽亚正站在门口对他们打招呼呢，尽管看起来不像平日那么轻松，可好歹安然无恙。这一次见面，玛丽亚先对豪梅，而不是她女儿开的口，这对玛丽亚来说是稀罕事，她让豪梅最好有点儿心理准备。她身后的两个警察这时自告奋勇站出来说明情况，豪梅得跟他们走一趟，到他们帕尔马总部的停尸间里去辨认两具尸体。

我发现豪梅在擤鼻涕擦眼睛的时候，整个身体都在发抖。他费了好大劲才忍住没哭出来，此时此刻，我就算知道该怎样安慰他，也觉得那些言辞太勉强了。我只好保持着不得体的沉默，让豪梅自己慢慢调整情绪。也正是在那时，我注意到邦妮跑到他身边坐下，用恳切的目光注视着他。那张拳师犬的小脸上流露出它不想看到豪梅这样伤心的神情。为了引起他的注意，邦妮还呜呜地叫了两声。豪梅用头抵着它的脑袋，悲伤地笑了笑。

“好姑娘啊。”他低声说道，“真是个好姑娘。”

那一幕真是动人，连我也不禁戚戚然。邦妮发自肺腑的安慰让豪梅重新镇定下来，继续讲述今天傍晚发生的事情。在去帕尔马的路上，警察告诉他，前些天他们在城郊一套公寓中发现有两个人死了。现场的证据显示，可能是因为使用燃气热水器不当，两人在睡梦中因煤气中毒窒息而死。我猛然一惊，忽然回想起前两天清早在《马略卡每日公报》上看到过这件事的报道。报道说，这样的惨剧尽管很罕见，但是鉴于西班牙现在大多数家庭都使用燃气热水器，煤气中毒事件的确已经成为一件令人忧虑的事。煤气方便又经济，但人们通常不会定期查看煤气用具连接是否安全，万一有什么疏忽，后果不堪设想。

豪梅又低下头，一只手捂住了颤抖的嘴唇。

“是我的姐姐，我唯一的姐姐。还有她女儿，我的外甥女卡塔利娜。她们跟我的儿孙一样，都是我最亲的人啊。”

他的声音悲痛欲绝，弱得几不可闻。我知道他此刻是在崩溃边缘挣扎。过了好一会儿，他肩膀上下耸动，将脸埋在了两只手里。

“我不能让我妻子和岳母看到我这副样子。”他流着泪说，“男人不能让人看见流眼泪。”他飞快地望了我一眼，说，“我很抱歉，朋友。我必须得找个人说说，希望你别介意……”说着说着，他声音又低下去了，脸也埋下去了，压抑已久的悲痛终于在泪水湿透的痉挛中决堤了。

我想像安慰一个孩子那样搂住他的肩膀，抚摸他灰白的头发。我想告诉他，不管眼前有多么难熬，但一切都会好起来的，就像当初他安慰我不要为果树问题感到沮丧时一样。可是这一次，我还是不知该怎么开口，依然傻傻地站在他身旁。

这时，邦妮提醒了我，小狗不会像人一样压抑自己的情感。尽管它还是条娃娃狗，却本能地察觉到豪梅非常需要安慰，它毫不犹豫地用自己的方式给了他抚慰：依偎着他，不停用自己的下巴蹭他的膝盖，还在豪梅垂手抚摸它时轻轻舔了舔他的掌心。此时此刻，已经不需要安慰的话语了，邦妮发自内心的小小举动已经比我能表达的好多了。我再次被小狗对人类——即便是陌生人——毫无保留的无私奉献触动。

豪梅在面临家人离世这样的时刻，竟会选择向我卸下心头的重担，让我感到很荣幸，同时我也有些羞愧，不得不靠一条小狗来做出合适的回应。我哽咽着默默走开了，让邦妮好好陪陪豪梅吧。在邦妮一生中，我无数次看到它显露出善良淳厚的天性，尽管弗朗西斯卡·费雷尔的“死猫、臭猫”肯定不这么认为。

不幸的是，在刷墙的时候，邦妮却帮不上什么忙。这项工作只能留给这个屋子里的人类来完成。所以当我们在屋子里面干活时，邦妮就在屋子外面舒舒服服地晒太阳。不过，这工作两人就可以完成，何况我们家有四口人，没用多久，我们就大功告成了。

“刷得这么漂亮却只用来当储藏室，未免也太浪费了吧。”森迪的眼睛一亮，“我觉得，这里可以当个游戏室，你们看，咱们又不怎么用它来存放水果。”

“他说到点子上了，”我对艾莉说，“以前水果摘下来后，直接就搁在地里，如果要过夜的话，就堆在外面门廊上，我们搬来之后，这么大个储藏室竟然就没怎么用过。真是浪费空间。”

查理马上接过话茬：“是啊，妈妈，我们可以在这儿放一个斯诺克台球桌，就像奥布赖恩家那样。”

“是个好主意，查理。”艾莉回应道，却依然像往常那样实际，“不过，你也得知道，我们不像奥布赖恩家那么有钱，可以置办那样的东西。”

森迪立刻反驳道：“一张斯诺克球桌又没多贵。你去看看《马略卡每日公报》上面的广告，如果有人要搬家离岛的话，都情愿把家当就地贱卖，不会想花高价把它们运出去的。你知道，那都是些又笨又重的床啊什么的。”

艾莉看起来完全不信，看来，是时候该用她自己的论调给她上一课了。“这事儿也算是增加附加值啊。”我补充道，“把这儿变成游戏室，让生活变得开心一些，这正是游戏的意义啊。”

“我们还可以添个吧台！”查理插嘴道，“在这儿，在这个拐角，我们可以放个吧台。”

我脑袋里的想法越来越清晰了，“艾莉，想想看，我们可以从中得到多少欢乐啊。想想看，这穷乡僻壤的，大冬天的晚上，儿子们也得有点娱乐啊。他们肯定会特别开心，我们也高兴，这不正是一家人和和美美、其乐融融该有的样子嘛。”

“有了吧台，”森迪补充道，“那爸爸以后也就不用再去酒吧了。”

“就是，就是。”查理热心地说，“他甚至可以自己酿酒，反正有的是地方。”

艾莉举起双手：“好了，好了，好了，我投降。只是有一点，不要花钱雇人，你们自己动手把这里改建成游戏室。”

“你同意了？”我和儿子们异口同声地问。

“不过我是不会允许你酿酒的！我可是去打理过弗朗西斯卡的那些猫猫狗狗的，我可不想自己家里闻起来有股发霉的马尿味。酿酒作坊就是那个味道。”

“没问题。”我满口答应。这时，森迪和查理早已开始翻箱倒柜地寻找过期的《马略卡每日公报》。

事先谁也没有想到，森迪突发奇想的建议竟然成了我们在“市长府邸”生活的转折点。在那之前，我们精打细算，尽可能地节俭度日，把精力最大限度地放在提高果园的收入上。尽管艾莉一直说要把房子好好装修一下，但是为了等涂料降价，就连这件事也是一推再推。如此这般寒酸完全是因为我们生怕开支超出预算。在果园真正变成（或许这可能只是我们的希望）稳定的收入来源之前，我们必须一省再省。这套省吃俭用的说辞，理论上颇有道理，但理论总是会蒙蔽人们的眼睛，让我们看不到实际。的确，我们花了点钱在非农业用品上，却没能给“市长府邸”的日子增添多少乐趣。现在，虽然生活还不至于沦为只有工作而没有休闲这般枯燥，但我们的首要精力太久以来都只用来关心旋转研磨机、收支平衡、雨季如何收藏东西等等了。森迪想要把储藏室改造成游戏室的点子忽然让我们意识到，其实很多时候没必要那么小心翼翼，不妨像一直以来那些真正精明的人一样放纵一下。就像乔克·彭斯的微言大义：天朗气清的时候，为何要担心刮风下雨？这儿可是马略卡，整个欧洲的阳光之都，赶紧把你的遮阳伞拿出来，让它派上用场吧。

或许这样看待人生稍嫌灰暗，但上次豪梅的事，让我也有同样的感触。“有花堪折直须折”就是我当下的处世之道。我们搬到岛上来已经一年了，投入了所有的精力和心血，将开支缩减到最小，全都是为了这个农场。现在看来，为了它能有所改善，我们已经把能做的全都做了。在邻居们、当然还有佩佩那个一直帮我们治理果树的园艺师无私的帮助下，我们一家人没遭什么天灾人祸，算是扎下根来，也开始慢慢融入了至今都不甚熟悉的生活。我们像学徒一样过完了第一年，明白了不少事情，而且还向所有人证明了自己在竭尽全力想要做好那些曾经难以胜任的工作。如今面临的事情，成败与否全看运气了，到底是好还是坏，恐怕只有时间才能洞悉这场人生赌博的最终结局。在决定全家搬来马略卡的时候，骰子就已经掷下了，命运之手不可能再将它拨回去。所以，为什么要患得患失，不去享受美好时光呢？建游戏室不是完全在用钱打水漂（这在我们苏格兰人可是绝不允许的！），而是在增加我们对生活的热忱与信念，总有一天，好运自然会来敲门，而现在，一定要尽情享受好时光。

接着，我们在马略卡最充实的一段生活开始了，同时也是最繁忙的一段。灌溉季节结束后，得最后清除一次杂草——在灌溉季节里它们长得可是如火如荼。接下来就是田间地头的事了，我们得为繁忙的柑橘采摘季节做好准备。森迪和我非常乐意地包揽了地里所有的活儿，让艾莉一个人留在家里刷墙。老实说那份“清闲”的工作我们可是一点都不羡慕。到了周末，查理也无奈地被我们唆使着在家里粉刷。我一直以来就不相信查理会心甘情愿待在自己房间里学习，他只会在艾莉让他干活的时候扯上一堆拙劣的理由。当然，只要他想享受家里焕然一新的变化（不仅仅是他热心的那个游戏室的变化），他就得像我们一样做出点贡献才行，尽管他心里嘴里都是一百个不愿意。

既然我们曾经对收支问题的过分在意如今有了些许松动，那么关于生活方式的其他建议也被提上了日程，每天早餐桌上热烈讨论的话题就是这个，大家连晚上睡觉时，都要酝酿一下新的点子。最异想天开的（当然也是最花钱的）主意自然是查理想出来的。与奥布赖恩家的交往无疑刺激了查理的物质需求。他突发奇想要在自己卧室的角落里安一个按摩式浴缸。森迪冷嘲热讽地说，那些建私人水疗院的，大概都是跟查理一样公开表示厌恶肥皂的阔佬吧。

不过，艾莉的一个提议获得了一致赞同，那就是开辟一片烧烤区域。这项建议乍一听没什么激动人心之处，但是艾莉的天才规划却相当有吸引力。如果可以的话，花园一角的瑕疵就可以转变成一处别具特色的小景，而且花费很少。

屋子旁边沿着田边小路有一道老墙，大概三米高的样子，没人知道这是几个世纪前建的了。墙顶上内嵌一条水道，山上的水可以一直顺着它流进一座老式磨坊里——不过，前段时间费雷尔先生已经把那里改造成他们家现在周末过来住的小房子了。墙是用各式各样大小不一的碎石头砌成的，面上还刷了层蜂蜜色泥浆。由于常年受到夏季灼烈高温和冬天暴风雨闪电的综合影响，墙面已经开裂和缺损，但是这种残缺不齐给整面墙增添了几分粗犷的美感。一片片常春藤蜿蜒攀爬在残破不全的墙面上，然后从墙的另一面垂下来，落在地上散成一片绿色和金色杂糅的画面，野玫瑰时不时也点缀其间。这正是马略卡乡间那未经修饰的朴素之美，美到好似活生生的风景明信片。只不过……

房门口向松树丛伸展出去的小路在快到院子正门的地方，有一处很是煞风景的所在。在那儿，老墙上的一个空洞被“市长府邸”原来的主人改造成了垃圾焚化炉。炉子的风扇常年不变地把黑乎乎的煤烟吹到老墙上，留下脏兮兮的印记。除了彻底铲掉受污染那部分墙面的泥浆之外，好像也没有更好的办法除掉这些令人作呕的污渍，不过这样做的话就破坏了墙面整体美观。有鉴于此，艾莉提出了这样一个想法：

“我们可以用颜色相近的石头靠墙建一个烧烤专用区域，烧烤架子干脆直接就放在有污点的墙面下方。多挂几盏灯笼，松树底下再零星安上几盏投灯，随便用木头打张桌子、几把椅子——就这么简单，就能把这处破破烂烂的地方变成一个绝妙的户外就餐好地点了！尤其在夏天的晚上……想想看吧，该有多美！”

艾莉的点子的确很有创意，但是实际操作起来并不是那么“简单”。要有电，就必须要从房子里引条电缆线铺在地下；松树丛那儿的空地，也就是她准备摆放桌椅的地方，地面总归是得修整一下的；而且建烧烤区这件事总得好好设计之后才能开工吧，总不能心血来潮就去把石头都搬回来。不过说到石材，这在马略卡可不是什么难找的东西。

随处都能找得到的灰黄色沙岩被人们用在马略卡各式各

样的建筑上。小到脏兮兮的猪圈，大到帕尔马那始建于14世纪、华丽壮美的哥特式大教堂帕尔马主教座堂，都是用这种本地产的石材建成的。现在，这种石头在岛上依旧被人们广泛开采使用。其中一个很大的采石场位于通向柳奇马约尔的公路旁边，离帕尔马著名的度假胜地埃尔阿雷纳尔不远。用锋利的切刀把石材从矿床上切割下来就如同我们在厨房里切奶酪那般简单，这使得采石场从上面看下来很像乐高公园里的火山弹坑。我们家的餐厅和走廊都是用一种细长的厚石板铺成的，还未开工的烧烤区我们也打算用同样的石板。从采石场直接订购的话，这种石板便宜得费用几乎可以忽略不计。除此之外，按照艾莉的设想，我们还需要采集一些颜色和订购石板相称的粗石块，这样可以给烧烤区增添一些田园风情，这就不是一件容易的事了。要完成这个计划，我们只能依靠马略卡乡间以及周围的山脉了。

波兰著名的钢琴家和作曲家弗雷德里克·肖邦曾于1838年到1839年的冬天生活在马略卡，他曾经这样描述过这里的道路："洪流冲刷出了路，山崩的碎石铺好了路。"尽管现在的情况已经和他那个时代不太一样了，但是发生洪水的时候，山崩的确会形成一些粗糙的大矿石。而我们要找的，正是这种石头。

一场暴风雨过后，我和森迪开始了采石的远征之旅。他开了新买的那辆福特嘉年华，我开的是以前那辆西雅特熊猫。我们把后排的座位放倒，这样的话，一旦发现合适的矿源，每趟都可以装不少石头。

我们选择了那条盘旋在加拉法山北面通往卡普德拉村的山路。我曾经见过这条路在山崩过后被石块封死，因此我们很希望能够在路两旁找到一些合适的碎石。随着山路迂回向上盘旋，我们在半路开过一个宽敞起伏的山口，开出隧道之后就到达了萨格鲁阿山口的最高点。我们路过一片片整齐栽满葡萄树的田地，这些树是由马略卡新兴的圣卡塔利娜酒厂在 20 世纪 80 年代栽种的。这片葡萄园可以说是岛上最富有戏剧色彩的了。我在心里暗暗发誓，有一天一定要来这里参观一下这家最先进的葡萄酒酿制厂。正在这时，森迪提示我他发现了些什么，把车开进几百米开外一个生满杂草的平坦山肩。

我们来到一个马略卡最为典型的山谷，数不清的松木和常绿橡木覆盖着路一侧的斜坡，路的另一侧是一片荒凉的杂草地，草地中间是一个被银灰绿野生橄榄树丛包围起来的小型牧场。从我们停车的地方出发，往左边没走多远，一个隐藏在长豆角树林里布满碎石的小山坡就映入了眼帘。山上的石头上粘着清晰可见的红色泥土，很明显这些石头是刚刚被雨水从半山腰冲刷下来的。我和森迪还真是幸运。

刚从车里出来，我就闻到一股奇怪的味道混杂在松脂香气和雨后土壤散发出的淡淡霉味里。仔细闻闻好像是热沥青的味道。山谷里静悄悄的，只有时不时几声雀儿的叫声从不知道哪个角落里传来，隐隐约约还能听见远处羊脖子上挂的铜铃发出的叮当声。我和森迪谁都没有说话，站在原地默默享受大自然的安详与静谧，呼吸林间清爽的空气。就在这时，林子里突然传出了一声男人的笑声，好像是从我们身边一直通到树林深处的小径方向传来的。

“可能是当地的牧羊人吧？”我说，“最好还是在搬石头之前跟他们打声招呼，万一我们闯入的是别人的私家领地就不好了。”

于是我们顺着地上的线索走进林子里。没过多久，我们听见有几个男人在用马略卡语高兴地聊天，也察觉到那股柏油的味道似乎越来越重了。终于，小路的尽头连到林子深处的一块小空地，在那里，三个男人正在吃午饭。不过他们看起来不是牧羊人，而且吃的午饭也不是山里工人常吃的打包盒饭。这三个是修路工，都是马略卡当地的壮小伙，他们正在给自己准备相当“别致”的烧烤大餐呢。

此时，他们的大拖车正停在空地正中间，和周围的树木保持一定的距离。显而易见，这是因为车的拖斗里放了一个正冒着热气的大火炉。不过炉子上架着的不是加热沥青的大桶，而是一口做饭的锅。

“快过来哦！”三个人中的一个看见我和森迪，向我们笑着挥了挥手，“嗨！哥们儿，过来加入我们吧！”

他一只手里握着葡萄酒瓶，另一只手抓着一只死鸡，已经空不出手来跟我和森迪握手了，只是简单告诉我们他叫费利普，其他两个同事一个叫托梅乌，一个叫弗兰塞斯克，还有一个叫安东尼的同事进林子里去完成“任务”了，不过一会儿就会回来。说完，他放下手里的东西，到拖车驾驶室里拿了两个空果酱瓶子出来递给我和森迪，又慷慨地给我们俩各倒了很多葡萄酒。他告诉我们他们是市政委员会雇用的修路工，负责在乡下到处转，做些例如修补裂缝、填充坑洼等道路日常保养维护的工作。这就是拖车上放了火炉和沥青桶的原因。

“那你们现在是在准备庆祝什么呢？”我冲着葡萄酒瓶子和饭锅点点头。

“庆祝？”费利普先是充满疑惑地看了我一眼，然后和他的同事一起笑起来，“没什么好庆祝的，不过是在准备午饭而已。每天中午我们都是这样自己做饭吃的。”他指了指拖车上的火炉，歪着嘴笑了：“如果你们老板能给你提供这样的加热器，那休息的时候不好好利用一下是不是太浪费了呢？”

的确很有道理啊，我心想，同时开始思考为什么那些英国修路工不像费利普他们这样吃饭。在我的记忆里，英国的修路工每天都被动接受却也满足于吃提前做好的三明治、薯片和一听可乐作为工作餐。

相比之下，费利普告诉我，他们今天的食谱是马略卡炖面，就是把一种和意大利面很像的细面条，搭配从林子里就地取材的配料一起炖的一道当地特色农家菜，其中蜗牛是必不可少的一种配料。托梅乌和弗兰塞斯克已经在上一场雨过后，在马路旁边的茴香菜茎上抓了很多出来“散步”的蜗牛。“现在那些蜗牛正在饭锅里的盐水中炖着呢，我们还把那些它们原来的‘栖身之地’茴香菜也采回来了，都在锅里炖着呢。”

一阵噼里啪啦的枪声从林子里传出来。

“啊！”费利普高兴地叫着，“一定是安东尼抓到野兔了！太好了！”他随手把死鸡扔给弗兰塞斯克，“把毛拔了吧。我们可以烤着吃，这样就不用等锅了。”

正在这时，一个身材健硕的汉子拿着一把来复枪、一只死兔子和一个小篮子，从林子里钻了出来。

“安东尼！”三个男人一起笑着喊道。

“老弟！”费利普大叫，“我看又有一只自取灭亡的兔子撞在了你的枪口下吧？”一阵沙哑的笑声回荡开来。

安东尼微微笑了一下，好像在庆祝自己的收获，然后转身把篮子里的东西倒在拖车车斗里。他挑出几棵琥珀色的蘑菇，冲我们骄傲地说：“看！大蘑菇！这还是今年秋天第一次发现它们呢。”然后他举起几把草一样的东西，“还有呢，”他若无其事地说，“我还采了一些野蒜、一把百里香，还有几个马槟榔，这样就更有滋味了。”

伙伴们为他的贡献欢呼起来：“天哪！今天这饭绝对差不了！”

费利普转过来看着我和森迪：“要是还没吃的话，就和我们一起吧！以前也总能碰到你们这样的客人来我们这个‘户外餐馆’吃饭。”他眨巴眨巴眼睛，“看来今天老天爷准备的饭对于我们四个人来说有点太多了。”

我一边谢过他的好意，一边拒绝了。我向他解释我和森迪到山上来，只是为了采些石头而已。

费利普满是疑惑地看着我，好像我缺少的不是几块石头，而是一个健康的大脑。“你们大老远跑到山上来就是为了采几块破石头？然后再不远万里地运回去？”他挽着我的手臂，拉我到拖车驾驶室的第一节台阶坐下，“坐在这儿冷静一会儿吧。我看你需要好好休息一下。”然后，他和他的伙伴用马略卡语聊了几句，虽然我听不懂是什么意思，但是从他们的笑脸我看得出，这四个修路工明显对我的智商有所怀疑。

懒散的安东尼望了望森迪，此时的森迪正站在拖车另一边，手里握着那杯葡萄酒，着迷地盯着火炉看。“小伙子！”这个小猎人加采摘员冲着森迪喊道，“知道怎么给兔子扒皮不？”森迪刚点了点头，那只死兔子就一下子飞到了他身旁。“太好了！”安东尼笑着，“把这个小家伙的衣服扒了，让它和蜗牛一起游会儿泳吧！”

费利普注意到我先是看了看森迪手里的野兔，又看了看空地旁边一棵树上的告示牌。在西班牙郊外的无人区域，这样的牌子很常见。这是一个黑白格以对角线方式分布的牌子，上面用西班牙语写着“私人狩猎区”几个大字。果然不出我所料，费利普满不在乎地耸耸肩，指着那个牌子说：“你说可笑不可笑，即使一个人有再多土地，又怎么敢声称野兔是他的私有财产呢？”

一直沉默寡言的弗兰塞斯克也对这一看法表示同意，并补充道，他们得到母鸡也是“神意”。他讲述了这个傻东西在他们开车经过山下一处农场时是怎么从他们面前的路上穿过去的。这个坏习惯的严重后果是，总有一天它会惨死在车轮下的。接着他笑嘻嘻地说：“我今天掐死它，只是加速了死亡进程，同时也免得车轮压得它没法下锅煮了。”

费利普点了点头以示支持，然后给了我一个顽童似的微笑：“老兄，如果你在树底下走的时候，无花果刚好冲着你掉下来，你也会张嘴接着的吧？”

这句话简直就是我最近开始信奉的“有花堪折直须折”的改编版嘛。我实在很佩服这几个修路工的生活态度。这种态度的确是无可厚非的——当然，除非你刚好是私人狩猎区或者那只母鸡的主人。但是这些有争议的细枝末节并不能影响费利普和他同伴的用餐心情。那只煺了毛的兔子此时已经被大卸八块，和其他几种从林子里采来的食材一起扔到锅里了。在等待兔子炖熟的过程中，他们用一根长金属棍（外面裹着的凝固沥青已经被费利普在石头上磨干净了）把母鸡插起来，放在火炉底部烧得正旺的木炭上烤了起来。

诱人的香味很快飘满整片空地，这气味似乎在证明，这家“户外餐馆”并不比任何一家五星级酒店差。看来费利普对烹饪的兴趣比当修路工还要高。此时他正全神贯注地检查兔子汤的味道，不断往里添加新的作料，并时不时用刀刺刺里面的肉，看它是不是足够嫩了。直到他的脸上终于浮现出满意的神情，我才知道这肉是炖到时候了。费利普招呼弗兰塞斯克取来一包干面条，然后他亲自把面掰成等长的小段，扔在已经冒泡的汤里。几分钟过去了，他觉得面条差不多好了，就把这一大锅炖菜倒进一个大陶瓷罐子里，再把罐子放在一个高矮刚好合适的树桩上，这盘菜就由大家共享了。

以前，我在很多家不同级别的餐馆里吃过这道菜，但是实话实说，没有一家做的能和今天我在山上享用的这顿相媲美。可能是因为森林精灵赋予的奇妙魔力吧，或者是鸟儿的歌曲混合羊铃铛的声响形成的天然背景音乐，抑或是大山自己散发出的清爽气味。可能是因为主人的慷慨大方、空气中弥漫的烤野鸡香味，以及从乡下林子里随手采来的食材（当然还有上帝帮忙和一点点幸运）。也许，是上面我提到的所有因素混合在一起，才有了今天这顿美餐。话说回来，仔细分析究竟是什么原因让费利普和他的伙伴烹制的食物如此美味实在没有必要。毕竟不是所有人都能像我和森迪一样有这样的运气与他们相遇。如果天公作美，你有天也幸运地和他们（或者其他和他们一样的人）在林中不期而遇，那么我的建议是，尽情享用美食，并为自己的好运心怀感激吧。

那天下午晚些时候，我和森迪开着车在回家的路上时，还能感觉到被费利普和他同事们的热情包围着。我们走之前的那段时间，他们放弃了午睡，陪我们天南海北地随意畅聊，又喝完了一瓶葡萄酒。在马略卡的风俗里，这一切都是那么稀松平常，但又是那么弥足珍贵。

“你们两个采的石头在哪儿呢？”我们好不容易把车开回“市长府邸”，艾莉迎上来的第一句话就是这个。显而易见，森迪和我的车都空空如也。“森迪！你竟然喝酒了！我从你脸上的傻笑就猜出来了！你啊，简直是和你爸一个模子里刻出来的！”

邦妮向来对这种可以预测到的战争爆发非常敏感，它走过去咬住森迪的指尖，慢慢把他带到房子里，安全地远离了院子里随时可能爆发的大战。

“艾莉，我可从来没有鼓励他喝这么多。”我试着表示自己是无辜的。

“谁告诉你他还需要什么鼓励啊！这小子纯粹是你的翻版！”

事实上，不论是森迪还是我，都没有喝太多，还在法规允许的饮酒量范围内。而我们两个脸上挂的“傻笑”不过是刚才和市政修路工偶遇之后好心情的表现。我知道这样跟艾莉解释是没有意义的。我们刚才采的石头究竟都跑到哪里去了呢？费利普那辆及时在院子里出现的大拖车说明了一切。

“我以为你们只是想建一个烧烤区而已。”艾莉气喘吁吁地说。

我的声音里带着一股明显的装腔作势：“亲爱的，难道你没有听过‘馈赠之马，勿看牙口’这句话吗？”

“可是……这么多石头，都够盖一间……一间……”

我轻轻拍了拍艾莉肩膀，示意她冷静一下：“别担心。我相信你很快就会想出一些新主意的。记住了，有花堪折直须折，有无花果往嘴里掉也尽管接着。”

艾莉上上下下打量了我一番，好像我一瞬间就变成了恶贯满盈的大混蛋一样。

“我现在知道你是喝得太多了！”她嘟囔了一句，然后就仰着头，毅然决然地走开了。

我站在原地，傻傻地挠了挠头皮。正在这时，拖车的驾驶室里传出了一阵熟悉的笑声。

“别自寻烦恼了，老兄！”费利普透过车窗冲着我喊，“我们这儿有一个说法，要是哪个男人有本事猜透女人的心思，那他就能把驴粪蛋也变成天然黄金啦！”

“上帝保佑！”我心想，然后开始卸石头。

尾声 | 宁静的山谷

随着十月渐渐接近尾声，某天早晨醒来，推开百叶窗，你会猛地发现，马略卡突然变了。尽管身处偏远乡下，远离熙熙攘攘满是游客的海滩，你还是能够感觉到那种如释重负的放松，仿佛都能看到大自然脸上浮现出的满意微笑。好像这座神奇的小岛真有灵性，它能感应到最后一群游客离开——在过去六个月里，数不清的人来到这里度假，侵扰了小岛原有的宁静和谐。现在，马略卡终于又能轻松下来，回复到原有的真我——宁静之岛。

对我们一家人而言，搬来岛上生活的第一年快要接近尾声了。现在是我们该反思、该为降临在我们生活中的诸多美好心怀感激、更是该为我们跌跌撞撞闯进新生活后犯下的种种错误开怀大笑的时候。我觉得，事后回去看那些栽过的跟头总是很容易就能找到好笑的一面的。尽管我们是那么幸运，在过去的一年里，遇到的大灾小难都未曾带给我们真正不可挽回的重创，也没有给我们的心灵留下不可修复的挫败阴霾。我们长大了一岁，虽然没有因此变得更聪明，却在很多方面对马略卡这个新家园更适应了。

就连艾莉的西班牙语都进步了不少，现在想要看她当众出丑已经相当不易了。对此，我和儿子们或多或少有些失望，毕竟抓住她失言的小辫子嘲笑一番，也算得上是乐事一桩。从个人角度而言，我还是很希望艾莉能为大家继续贡献这样的宝贵笑料的。例如，她曾跑去屠夫店里买阳具而不是鸡肉；跟餐馆服务员点餐时要上一盘睾丸而不是野兔；真诚地祝福长痔疮的鱼贩子新屁眼快乐而不是新年快乐。最值得称赞的是，艾莉已经学会自嘲这些“舌头的失足”，而不再像刚开始学西班牙语时那般扭扭捏捏了。

而我自己，近来因为蚊子对采集我的血液以哺育下一代小恶魔的兴趣逐渐减弱，我的心情也边小心提防着边稍微好了一些。可能是因为吃了一年马略卡料理，我身体里的苏格兰血液已经完全“本土化”了，对那些求新求变的蚊子而言也就丧失了吸引力。看起来似乎是这么一回事，我也希望事情能干脆以此作结。但从另一个角度说，也有可能是因为近来冷空气逐渐入侵，所有害虫的恶势力都被削弱了。究竟是怎么回事，只能等到明年春天再一探究竟了。但是现在，我要勇敢尝试切断自己对加尔各答盘香和杀蚊剂加热器的依赖，开始享受随之而来不受约束的自由。说到享受，自从决定用“孤注一掷”的态度来处理“市长府邸”的事，我发现自己大部分时间很是享受一切随缘的宿命观。我想我们都是。

有天晚上我和艾莉在果园散步的时候，我把这种想法如实告诉了艾莉。当时我们两个正在检查橘子的成熟程度，希望能够有所准备，以便漂亮地完成第一笔订单——我们都很期待在不久的将来能有水果商来找我们订货。

“嗯……”她想了想说，“直到决定搬到这里之前，我一直不敢相信，自己真的可以做到和生活了那么多年的家乡诀别，来到异乡落地生根。一开始我总是想着，只要守住那点老本，一旦在马略卡混不下去了，就赶快金蝉脱壳回苏格兰去，这样还能把我们的损失降到最小。后来我发现这样的想法也有一定压力。现在，我觉得还是应该大胆闯闯，无论是好是坏，高低沉浮全看自己。我想，我们大家都会慢慢喜欢上这种生活的乐趣的。”

“是啊，连我这种不会游泳的旱鸭子都上瘾了。还好当初我果断扔掉了游泳圈。”

尽管说这话的时候我摆出了一副漫不经心的态度，但实际上，暗地里我没少交叉十指，祈求神明能保佑我们好运。现在，所有事情的发展前景都取决于我和艾莉正在巡视的这些橘子树能不能带给我们家足够的收益。不过艾莉是对的，靠折中办法做事情只不过把厄运推迟了而已——如果到时候橘子生意真的会搞砸的话。不管明年春天家里的情况会怎么样，靠着不断开发果园的潜力来营生总要好过守着储蓄过日子，更何况我们家的那点存款也撑不了多少时日。想到这儿，我松开了祈福的双手，开始在心里默默祈祷。我天生就是操心的命，那次谈话之后的几个月里，我反反复复折腾自己，一次又一次可笑地在求天还是求己之间辗转。尽管如此，表面上我还是做到了尽量保持积极乐观——至少在艾莉和孩子们面前。

自从全家人一致通过了建造烧烤区的提议，室内墙体的整修工程就渐渐成了艾莉一个人的任务。在这一点上，我们全家——至少是我和儿子们——都是举双手赞同的。相较之下，室外的建筑工程任务更重，而且趁着现在天气还不错，多赶赶工也是合情合理的。问题的关键在于，仔细推敲起来，上面的这些说辞只不过是冠冕堂皇的理由，我和儿子们是故意把“更轻松”的无聊补墙工作丢给艾莉的。还好艾莉并不介意这样的分工。在她看来，只要全家人都在忙着干活，没有人吃闲饭就比什么都强。她还坚信，没有我们三个哼哼唧唧的臭男人在旁边给她添乱，她能更专心地做刮墙、填缝、刷油漆这类的家务杂事。自然，儿子们和我巴不得跑得远远的，把墙留给她一个人补。

尽管我们把所有能抽出的时间都用来建烧烤区，可是粗略估计起来，距离整个工程完工至少还需要一两个月的时间。我们现在已经铺好了地下电线，装了不同规格的灯泡、灯笼和通风口，目前正着手于给就餐区域铺面砖。总的来说，整项工程已经初具规模了。经过改建，原本看起来不堪入目的地方，也多少变得好看了起来。

就连费利普和他的同事们好心运来的石头也派上了用场。早在那天下午他们的卡车开进我家院子之前，艾莉就一直想要在院子里盖座假山。这一次我就用那些石头遂了她的心愿（就我对艾莉的了解，即便我不动手，她自己也会想办法的）。“一个小假山放在角落里会挺不错的。再盖一个放在那儿。对，就是那儿。这样的话，就能形成一面挡土墙，挡住新修的小路。哦，对了，要是还有多余的石头，就在西边露台旁的胡桃木底下修一个小水景吧。”她给我的理由是，午后的休闲时光，可以坐在石头上面，舒舒服服地听流水叮咚作响，这是多么惬意的事情啊。我很同意这个说法，但是我总觉得等到我真能有一分钟的空闲时间坐在石头上享受“惬意”的感觉，还不一定要过多久呢。可是艾莉就是艾莉，一旦她的脑子里冒出了新想法，我一般情况下都没有选择的余地，只能照做。

所以，相对而言，能抓住机会陪艾莉在傍晚时分去果园里检查橘子，就成了比平常更加令人享受的乐事了。我越来越喜欢漫步在橘林里欣赏到的美景，而且值得欣慰的是，种种迹象表明当初佩佩·苏沃的修缮手术以及后来我们一家对这些果树的悉心照料，已经取得了明显效果。正如佩佩预言的那样，这些久被荒置的橘树正以令人咂舌的速度飞快恢复着。尽管今年秋天橘树可能还无法完全恢复到健康状态、结出足够量的果子，但是现在院子里的收成已经相当令人满意了。一个个圆鼓鼓的橘子把果树的枝丫压得弯弯的，和往年相比，今年的果子无论在成色上还是大小上，都提升了不少。全家人都对即将到来的丰收季节充满希望，这远比我们当初料想的结果好得多。

我和艾莉正走在回家的路上，隔着家门口没有几块地的时候，一道道亮光把我们的注意力吸引到了自家房子上。

艾莉紧紧抓住了我的手，“告诉我，那不是闪电吧？”她声音颤抖地呜咽着，“我可不想在暴风雨里躲在树下的时候被雷劈到。这简直是最可怕的噩梦啦！”

我轻轻拍了拍她的手背。“别瞎想。”我笑着说，“是森迪在给烧烤区安装投灯呢。没什么好担心的。”

“什么？森迪？电工活！”艾莉的两只眼睛瞪得大大的，“你要害死儿子吗？”

“不可能。这小子可是干配线活的一把好手。比他老子我懂得还多呢。要不然我也不会把工作交给他来做。”

艾莉震惊地瞪了我一眼，充满怀疑地质问我：“你说什么？他才十八岁啊！这么年轻，万一出点什么事可怎么办？”

我无所谓地耸耸肩膀。“年纪小，可是的确懂得比我多啊。干起电工活来比我强多了。”说完这话，我停下脚步。出于母亲的保护欲，此时艾莉已经怒火中烧，随时都可能会爆发。安静几秒钟后，我温和地补了一句：“放心吧。他不是一个人，查理也在帮忙，如果森迪不知道哪根线怎么接，查理会告诉他的。”

还没等艾莉的脾气发出来，远处突然传出一声高喊：“哈喽！有人吗？”这叫声来得太及时了，正好省了向艾莉解释其实我是从安德拉奇镇上的五金店里请来了胡安，帮忙完成最为重要的接线工作，并且特意把胡安的来访时间安排在了我们去果园散步的时候。

“哈喽！”这一次，叫声显得更加急切了。我们听出来这尖细的女高音是老玛丽亚的声音。但是在黄昏幽暗的光线下，想要找到她究竟在什么位置还真不容易。

“在那儿呢！”我对艾莉说，“就在咱们家水井旁边，那块田地的角落里。不过她看起来好像很生气的样子。咱们赶快过去看看到底是怎么回事吧。”

“我有件事需要得到你们允许。”我们还没走近，玛丽亚就没头没脑地喊了这么一句，“这非常重要！”

“到底是什么事啊？玛丽亚还用得着咱们批准？”艾莉低声嘟囔着，“老太太这一辈子做什么事之前问过别人的意见啊。”

“畜生！”我们刚刚靠近她，老太太就开始大声抱怨，她黑色的小眼睛里闪着愤怒的火焰。玛丽亚直勾勾地盯着艾莉，完全忽略了我的存在。“我等这个畜生，苦苦等了三十多年！现在他好不容易回来了，却这么对我！太混蛋了！”

我和艾莉靠在水井外圈的矮墙上，听玛丽亚倾诉自己的悲惨境遇，一个注定悲剧的凄惨爱情故事。我们一边听，一边心里犯嘀咕，这个下流的男人到底是谁啊？他到底做了什么，把玛丽亚刺激成这副模样？还好，老太太没有让我们等太久……

巴托洛梅·马蒂是玛丽亚的老情人。许多年前，和很多以前的人一样，巴托洛梅离开安德拉奇镇去阿根廷寻找赚钱机会——当时他还是个年轻小伙子。他走了之后，玛丽亚就和他失去了联系。一直到三十多年前，马蒂先生回到老家马略卡探亲，老玛丽亚才想起还有这么一个人存在。本来那次两人重新碰面，彼此心中对对方残存的余烬很容易就能重新点燃，烧成熊熊烈火，只可惜当时玛丽亚的丈夫刚刚过世。要是在这个节骨眼上，新寡的玛丽亚和巴托洛梅搞出什么关系来，会被全村人视为对故者极大的失礼。生性要强的巴托洛梅也坚持认为自己在阿根廷还有很多工作要做，他要回去继续完成自己对未来人生的规划和追求。不过，临走前，巴托洛梅答应玛丽亚，有朝一日，等他赚够了钱就会回来找她。到那个时候，他一定会带给深居山谷的玛丽亚做梦都想象不到的幸福生活。

“长话短说，”玛丽亚告诉我们，“自那以后我就再也没有他的消息了，直到几个星期前，他寄给我一张明信片，说今天要回到马略卡。”然后，老太太有些羞涩地告诉我们，正是在收到明信片之后，她才从浴室橱柜的杯子里找出二十多年没有戴过的假牙。“只剩下上面的半副了，”玛丽亚指出，“下面的半副不知道什么时候丢了。”不过，她还是带着几分得意笑了，原来，由于长时间浸泡在过氧化物溶液里，这半副假牙变得像珍珠一样耀眼夺目。

出于礼貌，我没有告诉玛丽亚，那些假牙实在太夺目了，我和艾莉第一次看见她羞涩地戴上假牙出门的时候，差点被晃瞎了眼睛。我还回想起老佩普，可怜的老家伙差点被这些亮闪闪的假牙惊得从村子里搬走。

玛丽亚的眼睛里又重新燃起了怒火，她愤愤地说：“你们知道这个老不要脸的东西刚才跑到我家农场说了什么混账话吗？他竟然告诉我他在阿根廷已经有了老婆，还生了七个孩子！不过看在昔日的情分上，他愿意邀请我去伊维萨岛度周末！”

艾莉和我听了这话赶忙绷紧了脸，强忍着不让自己笑出来。幸运的是，老太太现在正专注在宣泄自己的情绪上，没有注意到我和艾莉有些异样。

“这个混账把我当成什么女人了？”她猛地一跺脚，尖叫道，“周末？呸！这么多年我一个人过得好着呢！”她用瘦骨嶙峋的手指头在我们面前晃了晃，脸上的表情严肃得要命。

接着，老太太探了探身，用压得低低的颤音说：“我是一个有原则的女人。我固守着旧时代的宝贵操守。如果真要把自己托付给男人，那就得是一辈子！而不是一个周末！”

尽管我非常钦佩老玛丽亚的正直，可还是认为这事要是被比我更愤世嫉俗的人知道了，肯定会说，对于九十多岁的老太太而言，一辈子和一个周末的差别真有那么大吗？不过就我对这位邻居的了解，老太太的身子骨可谓坚不可摧，要她扛着锄头去犁几个周末的地都是件轻而易举的事。

玛丽亚从她黑色长袍上衣口袋里掏出那半副珍珠般闪亮的假牙。“我的老邻居，这就是我为什么要跑来征得你们允许。这附近只有你们家的井最深了，我想这是最合适它的地方。所以我想问问你们，我可以把它丢在井里吗？”

这有什么好说的呢。所以，艾莉和我一起做了个“请自便”的手势。听到假牙终于掉进深深的地下水里发出扑通一声，玛丽亚如释重负地甩了甩手，冲我们来个富有感染力的“上二下三”露齿一笑，然后转身拖着步子回家了。她边走边扭过头冲着艾莉喊道：“苏格兰太太，我这辈子再也不会为了男人浪费一丁点宝贵的时间了。”

山谷里的夜总是降临得特别快。太阳在西边松木丛生的

阿比达拉山脉后面消失不见之后，短暂的黄昏就算是告一段落了。所以，我和艾莉钻过树丛走在回家的路上，看见自家院子里突然铺展开的一片灯光都感到非常高兴。

“看起来配线练习进行得很顺利嘛。”我得意地点评了一句，“也没有听见谁喊有人被电死了。我不是告诉你了嘛，森迪和查理知道该怎么做。”

“瞎子给瞎子引路，外行人指导外行。”艾莉干巴巴地回了一句，“记得等一会儿提醒我，晚上睡觉前要祈祷，感谢圣斯帕奇[1]的保佑。”

胡安那辆电工货车急促地开出巷子的声音告诉我，一切都按照原定计划漂亮地执行完毕了。艾莉关心的是我和儿子们依然坚守着当初许给她的承诺，只靠自己来完成整个工程，不会花钱请专业人士来帮忙。而我觉得这次无伤大雅的小谎从安全角度来说，也是值得的。但是，不良后果是，孩子们也介入了编谎话欺骗艾莉的劣行。经过改建，原本一到晚上就变得黑乎乎惹人厌的花园在灯光映衬下显得格外漂亮。挂在墙上的灯笼发出的柔和光线打在假山上竟显出浮雕一般的立体效果，散布在常春藤中纹理错综的石头分布得随意且自然。原本肮脏破旧的外墙也被光线衬得好似精心雕刻出的艺术品，让人赏心悦目。就连墙上被煤烟熏出来的污点此刻都

---

1 “斯帕奇”的原文 sparky 有“电工”的意思。

成了狂野派艺术家随心勾画的妙笔，为整幅充满未加修饰的自然魅力的美景图增添了惊人活力。

“来看看这个！”查理兴奋地笑着，按下了墙上的一个开关，“怎么样？像不像魔术？”

我们在周围松树丛里藏起来的绿色泛光灯的确给花园景致增添了些许魔幻味道。投灯射出的绿色光芒萦绕在松木枝干里，形成了令人震惊的壮观戏剧效果，为“市长府邸”朴实无华的景致添加了几分妖娆妩媚，可谓锦上添花。显而易见，这样耗费不大的小规模改建，不仅能在一定程度上提升农场价值，更重要的是，它本身会成为农场的一部分，化作一道新的风景线。

整个计划都是艾莉想象力的产物，很明显，她本人对此非常得意，这也是可以理解的。尽管查理和森迪对妈妈表现出来的过度热情显得有些扭扭捏捏、不好意思，但还是接受了来自艾莉表示祝贺的拥抱，她感谢孩子们为此付出的辛勤劳动，恭贺他们的工程初步告捷。

“我有一个主意。”艾莉兴奋地说，“我知道距离整个烧烤区域完工还有段时日，但是我提议今天晚上我们就在这里吃饭，当作亮灯仪式吧。既然人们可以在伦敦的牛津街和纽约的时代广场就同一主题小题大做地庆祝，我们也可以在自家院子里开个小型派对啊！”

真是个好主意！很快，一个旧的工作台和四把摇摇晃晃的旧椅子就被从小仓库里搬了出来，我们还翻出了许久没用已经生了锈的烧烤炉子、一些木炭及一片铁丝网。靠这些看似简陋的炊具，我们自己动手做出了味道绝美的佳肴，这真是令人难以置信。我从来没有吃过这么鲜美的沙丁鱼。这些小鱼是艾莉在今天早些时候，去安德拉奇港的渔船上直接买回来的新鲜货。我还从来没有听说过有比趁着鱼还带着海水味的时候在木炭明火上烤着吃更好的烹饪方法。往烤得嗞嗞作响的鱼身上稍微撒点盐，再把刚从附近树上摘下来的柠檬挤出点汁浇在上面，搭配上一小盘新鲜的番茄沙拉，这简直就是过去帝王才能享用的皇家料理。以前就听人说过，吃沙丁鱼的最佳场所就是在海边的沙滩上，有海水的咸腥味和浪花拍岸的声响作陪，这样吃起来才有滋味。或许真的如此吧。但是对我来说，能像现在这样在秋日傍晚，坐在自家花园里沐浴着柔和的灯光，呼吸杂糅了松木清香和炭火温热的温润空气，斑驳的古墙把外面世界的繁杂统统隔离在外，已经胜似神仙了。全家人围坐在一起，小邦妮心满意足地躺在我们脚下，看着这一切的我在心里暗暗发誓，就算是有人愿意拿奥布赖恩家的豪宅来换我这小花园中的小小一角，我也不会同意的。如果说在我的人生中，曾经有那么一时半晌让我觉得自己像一个百万富翁一样富足，那么今天晚上我就享受到了这种感觉。

旧椅子晃晃悠悠的，只要我干杯的时候往后坐坐就吱咯吱咯响个不停，此时我的心情就像是挂在墙上的灯笼发出的光亮，温暖且沉静。我抬起头，透过松木枝干搭成的遮篷远远望着没有月色的夜空。天空好似深紫色的天鹅绒一般，无数好似触手可及的星星在上面闪烁。我的思绪一瞬间飘回了苏格兰，在那里，若是在这个季节的午后黄昏抬头望天，总是能看见一群群秃鼻乌鸦在寒冷的天际盘旋翻转，好像是一片片随风飞舞的燃烧后的纸片。这些鸟儿正在迁徙，飞往它们寒冷冬季的栖息地。我想起了家乡的老房子，每年这个时候，总能听见一阵阵野鹅悲戚的嘶号划破多霜的夜色，回荡在我家院子的周围。这叫声预示着数以千计的大鸟即将从位于北极圈边缘的夏日繁殖地飞回这里度过漫漫寒冬。好像是要提醒我注意生活已经发生了变化一般，一声清澈的夜莺啼叫从远处干枯河床旁的灌木丛里传了出来，一个多小时前，我和艾莉正是在离河床不远的水井旁见证了老玛丽亚做出改变余生的重大抉择。夜莺甜美悠扬的唱腔也在暗示，它同样面临着一个改变，那就是向南迁徙，就像一年前的我们一样。这只可人的小鸟即将开始一段比大雁的归途还要漫长的旅行，飞往温暖的非洲热带过冬。

对我们来说，在这个被喜欢冒险的候鸟抛弃了的马略卡，即将到来的几个月里风和日丽的好天气将会唱响主旋律，尽管按照历书预测的那样，在晴朗无云的黑夜里，刺骨的寒冷会开始肆意妄为。不过我却很期待寒冷，因为和去年那个毫无准备的冬天不一样，今年我们储备了大量木材——那些佩佩·苏沃用巧手修剪下来的果树枝条。我憧憬着今年冬天一家人被果木的清雅香气所围绕的幸福感觉——橘子、柠檬、杏子、石榴、榅桲、柿子，还有庄园上其他奇异水果，它们的枝丫混在一起燃烧，肯定会散发出前所未有的美好香气。

色彩斑斓的一年即将过去，家里每个人对即将到来的未来都充满了热忱的期待，“市长府邸”笼罩在愉悦乐观的氛围里。我可以想象得到，等到烧烤区正式完工后，儿子们和艾莉的欣喜与满足会比现在还要扩大几倍。要知道，这样“奢靡”的改建计划可是先前从不敢想的事情。

明天，我们一家将会把车开上那条蜿蜒在特拉蒙塔纳山上向北迂回的壮美海滨大道，这次的目的地是索列尔的美丽古镇，因为孩子们在报纸上找到的广告上写着，那里有人出售斯诺克台球桌，据他们说“刚好”适合放在我们计划中的游戏室里。在路上，我们还会路过胡安·胡安的工作室，我就正好可以在安德拉奇镇拜访这位技艺高超的木匠了。艾莉看上了他店门口摆放的彩色百叶窗，据她所说“刚好”适合布置在查理提议的游戏室里。还有查理，他在狼吞虎咽地吃光最后一条烤沙丁鱼后，提醒大家在八月一个潮湿闷热的午后，我这个全家唯一不会游泳的人曾经提出要赶在明年夏天来临之前在院子里造一个游泳池。查理说，这个主意不仅好，而且的确非常有必要。现在，秋日的凉爽已经让我改了主意，我觉得当初关于游泳池的提议未免有些过于草率和冲动。艾莉的座右铭一贯是，只有投入的成本低于最后的回报，才是具有可操作性的投资。可是这一次，她却非常支持查理的想法。

“你总是说‘明天’会去计算游泳池的报价，可是这‘明天’已经拖了两个多月了。”她对我说，“你这个‘明天’可真够长的。”

霎时间，我眼前浮现出随时可能会在银行账单上出现的赤字。我给自己满上一杯红酒，一口气干了下去，然后偷偷在桌子底下双手合十，平静地笑着说：“你说得太对了。明天我们一从索列尔回来，我就会去安德拉奇镇拜访建筑师托尼·恩森雅特，问问他的建议。”

艾莉摇摇头：“我有一个更好的主意。托尼的办公室和胡安·胡安的在同一条街上，我建议你在我们去索列尔之前拜访他。”接着，她又补充了一条“中肯”的提议，“为了避免你像上次买聚四氟乙烯一样，撞上你的密友霍尔迪，这一次我会和你一起去的。”

“我们也要去！”一听这话，儿子们兴奋地欢呼。

很明显，这一次我的“明天”终于走到了尽头。随着酒瓶子越来越轻，我的叹息声越来越重。我举起酒杯，提议大家为美味的烤面包片干杯。

“来，敬这一桌子的美食，还有全家人的决定。”

“敬了不起的民主精神。”森迪说。

“敬了不起的游泳池！”查理笑着，“还有游船、快艇和奔驰跑车！”

查理的话让我的心更沉了。

艾莉笑了笑，还是她一贯“明天会更好”的风格。

“最重要的是，敬我们一家人在这里的未来。”她和每个人都碰了杯。

“敬了不起的未来！”我们大声喊着，“敬了不起的马略卡！万岁！马略卡！”